Bescherelle
Collège

Grammaire

Orthographe

Conjugaison

Vocabulaire

Marie-Pierre Bortolussi
agrégée de Lettres classiques

Christine Grouffal
agrégée de Lettres modernes

Isabelle Lasfargue-Galvez
agrégée de Grammaire

HATIER

Conception graphique et mise en page : **Graphismes**
Dessins : **Henri Fellner**
Suivi éditorial : **Évelyne Brossier**

© HATIER - Paris 2007 - ISSN 0990 3771 - ISBN 978-2-218-**92078**-3

■ Un Bescherelle pour le collège

Dans *Bescherelle collège*, les élèves de la 6e à la 3e trouveront toutes les notions indispensables à la maîtrise de la langue française pour lire, analyser et produire des textes à l'écrit comme à l'oral.

Bescherelle collège couvre la totalité du programme en quatre parties – grammaire, orthographe, conjugaison et vocabulaire – conformément aux Instructions officielles.

■ Un Bescherelle pour faire le lien entre les cours et le travail à la maison

Bescherelle collège a pour objectif de présenter de manière simple et méthodique les notions au programme. *Bescherelle collège* veille à rendre accessible la terminologie en usage et à la mettre en relation avec une terminologie plus traditionnelle. En fin d'ouvrage, l'index a été conçu de manière à retrouver facilement une notion sous ses diverses dénominations.

■ Un Bescherelle pour découvrir le plaisir de la littérature

Bescherelle collège propose 80 chapitres s'appuyant sur des exemples tirés de la littérature. Plus de 450 citations sont proposées pour illustrer concrètement les points grammaticaux ou lexicaux expliqués. La majorité de ces citations est empruntée aux œuvres au programme. Les élèves seront ainsi familiarisés avec la grande variété et la richesse de la littérature. Dans un souci de transition, *Bescherelle collège* propose aussi quelques exemples extraits d'œuvres au programme des classes de lycée.

■ Un Bescherelle pour préparer le brevet

Dans *Bescherelle collège*, les élèves trouveront une aide utile pour se préparer à l'épreuve du Brevet. *Bescherelle collège* contient tous les outils nécessaires pour répondre aux questions de langue et de compréhension d'un texte posées lors de l'épreuve du Brevet. À cet usage, *Bescherelle collège* propose, en fin d'ouvrage, un lexique des notions essentielles.

■ Un Bescherelle pour aborder le lycée

Bescherelle collège est un ouvrage de référence auquel l'élève de lycée pourra se reporter pour vérifier une règle, une notion, revoir un point précis, et dont l'aide lui sera précieuse pour consolider ses connaissances.

Les auteurs

GRAMMAIRE

SOMMAIRE

ORTHOGRAPHE

SOMMAIRE

CONJUGAISON

VOCABULAIRE

SOMMAIRE

ANNEXES

Lexique

Alphabet phonétique

Index des auteurs et des œuvres

Index des notions

GRAMMAIRE

LES CLASSES GRAMMATICALES

*La grammaire, du **verbe** et du nominatif,*
*Comme de l'**adjectif** avec le **substantif**,*
Nous enseigne les lois.　　■ MOLIÈRE, *Les Femmes savantes.*

Les mots *verbe*, *adjectif* et *substantif* désignent des classes grammaticales.

1 Qu'est-ce qu'une classe grammaticale ?

■ Une classe grammaticale regroupe des mots qui présentent les mêmes caractéristiques grammaticales. On dit aussi qu'ils sont de même **nature**.

■ **Nature** et **classe grammaticale** sont devenus des termes synonymes dans les grammaires scolaires. Ainsi, se demander à quelle classe grammaticale appartient un mot ou quelle est sa nature revient à se poser la même question.

　　*Quelle est la **classe grammaticale** du mot « **assez** » ?* (adverbe)
　　*Quelle est la **nature** de ce mot ?* (adverbe)

2 Quelles sont les différentes classes grammaticales ?

■ Il existe neuf classes grammaticales :
– le nom (aussi appelé *substantif*) : *maison, idée, France* ;
– le déterminant : *le, des, cette, chaque, deux* ;
– l'adjectif qualificatif : *rouge, grand, patient* ;
– le pronom : *je, on, celle-ci, quelqu'un* ;
– le verbe : *marcher, écrire, être* ;
– l'adverbe : *bien, prudemment, aussitôt* ;
– la préposition : *de, chez, dans, par* ;
– la conjonction : *et, mais, que, puisque* ;
– l'interjection : *oh, fi, diantre.*

Si tu trouves sur la plage
un très joli coquillage
compose le numéro
Océan O.O.

Et l'oreille à l'appareil
la mer te racontera
dans sa langue des merveilles
que papa te traduira

■ CLAUDE ROY,
« Bestiaire du coquillage », *Enfantasques.*

• Les mots *plage, coquillage, numéro, océan, oreille, appareil, mer, langue, merveilles, papa* appartiennent à la classe grammaticale des *noms.*
• Les mots *la, un, le, l', sa, des* appartiennent à la classe grammaticale des *déterminants.*
• Le mot *joli* appartient à la classe grammaticale des *adjectifs qualificatifs.*
• Les mots *tu, te, que* appartiennent à la classe grammaticale des *pronoms.*
• Les mots *trouves, compose, racontera, traduira* appartiennent à la classe grammaticale des *verbes.*
• Le mot *très* appartient à la classe grammaticale des *adverbes.*
• Les mots *sur, à, dans* appartiennent à la classe grammaticale des *prépositions.*
• Les mots *si, et* appartiennent à la classe grammaticale des *conjonctions.*

■ Pour savoir à quelle classe grammaticale appartient un mot, il suffit de consulter le dictionnaire. Celui-ci indique la nature du mot au début de l'article, sous forme d'abréviation.

amitié [amitje] *n. f.*
La lettre *n* indique que le mot est un nom.

coudre [kudr] *v. tr.*
La lettre *v* indique que le mot est un verbe.

R é s u m é

● Une classe grammaticale regroupe les mots de même nature.

● On distingue neuf classes grammaticales : le nom, le détermi-nant, l'adjectif qualificatif, le pronom, le verbe, l'adverbe, la préposition, la conjonction, l'interjection.

LE NOM

*C'est vrai, répondit **d'Artagnan** ; je n'ai pas l'**habit**, mais j'ai l'**âme**. Mon **cœur** est **mousquetaire**.*

■ ALEXANDRE DUMAS, *Les Trois Mousquetaires.*

Tous les mots en gras, malgré leur diversité, appartiennent à une seule classe grammaticale : le nom.

3 Qu'est-ce qu'un nom ?

■ Le nom, appelé aussi substantif, est un mot qui désigne :
– un être vivant, **animé** : il peut s'agir d'un être humain *(une fille)*, d'un animal *(un loup)* ;
– une réalité abstraite, **inanimée** : il peut s'agir d'un objet concret *(une chaise)*, d'une action *(des applaudissements)*, d'une notion abstraite, d'un sentiment *(la gentillesse)*.

Attention

Devant un nom, on utilise la préposition *à* ou *chez*, selon qu'il s'agit d'un nom animé ou d'un nom inanimé.

■ Lorsqu'il s'agit d'un nom animé, on doit employer la préposition **chez**.
*Auriane va **chez** le coiffeur.*

■ Lorsqu'il s'agit d'un nom inanimé, on doit employer la préposition **à**.
*Auriane va **à** la pharmacie.*

■ Le nom a un **genre** défini, indiqué par le dictionnaire ; il peut être de genre **masculin** ou de genre **féminin** : *un tableau, une maison.*

■ Le nom est un mot variable en **nombre** ; il peut être au **singulier** ou au **pluriel** : *un garçon, des garçons.*

■ Le nom composé est formé de deux ou plusieurs mots. Ils sont séparés par un trait d'union *(un porte-monnaie)*, ou se présentent sous la forme de deux noms juxtaposés *(une chaise longue)* ou d'un nom suivi d'un complément du nom *(le chemin de fer)*.

■ Lorsqu'un mot, qui appartient à une autre classe grammaticale, est employé comme nom, on parle de **substantivation** : *le dîner* (verbe employé comme nom), *l'ailleurs* (adverbe employé comme nom), *les jeunes* (adjectif employé comme nom).

4 Nom commun et nom propre

■ Le **nom commun** est employé pour désigner une réalité qui n'est pas unique mais qui existe sous des formes diverses. Il est en général précédé d'un **déterminant**.

> **Mon chat** *guette* **la nuit**, *tout droit, comme* **une cruche**.
> ■ LÉON-PAUL FARGUE, « Une odeur nocturne », *Poésies*.

■ Le **nom propre** prend toujours une **majuscule**. Il désigne une réalité unique. Il s'emploie le plus souvent **sans déterminant**.

> **Venise** *pour le bal s'habille.* Venise désigne une ville unique.
> ■ THÉOPHILE GAUTIER, « Carnaval », *Émaux et Camées*.

■ Certains noms peuvent être tantôt noms communs, tantôt noms propres : *le breton* (la langue) ; *le Breton* (l'habitant ou le natif de la Bretagne). La majuscule permet de les différencier.

Attention

Le même mot peut être employé comme nom commun, nom propre ou adjectif.

> *Le corse est enseigné dans certaines écoles.* (nom commun)
> *Mon ami est un Corse.* (nom propre)
> *J'aime le fromage corse.* (adjectif)

Nom dénombrable et nom indénombrable

■ Lorsqu'un nom désigne ce qui peut être dénombré, compté, on parle de **nom dénombrable** ou **comptable** : *des pommes, des enfants.*

■ Lorsqu'un nom désigne quelque chose qui ne peut être dénombré, on parle de nom **indénombrable** ou **non comptable**. Il s'agit principalement de noms désignant un sentiment, une notion abstraite, un état : *l'humour, la faim.*

Attention

Le même nom peut être dénombrable ou indénombrable.

*Les **poulets** sont élevés en plein air.* (dénombrable)
*Nous avons mangé du **poulet**.* (indénombrable)

Nom générique, nom spécifique et nom collectif

■ Lorsque le nom commun désigne toute une catégorie d'objets, de personnes ou de notions, on dit qu'il est **générique**.

■ Lorsque le nom commun désigne un élément particulier, on dit qu'il est **spécifique**.

Arbre est un nom générique, alors que *peuplier* est un nom **spécifique**.

> *C'était une de ces **coiffures** d'ordre composite, où l'on*
> *retrouve tous les éléments du **bonnet** à poil, du **chapska**,*
> *du **chapeau** rond, de la **casquette** de loutre et du **bonnet***
> *de coton.*
> ■ GUSTAVE FLAUBERT, *Madame Bovary.*

Coiffures est un nom générique désignant l'ensemble des couvre-chefs ;
bonnet, chapska, chapeau, casquette et *bonnet* sont des noms spécifiques
correspondant à des « coiffures » particulières.

■ Lorsque le nom commun désigne un ensemble d'éléments, on dit qu'il est **collectif** *(vaisselle, famille, foule…).*

> *Et comme **la foule** sortait de l'église, des cris d'étonnement*
> *retentirent.* ■ « Merlin l'enchanteur », *Les Romans de la Table ronde.*

💡 Astuce

Comment éviter les répétitions en utilisant un nom générique ?

Utiliser un nom générique peut être utile pour reprendre une réalité désignée par un nom spécifique.

> *Adam, en possession de son **chien** et de sa **brebis**, manifeste une*
> *grande joie et se réjouit. D'après le livre, ces deux **animaux** ne*
> *peuvent vivre longtemps qu'en la compagnie des hommes.*
> ■ *Le Roman de Renart.*

Animaux est le terme générique qui reprend *chien* et *brebis*, qui sont des noms spécifiques.

Résumé

● Le nom permet de désigner des êtres vivants, des objets et des idées.

● On distingue les noms propres et les noms communs.

● Le nom a un genre (féminin ou masculin) et il varie en nombre.

LES DÉTERMINANTS

Le soir, comme ils rentraient des champs,
les parents trouvent le chat sur la margelle
du puits où il était occupé à faire sa toilette.

■ MARCEL AYMÉ, *Les Contes du chat perché.*

On appelle *déterminants* les mots
qui précèdent le nom et qui forment
avec lui le groupe nominal minimal.

LES RÈGLES D'EMPLOI DES DÉTERMINANTS

7 Le rôle des déterminants

■ Les déterminants permettent d'insérer le nom dans la phrase.

Il y a dans la même île des rhinocéros, qui sont des animaux
plus petits que l'éléphant et plus grands que le buffle.

■ « Sindbad le marin », *Les Mille et Une Nuits.*

Sans la présence des déterminants, la phrase serait grammaticalement
incorrecte.

■ Les déterminants s'emploient :
– pour préciser le nom ;

Un meunier ne laissa pour tous biens à trois enfants qu'il
avait, que son moulin, son âne et son chat.

■ CHARLES PERRAULT, *Le Maître Chat ou le Chat botté.*

– pour relier le nom à d'autres mots du texte ;

Il était une fois une petite fille de Village, la plus jolie qu'on
sût voir ; sa mère en était folle, et sa mère-grand plus folle
encore. Cette bonne femme lui fit faire un petit chaperon
rouge. ■ CHARLES PERRAULT, *Le Petit Chaperon rouge.*

Cette relie bonne femme à sa mère-grand.

– pour relier le nom à la situation d'énonciation.

– *Mon enfant, est-ce que tu ne reconnais plus ta mère ?*

<small>■ JULES VERNE, *Michel Strogoff.*</small>

Mon renvoie au locuteur (celui qui parle) et *ta* à l'interlocuteur (celui à qui le locuteur parle).

8 L'absence de déterminant

■ Il arrive que le nom ne soit pas précédé d'un déterminant ; c'est le cas, en particulier :

– de noms propres : **Paris** *est la capitale de la France.*

– de noms en fonction d'apostrophe : **Garçon,** *l'addition !*

– de noms en fonction d'apposition : *Thomas,* **enfant** *sociable, adore les sports d'équipe.*

– de locutions verbales : *avoir faim, prendre froid, tenir tête…*

– de noms précédés de préposition : *une nuit* **sans étoiles.**

– de titres : **Germinal.**

– d'énumérations : *L'automne arrive :* **vent, pluie, froid.**

9 La place du déterminant

■ Le déterminant précède le nom et forme avec lui un **groupe nominal.**

Le trésor, s'il existait, était enterré dans **cet** *angle sombre.*

<small>■ ALEXANDRE DUMAS, *Le Comte de Monte-Cristo.*</small>

Le trésor et cet angle sombre constituent deux groupes nominaux.

■ Il arrive que le déterminant soit séparé du nom par des expansions du nom qui viennent enrichir celui-ci ; dans ce cas, le déterminant marque toujours le début du groupe nominal.

Ces *élégants* **habits, cette** *riche* **veste** *brodée, faisaient de moi* **un** *tout autre* **personnage.**

<small>■ THÉOPHILE GAUTIER, *La Morte amoureuse.*</small>

Ces élégants habits, cette riche veste brodée et un tout autre personnage constituent trois groupes nominaux.

10 L'accord des déterminants

■ Les déterminants s'accordent en **genre** et en **nombre** avec le nom qu'ils précèdent : *un chien*, *une chienne*, *des chiens*.

■ C'est souvent grâce aux déterminants que l'on est renseigné sur le genre et le nombre du nom : *un pianiste*, *une pianiste* ; *un choix*, *des choix*.

■ Les déterminants permettent aussi de différencier des homonymes : *un mémoire*, *une mémoire* ; *un voile*, *une voile*.

11 Les catégories de déterminants

■ On distingue :
– les articles : définis *(le mur)*, indéfinis *(une rose)*, partitifs *(du lait)* ;
– les déterminants démonstratifs *(cette année)*, possessifs *(mon ami)*, indéfinis *(plusieurs jours)*, interrogatif ou exclamatif *(quel homme ? quel homme !)*, numéraux *(deux ans)*.

Attention

Pour éviter la confusion avec l'adjectif qualificatif, on parle désormais de déterminant possessif, démonstratif, indéfini...

adjectif possessif → déterminant possessif
adjectif démonstratif → déterminant démonstratif
adjectif indéfini → déterminant indéfini

■ Les articles et les déterminants possessifs ou démonstratifs peuvent s'employer en même temps que d'autres déterminants.

Pas du tout, a répondu Papa ; il est temps que Nicolas apprenne la valeur de l'argent.
*Je suis sûr qu'il dépensera **ces dix** nouveaux francs d'une façon raisonnable.*

■ Jean-Jacques Sempé et René Goscinny, *Le Petit Nicolas a des ennuis*.
Ces est un déterminant démonstratif ; *dix* est un déterminant numéral.

12 ## Les articles définis

■ Les articles définis sont les suivants :

Masculin singulier	le, l'
Féminin singulier	la, l'
Masculin féminin pluriel	les

■ Les articles définis servent à désigner :
– des êtres ou des choses que l'on connaît ;

*Je vais à **la** mairie.*
Il s'agit de la mairie de la ville où je me trouve.

– des êtres ou des choses dont on a déjà parlé.

*Il était une fois **une princesse** qui possédait, tout en haut*
du donjon, juste sous les créneaux, une grande salle avec
douze fenêtres qui donnaient sur tous les secteurs du ciel ;
et lorsqu'elle y montait et regardait par ces fenêtres,
***la princesse** pouvait surveiller et embrasser du regard tout*
son royaume.   ■ Les frères Grimm, *Le Ouistiti.*
L'article défini *la*, dans *la princesse*, reprend *une princesse*.

■ On emploie également les articles définis devant les **noms génériques**, c'est-à-dire les noms qui désignent des espèces ou des catégories d'êtres ou de choses.

***Le cheval** est la plus noble conquête de **l'homme**.*

Attention

L'article défini est élidé ou contracté dans certains cas.

■ Devant une **voyelle** ou un **h muet**, l'article défini singulier s'élide, c'est-à-dire qu'il perd sa voyelle finale : *l'atelier, l'humeur.*

■ L'article défini se contracte avec les prépositions **à** et **de** : à le = **au** ; de le = **du** ; à les = **aux** ; de les = **des**. On parle alors d'article défini contracté.

Je vais (à le) au marché.

GRAMMAIRE

13 Les articles indéfinis

■ Les articles indéfinis sont les suivants :

Masculin singulier	un
Féminin singulier	une
Masculin féminin pluriel	des

■ les articles indéfinis servent à désigner :

– des êtres ou des choses dont on n'a pas encore parlé ;

Une Grenouille vit un bœuf
Qui lui sembla de belle taille.

■ JEAN DE LA FONTAINE, *La Grenouille qui veut se faire aussi grosse que le bœuf.*

– des êtres ou des choses dont on ne peut pas ou veut pas préciser l'identité.

Monsieur, voilà un médecin qui demande à vous voir.

■ MOLIÈRE, *Le Malade imaginaire.*

Attention

Des devient *de* ou *d'* dans les phrases négatives ou lorsque le nom est précédé d'un adjectif.

J'ai des devoirs.   Je n'ai pas de devoirs.
De grosses vagues se brisent sur les rochers.

---

14 Les articles partitifs

■ Les articles partitifs sont les suivants :

Masculin singulier	du , de l'
Féminin singulier	de la , de l'
Masculin féminin pluriel	des

■ Les articles partitifs s'emploient devant des noms de choses qu'on ne peut pas compter (indénombrables) ; ils indiquent des quantités indéfinies. Ils s'emploient aussi bien devant des noms concrets *(du chocolat)*, que devant des noms abstraits *(de la peine)*.

Tiens, il est neuf heures. Nous avons mangé
***de la** soupe, **du** poisson, **des** pommes de terre au lard,*
***de la** salade anglaise.* ■ EUGÈNE IONESCO, *La Cantatrice chauve.*

Attention

***Du** et **de la** sont remplacés par **de** dans une phrase négative.*
*Elle faisait **du** sport ; elle ne fait plus **de** sport.*

LES AUTRES DÉTERMINANTS

15 ## Les déterminants démonstratifs

■ Les déterminants démonstratifs sont les suivants :

	Singulier	Pluriel
Masculin	ce, cet	ces
Féminin	cette	

■ Les déterminants démonstratifs s'emploient pour désigner :
– des êtres ou des choses qui appartiennent à la situation d'énonciation et que l'on montre (*démonstratif* vient du latin *demonstrare*,
qui signifie « montrer ») ;

> « ***Ce** pied fera mon affaire »,* dis-je au marchand, qui me
> *regarda d'un air ironique et sournois en me tendant l'objet
> demandé pour que je pusse l'examiner plus à mon aise.*
> ■ THÉOPHILE GAUTIER, *Le Pied de momie.*

– des êtres ou des choses dont on a déjà parlé ;

> *Un <u>Loup</u> n'avait que les os et la peau ;
> Tant les Chiens faisaient bonne garde.
> **Ce** Loup rencontre un Dogue aussi puissant que beau.*
> ■ JEAN DE LA FONTAINE, *Le Loup et le Chien.*

GRAMMAIRE

– des êtres ou des choses dont on va parler.

*Le 15 mai 1796, le général Bonaparte fit son entrée dans
Milan à la tête de **cette** jeune armée qui venait
de passer le pont de Lodi.* ■ STENDHAL, *La Chartreuse de Parme.*

Le déterminant *cette* annonce l'information apportée par la proposition relative qui suit.

■ Les déterminants démonstratifs peuvent être renforcés par les particules **-ci** ou **-là** ; **-ci** insiste sur la proximité, **-là** sur l'éloignement dans l'espace ou dans le temps : *ces temps-**ci**, en ce temps-**là**.*

*Pour **cette** petite clef-**ci**, c'est la clef du cabinet au bout de la grande galerie de l'appartement.*

■ CHARLES PERRAULT, *La Barbe bleue.*

Cette... -ci renvoie à la clef que la Barbe bleue a dans la main.

> **Attention**
>
> **Ce devient cet devant un mot commençant par une voyelle ou un h muet.**
>
> *cet arbre – cet homme*

16 Les déterminants possessifs

■ Les déterminants possessifs sont les suivants :

	Singulier	Pluriel
1re personne	mon, ma, notre	mes, nos
2e personne	ton, ta, votre	tes, vos
3e personne	son, sa, leur	ses, leurs

■ Les déterminants possessifs indiquent le possesseur. En plus du genre et du nombre, ils portent la marque de la personne et peuvent constituer ainsi un indice de l'énonciation.
À la première personne, le possesseur est le locuteur ; à la deuxième personne, le possesseur est l'interlocuteur.

Mon cher Poil de Carotte,
Ta lettre de ce matin m'étonne fort.
Je la relis vainement.
Ce n'est plus ton style ordinaire.

■ JULES RENARD, *Poil de Carotte.*

GRAMMAIRE

17 Les déterminants indéfinis

■ Les déterminants indéfinis sont les suivants : *aucun, autre, certain, chaque, différents, divers, maint, même, nul, plusieurs, quelque, quelconque, tel, tout, pas un, n'importe quel...*
Des noms et des adverbes de quantité jouent aussi le rôle de déterminants indéfinis : *la plupart de, une foule de, beaucoup de, moins de, (un) peu de, plus de...*

■ Les déterminants indéfinis sont très nombreux et difficiles à classer. Ils expriment généralement une idée de quantité :
– une quantité nulle : *aucun, pas un* ;
– une quantité non précisée : *quelques, certains* ;
– une totalité : *tout.*
Certains expriment une idée d'identité : *même, tel.*

■ Souvent, les déterminants indéfinis s'emploient en même temps qu'un article, un déterminant possessif ou démonstratif : *un même succès, tous mes amis, ces quelques livres.*

■ **Certain, différent, divers, nul** sont aussi des adjectifs qualificatifs ; dans ce cas, ils se placent derrière le nom ou en fonction d'attribut et changent de sens.

Certaines nouvelles nous parvenaient.
Le déterminant indéfini a le sens de *quelques.*

La nouvelle était certaine.
L'adjectif qualificatif a le sens de *sûre.*

18

Le déterminant interrogatif
et le déterminant exclamatif

■ Le déterminant **quel** peut être interrogatif et exclamatif ; il s'accorde en genre et en nombre avec le nom auquel il se rapporte. Il prend les formes suivantes : **quel, quels, quelle, quelles**.

> *Quels yeux ! avec un éclair ils décidaient de la destinée d'un*
> *homme.* ■ THÉOPHILE GAUTIER, *La Morte amoureuse.*
> *Quelle taille veux-tu avoir ?*
>
> ■ LEWIS CARROLL, *Alice au pays des merveilles.*

■ Le déterminant interrogatif **quel** se rencontre aussi bien dans l'interrogation directe que dans l'interrogation indirecte.

> *Quelle robe mettras-tu ?* (interrogation directe)
> *Je me demande quel temps il fera.* (interrogation indirecte)

■ **Quel** s'emploie également comme attribut.

> *Le valet de chambre accuse la cuisinière, qui accuse la*
> *lingère, qui accuse les deux autres. Quel est le coupable ?*
>
> ■ GUY DE MAUPASSANT, *Le Horla.*
>
> *Quel est attribut du sujet le coupable.*

■ **Quel** peut aussi se rencontrer dans des phrases exclamatives ; il est alors déterminant exclamatif et exprime une réaction et des sentiments variés, comme la surprise, l'impatience, l'admiration, l'indignation…

> *Quelle journée !*
>
> Cette phrase signifiera, suivant le contexte, que la journée a été merveilleuse ou désastreuse.

19 Les déterminants numéraux cardinaux

■ Les déterminants numéraux cardinaux indiquent le nombre précis de ce dont on parle : *un, deux, trois, cent, mille.*

> *Au-delà de **six** fleuves et **trois** chaînes de montagnes surgit Zora, ville que ne peut oublier celui qui l'a vue **une** fois.*
>
> ■ ITALO CALVINO, *Les Villes invisibles.*

Attention

Le déterminant numéral cardinal n'indique pas toujours un nombre précis.

On rencontre ce cas dans certaines expressions familières :
*voir **trente-six** chandelles ; faire les **quatre cents** coups.*

■ Les adjectifs numéraux ordinaux ne sont pas considérés comme des déterminants, mais comme des adjectifs qualificatifs. Ils indiquent le rang : *premier, deuxième…*

R é s u m é

● Les déterminants précèdent le nom et forment avec lui un groupe nominal (GN).

● Ils précisent le nom, le rattachent au contexte.

● On distingue :
  – les articles définis : *le, la, les…*
  – les articles indéfinis : *un, une, des…*
  – les articles partitifs : *du, de la, des…*
  – les déterminants démonstratifs : *ces, cette…*
  – Les déterminants possessifs : *mon, ton, son…*
  – les déterminants indéfinis : *chaque, quelque…*
  – le déterminant interrogatif ou exclamatif : *quel…*
  – les déterminants numéraux cardinaux : *trois, huit…*

LES PRONOMS

Étymologiquement, « pro-nom » signifie à la place du nom.
Or, le pronom remplace d'autres mots que le nom et peut même ne rien remplacer du tout !

20 À quoi servent les pronoms ?

■ Les pronoms peuvent avoir un rôle de **substituts** quand ils remplacent des mots ou des groupes de mots. Les éléments qu'ils reprennent sont appelés **antécédents**.

> *Il n'est pas facile de lire sur la figure d'un Chouan : mais* **celui-ci** *s'est trahi par le désir de montrer son intrépidité.*
>
> ■ HONORÉ DE BALZAC, *Les Chouans.*

Le pronom *celui-ci* remplace le groupe nominal *un Chouan*. *Un Chouan* est le GN antécédent du pronom *celui-ci*.

■ Les pronoms peuvent aussi avoir un rôle de **représentants** quand ils sont employés **sans antécédents**. Ils renvoient alors à la situation d'énonciation : qui parle ? à qui ? où ? quand ?

> *Je* *ne* *te* *dis plus rien. Venge-**moi**, venge-**toi**.*
>
> ■ PIERRE CORNEILLE, *Le Cid.*

Je et *moi* désignent celui qui parle, don Diègue. *Te* et *toi* désignent son interlocuteur, son fils Rodrigue.

LES PRONOMS PERSONNELS

21 Le rôle des pronoms personnels

■ Les pronoms personnels peuvent remplacer des groupes no-minaux pour éviter les répétitions ou désigner des personnes qui communiquent entre elles : celui qui parle, celui à qui l'on parle, celui dont on parle. Ils existent aux trois personnes du discours : **je, tu, il, elle, on** au singulier et **nous, vous, ils, elles** au pluriel.

On et il ne sont-ils que des pronoms personnels ?

■ Non, **on** existe aussi en tant que pronom indéfini.

■ Non, **il** peut avoir un sens impersonnel. Dans ce cas, il ne remplace rien et ne représente rien. Il est sujet d'un verbe impersonnel : *il pleut*.

22 Les différents pronoms personnels

■ On distingue les pronoms personnels **simples**, **renforcés**, **réfléchis** et **adverbiaux**.

Pronoms	Singulier			Pluriel		
	1re pers.	2e pers.	3e pers.	1re pers.	2e pers.	3e pers.
simples	je, me	tu, te	il, elle, on, le, la, lui	nous	vous	ils, elles les, leur
renforcés	moi	toi	lui	nous	vous	eux, elles
réfléchis	me	te	se, soi	nous	vous	se
adverbiaux			en, y			

■ Les **pronoms personnels simples** sont les plus utilisés. Ils varient selon la fonction qu'ils occupent dans la phrase.

> **Il la** *regarde.* Il est sujet, *la* est COD.
>
> **Nous leur** *donnons un cadeau.* Nous est sujet, *leur* est COS.

■ Les **pronoms personnels renforcés** sont utilisés pour renforcer des pronoms ou derrière une préposition.

> **Eux** *aussi nous dévisageaient, comme s'ils étaient tombés chez les sauvages.* ■ ROLAND DORGELÈS, *Les Croix de bois.*
> *Eux* est une forme renforcée de *ils*, employée à effet d'insistance.
>
> *Tiens, ma fille, voici un carnet que j'ai acheté pour* **toi**.
> ■ EUGÈNE LABICHE, *Le Voyage de Monsieur Perrichon.*
> *Toi* est une forme renforcée de *tu*, employée derrière la préposition *pour*.

■ Les **pronoms personnels réfléchis** sont utilisés quand ils renvoient aux sujets des propositions dans lesquelles ils se trouvent.

> *Pauline* **se** *regarda dans le miroir.*
> Le pronom *se* (COD) désigne la même personne que *Pauline* (sujet).

■ Les **pronoms personnels adverbiaux** sont invariables. Ils sont utilisés pour remplacer des noms désignant des animaux, des objets ou des idées. On ne peut les employer pour les êtres humains.

> *Notre tante ne voulait pas entendre parler de* <u>*stylo à bille*</u>, *dont l'apparition avait enthousiasmé papa, au point qu'il* **en** *faisait l'éloge.* ■ JEAN ROUAUD, *Les Champs d'honneur.*
> Le pronom *en* remplace le nom *stylo à bille*.

LES PRONOMS POSSESSIFS

23 Le rôle des pronoms possessifs

■ Les pronoms possessifs permettent de **reprendre des noms** en les présentant comme des objets possédés par quelqu'un.

> GUEUSELAMBIX. − *Voici notre village.*
> OBÉLIX. − *Ça ressemble au* **nôtre** *!*
> ■ RENÉ GOSCINNY et ALBERT UDERZO, *Astérix chez les Belges.*

24 Les différents pronoms possessifs

■ Les pronoms possessifs varient selon le **possesseur** mais aussi selon le **genre** et le **nombre** des éléments possédés.

Possesseur	Un seul élément possédé		Plusieurs éléments possédés	
	Masculin	**Féminin**	**Masculin**	**Féminin**
moi	le mien	la mienne	les miens	les miennes
toi	le tien	la tienne	les tiens	les tiennes
lui, elle	le sien	la sienne	les siens	les siennes
nous	le nôtre	la nôtre	les nôtres	les nôtres
vous	le vôtre	la vôtre	les vôtres	les vôtres
eux, elles	le leur	la leur	les leurs	les leurs

25 ## Le rôle des pronoms démonstratifs

■ Les pronoms démonstratifs s'emploient pour désigner :
– des êtres ou des choses qui appartiennent à la situation d'énonciation et que l'on montre ;

> *Marius regarde <u>les voitures</u> dans la vitrine : « **Celle-ci** me plaît ! dit-il. »*
> Le pronom *celle-ci* désigne l'une des *voitures* regardées par Marius.

– des êtres ou des choses dont on a déjà parlé ;

> *L'amie qui était le plus souvent avec eux, c'était <u>la pauvreté</u>, hélas, et il n'est pire compagnie que **celle-là**, pire tourment que sa présence obsédante.*　　■ « Estula », *Fabliau du Moyen Âge.*
> Le pronom *celle-là* reprend *la pauvreté*.

– des êtres ou des choses dont on va parler.

> *Je vous donne **ceci** : la montre de mon grand-père.*

■ Quand les formes composées **celui-ci** et **celui-là** sont employées ensemble, elles s'opposent : **celui-ci** désigne ce qui est le plus proche dans le temps ou dans le texte ; **celui-là** désigne ce qui est le plus éloigné dans le temps ou dans le texte.

> *Corneille nous assujettit à ses caractères et à ses idées ;*
> *Racine se conforme aux nôtres : **celui-là** peint les hommes comme ils devraient être ; **celui-ci** les peint comme ils sont.*
> 　　■ JEAN DE LA BRUYÈRE, *Les Caractères.*
> *Celui-là* désigne Corneille, *celui-ci* désigne Racine.

26 Les différents pronoms démonstratifs

■ Les pronoms démonstratifs existent sous une **forme simple** et sous une **forme composée**.

	Singulier		Pluriel		Invariable
	Masculin	Féminin	Masculin	Féminin	
Formes simples	celui	celle	ceux	celles	ce, c'
Formes composées	celui-ci, celui-là	celle-ci, celle-là	ceux-ci, ceux-là	celles-ci, celles-là	ceci, cela, ça

■ Les **pronoms démonstratifs simples** sont toujours suivis de propositions subordonnées relatives ou de groupes nominaux.

*J'ai deux robes : **celle** que je préfère est bleue.*

*Il y a deux récréations au collège : **celle** du matin est la plus longue.*

■ Les **pronoms démonstratifs composés** s'emploient seuls.

*Regarde les chapeaux ! **Celui-ci** est joli.*

■ Les **pronoms démonstratifs invariables** reprennent :
– des noms inanimés : *Les bandes dessinées, **ça** m'intéresse.*
– des infinitifs : *Dormir à la belle étoile, **cela** me plaît !*
– des propositions entières : *Tu triches ! **ce** n'est pas drôle.*

▬ LES PRONOMS INDÉFINIS, RELATIFS, INTERROGATIFS ▬

27 Les pronoms indéfinis

■ Les pronoms indéfinis sont des termes de formes variées. Le mot **indéfini** indique l'idée d'une **imprécision** ou d'une incertitude dans l'élément remplacé ou désigné par ces pronoms.

*Je vois **quelque chose**.*

Le pronom *quelque chose* désigne une réalité incertaine, pas très bien identifiée.

■ On peut classer les pronoms indéfinis selon leur sens.

Sens négatif	aucun(e), nul(le), personne, pas un(e)... *Nul ne peut entrer.*
Sens quantitatif	plusieurs, certains, beaucoup, tout (tous, toutes), quelques-uns, quelques-unes... *Certains marchaient lentement.*
Sens distributif	les uns, les autres, chacun, chacune... *Chacun à son poste !*
Sens indéterminé	on, quelque chose, quelqu'un... *À quelque chose malheur est bon.*

Attention

Il ne faut pas confondre *on* pronom personnel et *on* pronom indéfini.

Pour les distinguer, on peut les remplacer par un autre pronom.

On ne sait rien, on n'a pas d'ordres.
■ ROLAND DORGELÈS, *Les Croix de bois.*

On peut être remplacé par *nous* (pronom personnel) car il désigne l'auteur et ses compagnons, qui sont enfermés dans les tranchées de la guerre de 1914-1918.

Elle crut entendre dans l'allée un bruit de pas qui s'approchaient.
On vient ! dit-elle.
■ GUSTAVE FLAUBERT, *Madame Bovary.*

On peut être remplacé par *quelqu'un* (pronom indéfini).

28 Les pronoms relatifs

■ Les pronoms relatifs introduisent des **propositions relatives**. Il ont un **antécédent** qui peut être un nom, un groupe nominal ou un autre pronom.

*J'ai déjà vu la jeune fille **qui** attend l'autobus.*
Jeune fille est l'antécédent du pronom relatif *qui*.

■ Les **pronoms relatifs simples** sont : **qui, que, qu', quoi, dont, où**. Ils varient selon la fonction qu'ils occupent à l'intérieur de la proposition relative.

> *J'achetai des marchandises propres à faire le trafic **que** je <u>méditais</u>, et je partis une seconde fois avec d'autres marchands **dont** <u>la probité</u> m'était connue.*
>
> ■ « Sindbad le marin », *Les Mille et Une Nuits.*

Le pronom *que* est COD de *méditais* et le pronom *dont* est complément du nom *probité*.

■ Les **pronoms relatifs composés** varient selon le genre et le nombre de l'antécédent et peuvent être soudés aux prépositions **à** et **de**.

> *Il ne comprit pas tout de suite le curieux <u>travail</u> **auquel** se livrait Vendredi.*
>
> ■ MICHEL TOURNIER, *Vendredi ou la Vie sauvage.*

Le pronom relatif *auquel* s'accorde avec l'antécédent *travail*, au masculin singulier ; il est soudé à la préposition *à*.

	Masculin singulier	Féminin singulier	Masculin pluriel	Féminin pluriel
Sans préposition	lequel	laquelle	lesquels	lesquelles
Avec la préposition *à*	auquel	à laquelle	auxquels	auxquelles
Avec la préposition *de*	duquel	de laquelle	desquels	desquelles

29 Les pronoms interrogatifs

■ Les pronoms interrogatifs permettent de **poser des questions**. On distingue les **pronoms interrogatifs** de forme **simple**, de forme **composée** et de forme **complexe**.

■ Les **pronoms interrogatifs simples** ne varient pas en genre et en nombre. Ils varient :

– selon qu'ils désignent un être humain ou non ;

> ***Qui** regardes-tu ?* Qui désigne un être humain.
>
> ***Que** regardes-tu ?* Que peut désigner un animal ou un objet.

– selon la fonction qu'ils occupent dans la phrase.

> ***Que** regardes-tu ?* (Que est COD.)
>
> ***À qui** écris-tu ?* (À qui est COI.)

■ Les **pronoms interrogatifs composés** varient en genre et en nombre : **lequel, laquelle, lesquels, lesquelles.**

Un pronom interrogatif composé remplace toujours un élément du contexte :

– soit en reprenant un élément déjà mentionné ;

Tu as mangé deux bonbons. **Lequel** *était le meilleur ?*

Le pronom *lequel* a pour antécédent *bonbons.*

– soit en étant suivi de l'élément qu'il représente.

Lequel *de ces deux bonbons vas-tu manger en premier ?*

L'élément représenté par le pronom *lequel* est placé après lui ;
il s'agit de *bonbons.*

■ Les **pronoms interrogatifs complexes** se présentent sous la forme de locutions verbales composées de l'auxiliaire **être** et de pronoms : **qui est-ce qui, qu'est-ce que.** Les deux pronoms interrogatifs simples qui encadrent la locution varient selon qu'on parle d'un être humain ou non et selon la fonction de la locution dans la phrase.

Qui est-ce qui *a écrit sur la table ?*

Le pronom *qui est-ce qui* représente le sujet (humain) du verbe *a écrit.*

Qu'est-ce que *tu écris sur la table ?*

Le pronom *qu'est-ce que* représente le COD (non humain) du verbe *écris.*

R é s u m é

● Les pronoms remplacent des éléments de la phrase ou représentent des éléments de la situation d'énonciation.

● Les pronoms changent de forme selon leur genre, leur nombre et leur fonction.

● On distingue :
  – les pronoms personnels : *je, tu, nous, eux…*
  – les pronoms possessifs : *le mien, les nôtres…*
  – les pronoms démonstratifs : *ceci, celle-ci…*
  – les pronoms indéfinis : *aucun, quelque chose…*
  – les pronoms relatifs : *qui, lequel…*
  – les pronoms interrogatifs : *que, lequel, qu'est-ce que…*

L'ADJECTIF QUALIFICATIF

Le mot *adjectif* vient du latin *adjicere,* qui signifie « ajouter ».
L'adjectif ajoute en effet des précisions à un nom ou à un pronom.

30 Qu'est-ce qu'un adjectif qualificatif ?

■ L'adjectif qualificatif est un mot qui caractérise un nom ou un
pronom en lui apportant des précisions.

> *Son nez **décharné**, **haut** et **effilé**, lui donnait l'air
> d'un **vieil** oiseau de proie.*

> ■ CONAN DOYLE, « Le ruban moucheté », *Trois Aventures de Sherlock Holmes.*
> Les trois premiers adjectifs caractérisent le mot *nez*, le quatrième le mot
> *oiseau*.

■ L'adjectif qualificatif est un mot **variable** : il s'accorde en genre
et en nombre avec le nom ou le pronom auquel il se rapporte.

> *Tante Éponge était **petite** et **ronde**, **ronde** comme
> un ballon.* ■ ROALD DAHL, *James et la grosse pêche.*
> Les trois adjectifs s'accordent avec *tante Éponge* au féminin singulier.

■ Le participe passé et le participe présent peuvent s'employer
comme des adjectifs qualificatifs et s'accordent donc comme eux.

> *Alors la jeune femme, d'une voix **entrecoupée**,
> **tremblante**, commença : « Mes braves gens, je viens vous
> trouver parce que je voudrais bien… votre petit garçon. »*

> ■ GUY DE MAUPASSANT, *Aux champs.*
> *Entrecoupée* (participe passé) et *tremblante* (participe présent) s'accordent,
> comme deux adjectifs, avec le nom *voix*.

31 La place de l'adjectif qualificatif

■ L'adjectif qualificatif se place généralement **après le nom** qu'il
qualifie : *Cyprien a raconté une histoire **formidable** !*

■ Cependant, il existe quelques cas particuliers :
– certains adjectifs qualificatifs courts se placent **avant le nom** ;
*Pascal porte un **vieux** chapeau.*
– lorsque l'adjectif qualificatif est attribut, il est généralement placé **après le verbe**.

*Et puis Mme Bongrain a apporté le rôti, qui était **rigolo**, parce que dehors il était tout **noir**, mais dedans c'était comme s'il n'était pas **cuit** du tout.*

■ JEAN-JACQUES SEMPÉ et RENÉ GOSCINNY, *Le Petit Nicolas et les copains.*
Rigolo qualifie *le rôti*, noir et *cuit* qualifient le pronom *il*. Ces adjectifs sont placés après le verbe *était*.

■ Quelques adjectifs qualificatifs épithètes ne peuvent **jamais** être placés **avant** le nom, comme certains adjectifs de couleur.
*Je préfère le pantalon **bleu**.* (● *et non le bleu pantalon !*)

Attention

La place de l'adjectif qualificatif peut en modifier le sens.

La place de l'adjectif qualificatif épithète (avant ou après le nom) peut parfois changer le sens du GN. C'est le cas pour des adjectifs comme *grand, triste, curieux, propre, pauvre, brave* : *un garçon **curieux*** fait preuve de curiosité mais *un **curieux** garçon* est un garçon étrange.

---

32 Les adjectifs relationnels

■ Certains adjectifs n'expriment pas une qualité mais une relation avec un nom, on les appelle des **adjectifs relationnels**. Ils sont l'équivalent d'un complément du nom.

*Quant à Passepartout, la face rouge comme le disque **solaire** quand il se couche dans les brumes, il humait cet air **piquant**.*

■ JULES VERNE, *Le Tour du monde en quatre-vingts jour*s.
L'adjectif qualificatif *piquant* donne une caractéristique de l'air. L'adjectif relationnel *solaire* équivaut au complément du nom « du soleil ».

■ Les adjectifs relationnels ont trois particularités : ils sont toujours placés après le nom ; ils ne varient pas en degré ; ils sont toujours épithètes.

Les degrés de l'adjectif qualificatif : les comparatifs et les superlatifs

L'adjectif qualificatif peut exprimer une propriété ou une caractéristique avec plus ou moins de force, il **varie** alors en **degré**. C'est l'ajout d'adverbes *(plus, moins)* qui exprime cette variation.

> – *Vieille imbécile ! Je suis **plus beau** que toi ! tu entends !*
> ***Plus beau** que toi !*
> – *Ce n'est pas vrai ! Espèce de brimborion ! C'est moi*
> ***la plus belle** !*   ■ MARCEL AYMÉ, *Les Contes du chat perché.*

Plus beau est un comparatif, *la plus belle* est un superlatif.

Les comparatifs

■ On distingue plusieurs types de comparatifs :
- le comparatif **de supériorité** *(plus + adjectif)* ;
  > *Elle est **plus courageuse** que moi.*
- le comparatif **d'infériorité** *(moins + adjectif)* ;
  > *Il a un frère **moins âgé** que je ne le croyais.*
- le comparatif **d'égalité** *(aussi + adjectif).*
  > *Tu es **aussi discret** qu'un éléphant dans un champ de betteraves !*

■ Le comparatif est le plus souvent suivi d'un complément introduit par **que**.

> *Un petit gros monsieur, court et rond, parut, donnant le bras à une grande et belle femme, **plus haute** que lui, beaucoup **plus jeune**.*   ■ GUY DE MAUPASSANT, *Bel-Ami.*

Que lui est le complément du comparatif *plus haute* mais il n'est pas répété pour le complément du comparatif *plus jeune*.

Les superlatifs

■ On distingue deux types de **superlatifs relatifs** :
- le superlatif **relatif de supériorité** *(le plus + adjectif)* ;
  > *Le Loup se mit à courir de toute sa force par le chemin qui était le **plus** court, et la petite fille s'en alla par le chemin le **plus** long.*   ■ CHARLES PERRAULT, *Le Petit Chaperon rouge.*
- le superlatif **relatif d'infériorité** *(le moins + adjectif).*
  > *Il est **le moins habile** des trois.*

■ Le superlatif relatif est le plus souvent suivi d'un complément introduit par **de**.

*Nous avons ici un vieillard retiré de la Cour, qui est **le plus savant homme** <u>du royaume</u>, et **le plus communicatif**.*

■ VOLTAIRE, *Candide*.

Du royaume est le complément du superlatif *le plus savant homme* mais il n'est pas répété pour le complément du superlatif *le plus communicatif*.

■ Le superlatif **absolu** permet d'indiquer le très haut degré d'une caractéristique attribuée à une réalité sans qu'il soit question de la comparer à une autre réalité. Il se forme en faisant précéder l'adjectif d'un adverbe de quantité comme *très, extrêmement, merveilleusement*.

*Quand il s'amuse, il est **extrêmement** comique.*

■ EDMOND ROSTAND, « Le petit chat », *Les Musardises*.

Les comparatifs et les superlatifs irréguliers

■ Il existe des cas où l'adjectif lui-même peut porter la marque de cette variation en degré, ce sont des comparatifs ou superlatifs irréguliers.

	Comparatif de supériorité	Superlatif
bon	meilleur	le meilleur
mauvais	pire	le pire
petit	moindre	le moindre

Résumé

● L'adjectif qualificatif permet de caractériser le nom ou le pronom auquel il se rapporte.

● Il s'accorde en genre et en nombre avec le nom qu'il qualifie et peut varier en degré.

LE VERBE

Je fume,
tu fumes,
il tousse,
nous toussons,
vous toussez,
ils s'arrêtent
de fumer.

■ PEF, *L'Ivre de français.*

34 Qu'est-ce qu'un verbe ?

■ Le verbe est un mot qui peut exprimer :
– une **action** effectuée ou subie par le sujet ;

*Le kangourou **boxe**, il **reçoit** des coups.*

■ MARC ALYN, « Girafe », *L'Arche enchantée.*

– l'attitude ou l'**état** du sujet.

*La girafe **est** belle, elle **est** une échelle.*

■ MARC ALYN, « Girafe », *L'Arche enchantée.*

■ Le verbe est le **noyau** de la phrase car c'est autour de lui que se construit celle-ci.

*Pascal **récite** son texte.*

Pascal est le sujet du verbe *récite* ; son texte est le COD du verbe *récite*.

■ Le verbe est le seul mot qui peut varier à la fois en genre, en nombre, en temps, en personne, en mode et en voix : l'ensemble des formes que peut prendre le verbe s'appelle sa **conjugaison**.

■ Seul le verbe peut être encadré par la **négation** : *ne… pas, ne… plus, ne… jamais, ne… rien.*

La Fourmi n'est pas prêteuse.

■ JEAN DE LA FONTAINE, *La Cigale et la Fourmi.*

35 La forme du verbe

■ Le verbe se compose de deux parties :
– un **radical**, qui porte le sens du verbe ;
– une **terminaison** (qu'on appelle aussi désinence), qui porte les marques de la conjugaison : personne, temps, mode.

> *Ils **mang-eront**.*
> Mang- est le radical et -eront est la terminaison à la 3ᵉ personne du pluriel, au futur de l'indicatif.

■ Les verbes se répartissent, selon leur infinitif, en **trois groupes**. Savoir à quel groupe appartient le verbe permet de le conjuguer.

■ Le verbe est parfois composé de deux ou trois mots formant une unité de sens. On parle alors de **locution verbale** : *avoir raison, faire peur…*

> *Oui, j'**avais peur** des grandes bêtes cornues.*
> ■ CAMARA LAYE, *L'Enfant noir.*

36 Les verbes auxiliaires

■ **Être** et **avoir** peuvent servir à la conjugaison des autres verbes ; ils perdent alors leur sens propre : ce sont des **auxiliaires**. On les emploie pour former les temps composés.

> *L'homme **était parti** de Marchiennes vers deux heures.*
> ■ ÉMILE ZOLA, *Germinal.*

37 Les verbes d'état

■ Les verbes d'état expriment un état ou un changement d'état : *être, paraître, sembler, devenir, demeurer, rester…*

■ Les verbes d'état se construisent avec un **attribut**. On les appelle aussi verbes attributifs.

> *Il **devient** gras. Il **est** de plus en plus beau, ma foi.*
> ■ MARCEL AYMÉ, *Les Contes du chat perché.*
> *Il*, qui désigne un cochon, est relié à *gra*s et *beau* (attributs) par deux verbes attributifs, *devient* et *est.*

38 Les verbes transitifs et les verbes intransitifs

■ À côté de l'infinitif du verbe, le dictionnaire indique la façon dont le verbe se construit par des abréviations du type **v. tr.** On distingue en effet les verbes transitifs des verbes intransitifs.

■ Un verbe est **transitif direct** s'il se construit avec un complément d'objet direct.

*Le zébubus / **Transportait** / Noirs et Blancs.*

> ■ JOËL SADELER, « Fable », *Mon premier livre de poèmes pour rire.*

Noirs et Blancs est le COD du verbe *transportait*.

■ Un verbe est **transitif indirect** s'il se construit avec un complément d'objet indirect.

*Elle **ressemblait à** un énorme chou blanc cuit à l'eau.*

> ■ ROALD DAHL, *James et la grosse pêche.*

Ressembler se construit avec la préposition *à* qui introduit le COI, *un énorme chou blanc cuit à l'eau* (il s'agit de la tante de James).

■ Quand un verbe transitif est employé sans complément d'objet, on dit qu'il est employé **absolument**.

*Il **buvait** un horrifique trait de vin blanc.*

> ■ FRANÇOIS RABELAIS, *Gargantua.*

Le verbe *boire* est employé avec un COD : *un horrifique trait de vin blanc.*

*Le bonhomme Grandgousier, alors qu'il **buvait** et rigolait avec les autres, entendit le cri horrible de son fils.*

> ■ FRANÇOIS RABELAIS, *Gargantua.*

Le verbe *boire* est employé absolument.

■ Un verbe est **intransitif** s'il se construit sans complément d'objet.

Elle n'avait autour d'elle que des ennemis.
*— Où vais-je **mourir** ? dit-elle.*
— Sur l'autre rive, répondit le bourreau.

> ■ ALEXANDRE DUMAS, *Les Trois Mousquetaires.*

Le verbe *mourir* se construit sans complément d'objet.

39 Les verbes pronominaux

■ Certains verbes sont précédés d'un pronom réfléchi, qui varie selon la personne ; on les appelle des verbes pronominaux. Le dictionnaire indique **v. pron.** ou **v. pr.**

Il y a des gestes différents pour toutes les lettres : on se gratte l'oreille, on se frotte le menton, on se donne des tapes sur la tête, comme ça jusqu'à « z », où on louche. Terrible.

■ JEAN-JACQUES SEMPÉ et RENÉ GOSCINNY, *Le Petit Nicolas et les copains.*

40 Les verbes impersonnels

■ Le verbe **impersonnel** ne se conjugue qu'avec le pronom **il** (qui dans ce cas ne remplace aucun nom) : *il pleut, il s'agit...*

■ Certains verbes ne sont qu'impersonnels : *il neige, il faut...*

S'il fait beau, c'est une canne, s'il fait du soleil, c'est une ombrelle, s'il pleut, c'est un parapluie.

■ GUY DE MAUPASSANT, *Bel-Ami.*

■ D'autres verbes peuvent parfois être employés de façon impersonnelle : *il arrive (que), il semble (que)...*

PERRICHON. – Il me semble qu'un homme du monde peut avoir des pensées et les recueillir sur un carnet !

■ EUGÈNE LABICHE, *Le Voyage de Monsieur Perrichon.*

Résumé

● Le verbe est le noyau de la phrase.
● Il se conjugue et peut se construire avec ou sans complément : il est transitif ou intransitif.
● Le verbe d'état se construit avec un attribut.
● Le verbe pronominal est précédé d'un pronom réfléchi.

LES ADVERBES

Ailleurs, bien loin d'ici ! trop tard ! jamais peut-être !
■ CHARLES BAUDELAIRE, « À une passante », *Les Fleurs du mal.*

Ce vers de Baudelaire a la particularité d'être constitué
de nombreux adverbes.

41 Le rôle des adverbes

■ Les adverbes servent à modifier le sens :
– d'un verbe : *Le randonneur <u>marche</u> **rapidement.***
– d'un adjectif qualificatif : *La mer est **plus** <u>agitée</u> qu'hier.*
– d'un adverbe : *Je me sens **parfaitement** <u>bien</u>.*
– d'une phrase :

> *On s'entretint de la guerre **naturellement**. On raconta
> des faits horribles des Prussiens, des traits de bravoure
> des Français.*   ■ GUY DE MAUPASSANT, *Boule-de-Suif.*

■ Les adverbes peuvent également jouer le rôle de connecteurs :
ainsi, les adverbes de liaison servent à structurer le texte en orga-
nisant sa progression temporelle *(d'abord, ensuite…)* ou logique
(toutefois, en effet…). Ils sont l'équivalent de conjonctions de
coordination.

> *Il s'attacha **d'abord** à régler dans la paix et la prospérité
> toutes les affaires du royaume. **Puis** il entreprit une série
> d'expéditions, dont le but était de prendre connaissance des
> richesses artistiques des pays voisins.*
>   ■ MICHEL TOURNIER, *Les Rois mages.*

Attention

L'adverbe peut s'employer comme un nom ou un adjectif.

Il remplit alors les fonctions propres à ces mots.

*les gens d'ici – un homme **bien***

Ici remplit la fonction de complément du nom *gens*, *bien* celle
d'épithète du nom *homme*.

42 Les caractéristiques des adverbes

■ Les adverbes sont toujours invariables.

*Elle s'arrêta **net**.*

■ On peut les supprimer sans rendre la phrase incorrecte.

*Le père et la mère, les voyant occupés à travailler, s'éloignèrent d'eux **insensiblement**, et **puis** s'enfuirent **tout à coup** par un petit sentier détourné.*

■ CHARLES PERRAULT, *Le Petit Poucet.*

43 Les différentes sortes d'adverbes

■ Il existe une grande variété d'adverbes. On distingue :
– les adverbes de **manière** : *ainsi, bien, ensemble, rapidement...*
– les adverbes de **temps** : *hier, aujourd'hui, demain...*
– les adverbes de **lieu** : *ici, là, ailleurs, loin, partout...*
– les adverbes de **quantité** ou d'**intensité** : *assez, autant, peu...*
– les adverbes de **liaison** : *puis, enfin, cependant, d'abord...*
– les adverbes **interrogatifs** : *où, quand, pourquoi, comment...*
– les adverbes **exclamatifs** : *comme, combien, que...*
– les adverbes d'**affirmation** et de **négation** : *oui, peut-être, certes, non, ne... pas, ne... jamais, ne... plus...*

Certains adverbes sont constitués de plusieurs mots ; il s'agit de **locutions adverbiales** : *d'ailleurs, bien sûr...*

■ L'adjectif qualificatif peut être employé comme adverbe ; il est alors invariable.

*Elle parlait **fort**.*

Résumé

● L'adverbe est un mot invariable.

● Il sert à modifier le sens d'un verbe, d'un adjectif, d'un autre adverbe ou d'une phrase.

LES PRÉPOSITIONS

Les prépositions sont des chefs de groupe. L'étymologie nous apprend qu'elles sont « placées à l'avant » d'un groupe de mots, comme l'indique le verbe latin *praeponere*, qui signifie « mettre devant ».

44 Le rôle des prépositions

■ Les prépositions servent à mettre en relation un mot ou un groupe de mots avec un autre élément de la phrase. Elles forment ainsi un **groupe prépositionnel** dont elles sont le mot de tête.

■ Ce groupe peut être complément :

– d'un **verbe** : *se souvenir de ses vacances ;*
– d'un **adjectif** : *facile à écrire ;*
– d'un **nom** : *le chapeau de Marie ;*
– d'une **proposition** (ou d'une phrase).
  À la fin de l'année, je passerai mon brevet.

45 Les caractéristiques des prépositions

■ Les prépositions sont des mots **invariables**.

■ On ne peut pas les supprimer.
  Je suis allé à Paris / ⊝ Je suis allé Paris.

■ Les prépositions existent en nombre limité sous deux formes :

– des **mots simples** et souvent brefs : *à, de, par, avec, pour, dans...*

  Le marchand me suivait avec précaution dans le tortueux passage pratiqué entre les piles de meubles.

  ■ THÉOPHILE GAUTIER, *Le Pied de momie.*
  Il y a quatre prépositions dans cette phrase.

– des groupes de mots composés d'une préposition simple et d'un autre mot ; on les appelle des **locutions prépositionnelles** : *à cause de, grâce à, en vue de...*

Astuce

**Comment ne pas confondre les prépositions
avec les adverbes et les conjonctions ?**

■ Contrairement aux adverbes, les prépositions sont toujours suivies d'un complément.

Depuis ton départ, je suis triste. (préposition)
*Tu es parti, je suis triste **depuis**.* (adverbe)

■ Contrairement aux conjonctions, elles n'introduisent pas de verbes conjugués.

Avant de partir, viens me voir. (locution prépositionnelle)
Avant que tu ne partes, viens me voir. (locution conjonctive)

46 Les prépositions de sens limité, les prépositions de sens multiples

■ Certaines prépositions indiquent un seul type de relation.
Sous indique un lieu : *Le TGV passe **sous** le tunnel.*
Pendant indique une durée : *Il a plu **pendant** deux jours.*

■ D'autres prépositions ont des sens multiples.

– La préposition **avec** indique : la manière *(avec facilité)*, le moyen *(avec un stylo)*, l'accompagnement *(avec Marie)*.
– La préposition **à** indique : la fonction *(un bac à vaisselle)*, la manière *(à tâtons)*, le lieu *(à Metz)*, le temps *(à dix heures)*…

R é s u m é

● Les prépositions introduisent des groupes de mots qui ont des fonctions diverses dans la phrase.

● Elles sont indispensables et invariables.

LES CONJONCTIONS

Les conjonctions sont des mots outils invariables.
Le mot *conjonction* vient du latin *conjungere*,
qui signifie« joindre avec ».
On distingue les conjonctions de coordination et les conjonctions
de subordination.

LES CONJONCTIONS DE COORDINATION

47 Le rôle des conjonctions de coordination

■ Les conjonctions de coordination servent à **relier des mots** ou des groupes de mots qui ont la **même fonction** dans la phrase.

> *Le grand veneur et le premier eunuque ne doutèrent pas que Zadig n'eût volé le cheval du roi et la chienne de la reine.*
>
> ■ VOLTAIRE, *Zadig.*

Les groupes nominaux sujets, *le grand veneur et le premier eunuque*, ainsi que les groupes nominaux COD, *le cheval du roi* et *la chienne de la reine*, sont reliés par la conjonction de coordination *et*.

■ Les groupes coordonnés sont le plus souvent de **même nature**.

> MAÎTRE DE PHILOSOPHIE. — *Vous ne voulez que de la prose ?*
> MONSIEUR JOURDAIN. — *Non, je ne veux ni prose ni vers.*
> MAÎTRE DE PHILOSOPHIE. — *Il faut bien que ce soit l'un ou l'autre.*　　■ MOLIÈRE, *Le Bourgeois gentilhomme.*

Ni coordonne deux noms, *ou* coordonne deux pronoms.

■ Ils peuvent aussi être de nature différente, à condition de jouer le même rôle grammatical.

> *Un Souriceau tout jeune, et qui n'avait rien vu,*
> *Fut presque pris au dépourvu.*
>
> ■ JEAN DE LA FONTAINE, *Le Cochet, le Chat et le Souriceau.*

Et coordonne un groupe adjectival *(tout jeune)* et une proposition subordonnée relative *(qui n'avait rien vu)* ; mais tous deux servent à qualifier le nom *Souriceau*.

■ Les conjonctions de coordination **relient** également **des propositions** de même nature ; on dit que ces propositions sont **coordonnées**.

SCAPIN. − *[Parbleu, Monsieur, je suis un fourbe]* **ou** *[je suis un honnête homme] ; c'est l'un des deux.*

■ MOLIÈRE, Les Fourberies de Scapin.

Les propositions indépendantes *Parbleu, Monsieur, je suis un fourbe* et *je suis un honnête homme* sont reliées par la conjonction de coordination *ou*.

J'avoue que j'aimerais rencontrer une personne [que je pourrais aimer] **et** *[qui s'intéresserait un peu à moi].*

■ ROMAIN GARY, La Promesse de l'aube.

Les propositions subordonnées relatives *que je pourrais aimer* et *qui s'inté-resserait un peu à moi* sont reliées par la conjonction de coordination *et*.

■ Elles peuvent enfin **relier des phrases.** Les conjonctions de coordination jouent alors un rôle de **connecteur** : elles permet-tent de structurer le texte en mettant en évidence sa progression temporelle ou logique, tout comme les adverbes de liaison.

− **Mais**, *papa, lui dis-je, elle monte la rue Tivoli !*
− *Oui, me dit-il : maintenant, elle monte.* **Mais** *je suis presque sûr qu'au retour elle descendra.*

■ MARCEL PAGNOL, La Gloire de mon père.

(48) Les différentes conjonctions de coordination

■ Il existe sept conjonctions de coordination : **car, donc, et, mais, ni, or, ou.** Elles se placent devant le mot ou le groupe de mots qu'elles coordonnent, à l'exception de **donc** dont la position est variable.

Astuce

Comment mémoriser les conjonctions de coordination ?
Une formule mnémotechnique bien connue facilite cette mémorisation :
mais, ou, et, donc, or, ni, car
(Mais où est donc Ornicar ?).

	Sens	Exemple
Car	Cause	• *Ils hâtèrent le pas, **car** le ciel était menaçant.*
Donc	Conséquence Conclusion d'un raisonnement	• *Les issues étaient bloquées ; ils ne purent **donc** pas sortir.* • *Tous les hommes sont mortels ; or Socrate est un homme ; **donc** Socrate est mortel.*
Et	Addition Succession Conséquence Opposition	• *Mince **et** agile, la fillette se glissa sous le portail.* • *Il but son café **et** sortit.* • *Une seule erreur **et** tout est à recommencer.* • *Ils dépensaient des fortunes **et** n'obtenaient aucun résultat.*
Mais	Opposition	• *Ils voulurent partir, **mais** il les retint encore une heure.*
Ni	Addition de négations	• *Elle ne dormait **ni** ne mangeait.*
Or	Objection Introduction d'une nouvelle donnée	• *Nous voulions partir, **or** il se mit à pleuvoir.* • *Tous les hommes sont mortels ; **or** Socrate est un homme.*
Ou	Alternative	• *Fromage **ou** dessert ?*

49 Le rôle des conjonctions de subordination

■ Les conjonctions de subordination servent à **relier deux propositions** en subordonnant l'une à l'autre, c'est-à-dire en plaçant l'une dans la dépendance de l'autre. La proposition qui est introduite par la conjonction de subordination est appelée **proposition subordonnée conjonctive**, alors que l'autre proposition est appelée **proposition principale**.

[Le long d'un clair ruisseau buvait une Colombe,]
[Quand sur l'eau se penchant une Fourmi y tombe.]

■ JEAN DE LA FONTAINE, *La Colombe et la Fourmi.*

Cette phrase est formée d'une proposition principale suivie d'une proposition subordonnée conjonctive.

■ Les conjonctions de subordination jouent également un rôle de **connecteur** : elles contribuent à structurer le texte en exprimant les rapports temporels ou logiques qui unissent les propositions entre elles.

*Alors, donnant un vigoureux coup de pied, il remonta libre à la surface de la mer, **tandis que** le boulet entraînait dans ses profondeurs inconnues le tissu grossier qui avait failli devenir son linceul.* ■ ALEXANDRE DUMAS, *Le Comte de Monte-Cristo.*

L'adverbe de liaison *alors* et la locution conjonctive *tandis que* soulignent la chronologie du récit.

GRAMMAIRE

50 Les différentes conjonctions de subordination

■ Il faut distinguer **que** des autres conjonctions de subordination. **Que** n'a pas de sens particulier et se comporte comme un outil grammatical servant à relier deux propositions. Cette conjonction introduit une **proposition subordonnée conjonctive complétive**.

Ma mère dit [qu'il ne faut pas gâter les enfants.]

■ JULES VALLÈS, *L'Enfant*.

*Qu'il ne faut pas gâter les enfant*s est une proposition subordonnée conjonctive complétive, COD du verbe *dire*.

Attention

Que **peut être une conjonction de subordination, un pronom ou un adverbe.**

Il ne faut pas confondre la conjonction de subordination *que* avec :
– le pronom interrogatif : **Que** *veux-tu ?*
– l'adverbe exclamatif : **Que** *j'aime ce pays !*
– le pronom relatif :

Il trouva agréable le voyage [que nous avions entrepris.]

Que nous avions entrepris est une proposition subordonnée relative introduite par le pronom relatif *que* et dont l'antécédent est *le voyage*.

Il trouva [que le voyage était agréable.]

Que le voyage était agréable est une proposition subordonnée conjonctive introduite par la conjonction de subordination *que*.

■ Toutes les autres conjonctions de subordination expriment un rapport de temps ou un rapport logique. Elles introduisent des **propositions subordonnées conjonctives circonstancielles**.

Et, à la maison, [depuis que j'ai fumé le cigare,] papa n'a plus le droit de fumer la pipe.

■ JEAN-JACQUES SEMPÉ et RENÉ GOSCINNY, *Le Petit Nicolas*.

Depuis que j'ai fumé le cigare est une proposition subordonnée conjonctive circonstancielle de temps.

■ La plupart de ces conjonctions sont formées de plusieurs mots : on parle alors de **locutions conjonctives** *(avant que, si bien que…)*. Les conjonctions et locutions conjonctives sont très nombreuses, mais on peut les classer en fonction de leur sens.

Temps	*après que, avant que, comme, quand...*
Cause	*comme, parce que, puisque...*
Conséquence	*au point que, de sorte que, si bien que...*
But	*afin que, de peur que, pour que...*
Condition	*à condition que, pourvu que, si...*
Opposition	*bien que, quoique, sans que...*
Comparaison	*aussi... que, comme, le même... que, plus... que...*

Attention

On peut éviter de répéter une conjonction en employant *que* à sa place.

Lorsque plusieurs propositions subordonnées circonstancielles sont coordonnées entre elles ou juxtaposées, on évite de répéter la conjonction en employant **que** à sa place. Dans ce cas, **que** introduit une subordonnée conjonctive circonstancielle.

*Lorsqu'un homme marié était mort et **que** sa femme bien-aimée voulait être sainte, elle se brûlait en public sur le corps de son mari.*
Que est mis pour *lorsque*. ■ VOLTAIRE, *Zadig*.

R é s u m é

● Les conjonctions sont des mots outils invariables.

● Les conjonctions de coordination relient des mots ou groupes de mots qui ont la même fonction.

● Les conjonctions de subordination relient une proposition subordonnée à la proposition principale.

● Les conjonctions ont un rôle de connecteur.

LES INTERJECTIONS

*Ô lyre ! ô délire ! **oh** − assez ! **attention.***

■ TRISTAN CORBIÈRE, *Les Amours jaunes.*

Ô, oh et *attention* sont des interjections.

51 Le rôle des interjections

■ Mots souvent courts, toujours invariables, les interjections expriment toujours un comportement affectif, une émotion de la part du locuteur : colère, étonnement, satisfaction, politesse...

Ô rage ! ô désespoir ! ô vieillesse ennemie.

■ PIERRE CORNEILLE, *Le Cid.*

■ Les interjections sont souvent redoublées et accompagnées d'un point d'exclamation.

Oh ! oh ! *dit le chat, vous êtes plus méchants que je ne pensais.* ■ MARCEL AYMÉ, *Les Contes du chat perché.*

■ Elles n'ont pas de réelle fonction dans la phrase. Elles ne se rapportent à aucun autre mot de la phrase. Pour cette raison, elles sont souvent séparées par une virgule des autres mots de la phrase. On peut aisément les déplacer et les supprimer.

Au secours, au secours, *voilà monsieur le marquis de Carabas qui se noie !* ■ CHARLES PERRAULT, *Le Chat botté.*

On pourrait dire : « Voilà monsieur le marquis de Carabas qui se noie ! », ou encore, « Voilà monsieur le marquis de Carabas qui se noie, au secours ! »

Les principales catégories d'interjections

■ Les interjections peuvent être :

– des **onomatopées**, qui sont des mots servant à retranscrire des bruits comme le rire *(ha, hi, ho)*, les cris *(ah, oh)* : **Ha**, *ha, c'est une plaisanterie !*

– des **mots expressifs** utilisés pour exprimer un sentiment, une sensation, une attitude comme le mépris *(fi)*, la douleur *(aïe)*, l'agacement *(zut)*, une plainte *(hélas)* : **Hélas !** *il était trop tard !*

– des **noms** ou des **groupes nominaux** : *Attention ! Ma parole ! Juste ciel ! Par exemple !*

– des **adjectifs** : *Bon ! Chic !*

– des **adverbes** : *Alors ! Bis ! Bien ! Eh bien !*

– des **verbes à l'impératif** : *Allons ! Tiens ! Voyons !*

– des **phrases** ou des **expressions figées** : *Sauve qui peut ! Vogue la galère ! Bonjour !*

GRAMMAIRE

(?) Pourquoi

Pourquoi certaines interjections viennent-elles de jurons déformés ?

Les jurons évoquent souvent des puissances religieuses : *Dieu ! Jésus !* Pour éviter d'avoir à prononcer le mot *Dieu* ou un autre terme lié à la religion (ce qui est considéré comme irrespectueux), certaines interjections, par déformation ou substitution, ont fait disparaître habilement le terme tabou : *morbleu* (pour *mort de Dieu*), *parbleu*, *pardi* (pour *par Dieu*), *sapristi* (déformation de *sacristi*, diminutif de *sacré*).

R é s u m é

● Les interjections sont des mots expressifs d'origines diverses.

● Elles n'ont pas de fonction dans la phrase.

NATURE ET FONCTION

La **nature** d'un mot est sa carte d'identité (ce qu'il est et sera toujours) et sa **fonction** est son métier (ce qu'il fait dans la phrase et qui peut changer).

53 Nature et fonction d'un mot

■ Pour trouver la **nature** d'un mot, on cherche à quelle **classe grammaticale** il appartient. Un mot ne change jamais de nature : le mot *enfant* est toujours un nom commun.

■ Pour trouver la **fonction** d'un mot, on peut se demander quelle **relation** il entretient avec le reste de la phrase, quel rôle il joue.

> *Le temps a laissé son manteau.*

 ■ CHARLES D'ORLÉANS, *Rondeaux.*

Dans cette phrase, *Le temps* est le sujet, *a laissé* est le verbe et *son manteau* est le complément d'objet direct.

■ La **place** d'un mot permet parfois de repérer sa **fonction**.

> *Virginie regarde Paul. Paul regarde Virginie.*

Dans la première phrase, *Virginie* est sujet, *Paul* est COD. Dans la seconde phrase, la place des mots étant inversée, *Virginie* devient COD et *Paul* devient sujet.

Mais la place d'un mot n'est pas un critère suffisant pour reconnaître sa fonction.

> *Peut-être veux-**tu** manger ici ?*

Tu est le sujet du verbe *veux*, il se trouve cependant après le verbe.

> ### Attention
>
> **Un même mot peut remplir plusieurs fonctions.**
>
> *Elle a félicité **Pierre**. **Pierre** était très ému.*
> Le nom *Pierre* est COD dans la première phrase et sujet dans la seconde phrase.
>
> **Des mots de natures différentes peuvent remplir une même fonction grammaticale.**
>
> Par exemple, lorsqu'on cherche le sujet dans une phrase, il ne faut pas automatiquement chercher un nom.
>
> *Le **chat** lèche sa patte, **il** est très propre.*
> Dans la première proposition, la fonction sujet est remplie par un groupe nominal dont le mot noyau est le nom *chat* ; dans la seconde proposition, elle est remplie par le pronom *il*.

54 Nature et fonction d'un groupe de mots

■ On appelle groupe de mots un ensemble de mots construit autour d'un mot **noyau**. Le noyau donne au groupe sa **nature** : un **groupe nominal** a pour noyau un nom, un **groupe verbal** a pour noyau un verbe et un **groupe adjectival** a pour noyau un adjectif qualificatif.

> *Ma **voisine** de palier **a terminé** sa décoration grâce à un papier peint **facile** à poser.*
> Le groupe nominal *Ma voisine de palier* a pour noyau le nom *voisine*, le groupe verbal *a terminé sa décoration* a pour noyau le verbe *a terminé* et le groupe adjectival *facile à poser* a pour noyau l'adjectif *facile*.

■ Pour trouver la **fonction** d'un groupe de mots, il faut se demander quelle est la fonction du mot noyau.

> *[Le petit **violon** d'un moustique] s'obstine.*
>
> ■ Léon-Paul Fargue, « Une odeur nocturne », *Poésies*.
> *Violon* est le nom noyau du groupe nominal *Le petit violon d'un moustique*, il occupe la fonction sujet. Le groupe nominal est donc le groupe sujet.

55 Nature et fonction d'une proposition

■ Il existe différentes **natures** de propositions : la proposition **indépendante**, la proposition **principale** et la proposition **subordonnée**.

■ On distingue cinq natures de propositions subordonnées :
- la proposition subordonnée **relative** ;
- la proposition subordonnée **conjonctive** ;
- la proposition subordonnée **interrogative indirecte** ;
- la proposition subordonnée **infinitive** ;
- la proposition subordonnée **participiale**.

> **💡 Astuce**
>
> **Comment trouver la nature d'une proposition ?**
> Le plus souvent, il suffit de repérer le mot qui l'introduit : ainsi le pronom **relatif** introduit la proposition **relative**, la **conjonction** introduit la proposition **conjonctive**.

■ Pour trouver la **fonction** d'une proposition, il faut se demander quel rôle elle joue dans la phrase. Une proposition peut remplir les mêmes fonctions qu'un mot ou un groupe de mots : quelle que soit sa nature, elle peut être sujet, complément d'objet…

Je crois [que tu as raté ton train,]
[et que tu vas me téléphoner.]
Les deux propositions subordonnées
sont des conjonctives COD du verbe *croire*.

56 L'analyse grammaticale

■ L'analyse grammaticale consiste à identifier la nature et la fonction des différents éléments d'une phrase. On peut analyser la **nature** et la **fonction** de chaque **mot** ou **groupe de mots** d'une phrase.

Jeanne regarde son enfant avec tendresse.

Nature des mots : *Jeanne* : nom • *regarde* : verbe • *son* : déterminant possessif • *enfant* : nom • *avec* : préposition • *tendresse* : nom
Fonction des mots et groupes de mots : *Jeanne* : sujet • *regarde son enfant* : groupe verbal • *avec tendresse* : complément circonstanciel de manière

■ On peut aussi analyser la **nature** et la **fonction** des différentes **propositions** composant la phrase.

[On entendait ainsi un bruit de tam-tam,]
[cependant que les navires marquaient un roulis]
[qui s'accentuait jusqu'à devenir inquiétant.]

■ MICHEL TOURNIER, *Gaspard, Melchior et Balthazar.*

Cette phrase est formée de trois propositions :
• *On entendait ainsi un bruit de tam-tam* : proposition principale ;
• *cependant que les navires marquaient un roulis* : proposition subordonnée conjonctive circonstancielle ;
• *qui s'accentuait jusqu'à devenir inquiétant* : proposition subordonnée relative épithète.

R é s u m é

● La nature d'un mot ne varie jamais, elle désigne ce qu'il est, sa classe grammaticale : un adverbe, un pronom, un nom, un adjectif qualificatif...

● La fonction d'un mot est variable, elle désigne le rôle qu'il joue dans la phrase : sujet, complément du nom, complément d'objet, complément circonstanciel...

GRAMMAIRE

LA FONCTION SUJET

*Hiver, **vous** n'êtes qu'un vilain.*
***Été** est plaisant et gentil :*
*En témoignent **Mai et Avril***
***Qui** l'escortent soir et matin.*

■ CHARLES D'ORLÉANS, *Poèmes.*

Comme le montrent ces vers,
la nature et la place du sujet varient,
ce qui peut rendre difficile son identification.

57 Le rôle du sujet

■ Le sujet indique qui fait l'**action** exprimée par le verbe.

*J'ai ouvert ma fenêtre / et **la lune** m'a souri.*

■ PHILIPPE SOUPAULT, « Pleine Lune », *La Nouvelle Guirlande de Julie.*
J' est le sujet de *ai ouvert* et *la lune* est le sujet du verbe *a souri.*

■ Le sujet est un **constituant obligatoire** de la phrase : il ne peut être supprimé.

■ Le sujet commande l'**accord** en nombre et parfois en genre du verbe conjugué.

« Tu as vu, comment elle est attifée, la voisine ? a dit
*Maman à Papa, on dirait qu'**elle** s'est habill**ée** avec un*
rideau ! »

■ JEAN-JACQUES SEMPÉ et RENÉ GOSCINNY, *Le Petit Nicolas et les copains.*
Elle est le sujet du verbe *s'est habillée*, qui s'accorde au féminin singulier.

💡 Astuce

Comment identifier le sujet ?

Le sujet peut être identifié en posant la question **qui est-ce qui ?** ou **qu'est-ce qui ?** suivie du verbe. Pour répondre à ces questions, on utilisera la formule **c'est... qui**, le sujet se trouvant placé entre **c'est** et **qui**.

Le clown a cassé son violon.

Qui est-ce qui a cassé son violon ? C'est le clown qui a cassé son violon,
le clown est donc le sujet de a cassé.

58 La nature du sujet

■ La fonction sujet peut être remplie par :
- un nom : **Cyprien** *aime le sport.*
- un pronom : **Elle** *marche beaucoup.*
- un groupe nominal : **Son cadeau d'anniversaire** *lui plaît.*
- un verbe à l'infinitif : **Voler** *est un de ses rêves d'enfant !*
- une proposition subordonnée : **Qu'elle ait renoncé à ce travail** *ne me surprend pas.*

Lorsque la fonction sujet est remplie par un groupe de mots, on parle de **groupe sujet**.

💡 Astuce

Comment reconnaître les pronoms personnels sujets ?
La plupart de ces pronoms ont une forme particulière lorsqu'ils sont sujets, il est donc facile de les reconnaître : **je, tu, il, ils, on.**

---

59 Le sujet apparent et le sujet réel

■ Dans une tournure impersonnelle, on distingue le sujet **apparent** (il), ou sujet **grammatical**, et le sujet **réel**, ou sujet **logique**.

Il *reste* **du dessert**.
Le pronom *il* est le sujet apparent ; *du dessert* est le sujet réel.

Le sujet réel n'est pas toujours présent : *Il neige.*

■ Le sujet **apparent** commande l'**accord** du verbe, mais ne désigne rien. Le sujet **réel** n'impose **aucun accord** au verbe.

Il *pleut* **des voix de femmes**.

■ GUILLAUME APOLLINAIRE, « Il pleut », *Calligrammes.*
Des voix de femmes est le sujet réel au pluriel, mais le verbe s'accorde avec le sujet apparent *il*, donc au singulier.

■ Le sujet **réel** peut être un groupe nominal, une proposition subordonnée complétive (introduite par **que**) ou un infinitif.

Il *est bon* **de parler**, *et meilleur* **de se taire**.

■ JEAN DE LA FONTAINE, *L'Ours et l'Amateur des jardins.*
Le pronom *il* est le sujet apparent ; ni ce sujet ni le verbe *être* ne sont répétés dans la deuxième proposition ; *de parler* et *de se taire* sont les sujets réels.

60 La place du sujet

■ Le sujet est généralement placé **avant** le verbe.

■ Le sujet est parfois **éloigné** du verbe.

Aramis, craignant de salir ses bottes dans ce mortier artificiel, les apostropha durement.

■ ALEXANDRE DUMAS, *Les Trois Mousquetaires.*
Le sujet du verbe *apostropha* est *Aramis.*

61 Le sujet inversé

■ Il arrive que le sujet soit placé **après** le verbe, on parle alors de **sujet inversé**.

■ L'inversion du sujet est obligatoire pour :
– un pronom personnel sujet d'un verbe de parole ou de pensée dans une **proposition incise** (c'est-à-dire placée à l'intérieur d'une autre proposition) ou à la fin d'une réplique ;

*Il est, dit-**il**, le meilleur de la classe.*

– un pronom personnel sujet dans une phrase commençant par certains adverbes et locutions adverbiales comme *ainsi, aussi, peut-être, sans doute ;*

*Aussi changèrent-**ils** d'avis.*
Ils est le sujet du verbe *changèrent.*

– un groupe nominal dans une phrase commençant par un subjonctif marquant un souhait.

*Puisse **le ciel** vous entendre !*
Le ciel est le sujet du verbe *puisse.*

■ L'inversion du sujet est possible mais non obligatoire dans :
– une phrase interrogative ;

*Prenons-**nous** toutes nos affaires ?*

– une phrase commençant par un complément circonstanciel **mis en relief** en tête de phrase.

*Au fond de la forêt était cachée **la princesse**.*
La princesse est le sujet du verbe *était cachée.*

■ Dans un dialogue, il est fréquent de rencontrer trois cas d'inversion du sujet : une inversion obligatoire en incise, une inversion facultative dans la phrase interrogative et une inversion obligatoire en incise et en fin de réplique.

> – *Voulez-**vous** me faire le plaisir de ne pas parler la bouche pleine ? a dit **le directeur**.*
> – *Ben, a dit **Alceste**, j'étais en train de manger un croissant quand il m'a appelé.*
>
> ■ Jean-Jacques Sempé et René Goscinny, *Le Petit Nicolas et les copains.*
>
> La première inversion, dans la phrase interrogative, n'est pas obligatoire. La deuxième, située à la fin d'une réplique, et la troisième, dans une proposition incise, sont obligatoires.

62 **L'ellipse du sujet**

■ On parle d'**ellipse du sujet** lorsque le sujet n'est pas exprimé.

■ On distingue deux cas :
– le sujet n'est exprimé qu'une fois et n'est pas répété lorsqu'il commande plusieurs verbes successifs ;

> ***Elle** entrait et disait : « Bonjour, mon petit père » ;*
> *Prenait ma plume, ouvrait mes livres, s'asseyait*
> *Sur mon lit, dérangeait mes papiers, et riait.*
>
> ■ Victor Hugo, *Les Contemplations.*

– le sujet est absent dans certains documents administratifs où le contexte permet facilement de comprendre qui est le sujet (notices, bulletins…). On lit parfois sur un bulletin scolaire : *Peut mieux faire !*

R é s u m é

● Le sujet répond à la question « qui est-ce qui ? » ou « qu'est-ce qui ? ».

● Le sujet commande l'accord du verbe et se place généralement avant lui.

*Vous voyez que Compère Gredin était **un vieux bonhomme sale et malodorant**.*
*Mais ce que vous allez découvrir bientôt, c'est qu'il était aussi **affreusement méchant**.*

■ ROALD DAHL, *Les Deux Gredins*.

Un vieux bonhomme sale et malodorant et *affreusement méchant* attribuent à Compère Gredin des caractéristiques : ils remplissent la fonction attribut.

63 Le rôle de l'attribut du sujet

■ L'attribut du sujet exprime une **qualité** ou une **caractéristique du sujet** par l'intermédiaire d'un verbe.

> *Fantine était **belle** et resta **pure** le plus longtemps qu'elle put.* ■ VICTOR HUGO, *Les Misérables*.
> *Belle* et *pure* sont attributs du sujet *Fantine*.

■ L'attribut du sujet fait partie du **groupe verbal** : il ne peut donc pas être supprimé. Cette caractéristique permet de le différencier de l'épithète.

> *Ils sont **fous**, ces Romains !*
>
> ■ RENÉ GOSCINNY et ALBERT UDERZO, *Astérix chez les Bretons*.
> Supprimer *fous* rendrait la phrase incorrecte.

■ L'attribut est toujours relié au sujet par un **verbe attributif** qui peut être :

– un verbe d'état : *être, paraître, sembler, devenir, rester, demeurer...*

> *Pascal <u>semble</u> **nerveux**.*

– certaines locutions verbales : *avoir l'air, passer pour, apparaître comme...*

> *Elle <u>passe pour</u> **folle** !*

– certains verbes au passif : *être considéré comme, être tenu pour...*
   Tu es <u>*considéré comme*</u> **le meilleur joueur de l'équipe.**
– certains verbes intransitifs : *revenir, naître, tomber...*
   Nous <u>*revenons*</u> **épuisés.**

Astuce

Comment différencier un attribut du sujet d'un COD ?

■ On peut remplacer l'attribut du sujet par un adjectif qualificatif.
   Elle est la reine de la mousse au chocolat.
   On peut dire : *Elle est gentille. La reine de la mousse au chocolat* est un attribut du sujet.
   Il a vu la reine d'Angleterre.
   On ne peut pas dire : ❖*Il a vu gentille.* Le COD *la reine d'Angleterre* ne peut pas être remplacé par un adjectif.

■ On peut remplacer le verbe par le signe égal.
   Elle = reine de la mousse au chocolat.
   Il s'agit donc bien d'un attribut du sujet.
   Il ≠ la reine d'Angleterre !
   Il ne s'agit donc pas d'un attribut du sujet.

---

64 La nature de l'attribut du sujet

■ La fonction attribut du sujet peut être remplie par :
– un adjectif qualificatif (ou un groupe adjectival) ou un participe passé employé comme adjectif ;
   Je suis **contente**, *Anaëlle semble* **endormie.**
– un nom ou un groupe nominal ;
   Il est **chercheur**. *Pascal reste* **un grand enfant.**
– un pronom possessif ;
   Ce livre est **le mien.**
– un groupe prépositionnel ;
   Auriane est **en colère** !
– un infinitif (le plus souvent introduit par **de**) ;
   Son rêve serait **de devenir astronaute.**
– une proposition.
   L'idéal serait **qu'elle trouve aussi un logement.**

65 La place de l'attribut du sujet

■ L'attribut du sujet se place généralement **après** le verbe conjugué qui le relie au sujet.

*Ils devinrent **nerveux, agacés,** et avaient l'air **prêts à hurler comme des chiens.*** ■ GUY DE MAUPASSANT, *Boule-de-Suif.*

Ils est le sujet des verbes attributifs *devinrent* et *avaient l'air* ; donc les adjectifs *nerveux, agacés* et le groupe adjectival *prêts à hurler comme des chiens* sont les attributs du sujet *ils.*

■ L'attribut du sujet peut parfois se trouver **avant** le verbe si on veut le **mettre en relief**.

Maigre devait être la cuisine qui se préparait à ce foyer.

■ THÉOPHILE GAUTIER, *Le Capitaine Fracasse.*

Maigre est l'attribut du sujet *la cuisine.*

Dans le cas d'une mise en relief, l'attribut est parfois repris par un pronom.

*Élégantes, certes elles **l**'étaient toujours.*

■ ALPHONSE DAUDET, *Sapho.*

Élégantes est l'adjectif attribut du sujet *elles* ; il est repris par le pronom *l'.*

■ Il peut aussi se trouver **avant** le verbe s'il s'agit d'une phrase **interrogative**.

Quel homme deviendras-tu ?

Quel homme est l'attribut du sujet *tu.*

66 Le rôle et la place de l'attribut de l'objet

■ L'attribut de l'objet exprime une **qualité** ou une **caractéristique du COD** par l'intermédiaire d'un verbe. On le trouve après des verbes d'opinion tels que : *trouver, juger, considérer comme, estimer, croire...* On le trouve aussi après des verbes tels que : *nommer, avoir, imaginer, élire, rendre, appeler.*

*Le plus souvent on imagine **dérisoire** le rôle de la femme africaine.*

■ CAMARA LAYE, *L'Enfant noir.*

L'adjectif *dérisoire* est attribut du COD *le rôle de la femme africaine.*

Astuce

**Comment différencier un attribut du COD
d'un adjectif qualificatif épithète ?**

Il faut remplacer le COD par un pronom.
Si l'adjectif reste exprimé, il est attribut de l'objet.
Si l'adjectif n'est plus exprimé, il est épithète et fait donc partie du COD.

J'ai trouvé ces nouvelles fantastiques !

• Si cette phrase signifie *j'ai trouvé que ces nouvelles étaient géniales*,
le remplacement du COD par un pronom donnera : *Je les ai trouvées
géniales !*
Fantastiques est ici attribut de *ces nouvelles*.

• Si cette phrase signifie *j'ai cherché puis trouvé un recueil de nouvelles
du genre fantastique*, le remplacement du COD par un pronom donnera :
Je les ai trouvées !
Fantastiques est épithète de *ces nouvelles*.

■ L'attribut de l'objet se place à côté du COD qu'il caractérise,
sauf si ce dernier est un pronom.

*Il a les oreilles **si roses** que tu les croirais **transparentes**.*

■ CAMARA LAYE, *L'Enfant noir.*

Si roses est attribut du COD *les oreilles* et *transparentes* est attribut du COD
les, pronom qui remplace *les oreilles*.

Résumé

● L'attribut du sujet caractérise le sujet par l'intermédiaire d'un
verbe attributif.

● L'attribut du sujet fait partie du groupe verbal et ne peut pas
être supprimé.

● L'attribut de l'objet caractérise le COD par l'intermédiaire
d'un verbe.

Que *mange Marie ?*
De qui *ou* **de quoi** *te souviens-tu ?*
Quel continent *Christophe Colomb a-t-il découvert ?*
De qui *ou* **de quoi** *les philosophes se soucient-ils ?*
Que *provoque la tragédie ?*

La réponse à chaque question est un complément d'objet.

67 Le rôle du complément d'objet

■ Le complément d'objet est l'élément sur lequel porte l'action exprimée par le verbe. Il peut désigner :
– un objet : *Marie mange un gâteau.*
– une personne : *Tu te souviens de ton professeur de chant.*
– un lieu : *Christophe Colomb a découvert l'Amérique.*
– une idée : *Les philosophes se soucient du bonheur.*
– un sentiment : *La tragédie provoque de la compassion.*

■ Le complément d'objet est un **complément essentiel**. Il appartient au groupe verbal : il ne peut pas être supprimé.
Les verbes qui se construisent avec un complément d'objet sont appelés des **verbes transitifs**.

> **Attention**
>
> **Le complément d'objet peut être séparé du verbe.**
>
> Le complément d'objet est en général placé après le verbe, mais il peut en être séparé par d'autres mots.
>
> *Je **vis**, au fond de la cour, accoudé – la tête dans ses mains, – sur une large table de pierre, **un grand vieux tout blanc**.*
>
> ■ ALPHONSE DAUDET, « L'arlésienne », *Lettres de mon moulin.*
>
> Le COD du verbe *vis* est *un grand vieux tout blanc*. Il est placé après le verbe mais est séparé de lui par d'autres mots.

GRAMMAIRE

68 **Le complément d'objet direct (COD)**

■ Le complément d'objet direct se construit **directement avec le verbe**, sans l'intermédiaire d'une préposition.

*Il faut venger **un père** et perdre **une maîtresse** :*
*L'un m'anime **le cœur**, l'autre retient **mon bras**.*

■ PIERRE CORNEILLE, *Le Cid.*

Un père est COD du verbe *venger* ; *une maîtresse* est COD du verbe *perdre* ; *le cœur* est COD du verbe *anime* ; *mon bras* est COD du verbe *retient.*

■ Il a pour particularité de devenir le sujet du verbe, lors de la **transformation passive**.

*César désire **le pouvoir**.*
***Le pouvoir** est désiré par César.*

Le pouvoir, COD de la première phrase, devient le sujet de la seconde phrase.

■ Les verbes qui se construisent avec un COD sont appelés des verbes **transitifs directs**.

Astuce

Comment reconnaître un COD ?

■ Un COD peut être encadré par **c'est... que**.
  *Maxime regarde **la télévision**.*
  ***C'est** la télévision **que** Maxime regarde.*

■ On peut utiliser la question **quoi,** mais cette question doit porter sur **le verbe**.
  *Maxime regarde **quoi** ? la télévision.* (COD)

---

69 **Le complément d'objet indirect (COI)**

■ Le complément d'objet indirect se construit avec le verbe de façon **indirecte** : il est précédé d'une **préposition imposée** par la construction du verbe. Les prépositions les plus fréquentes sont **à** et **de** : *profiter de quelque chose, ressembler à quelqu'un...*

*Alors, il pensa **à sa maison**, puis **à sa mère**, et, pris d'une grande tristesse, il recommença **à pleurer**.*

À sa maison, à sa mère, sont des COI du verbe *pensa*, *à pleurer* est COI du verbe *recommença*.

■ Mais d'autres prépositions sont aussi utilisées.

*Je compte **sur** votre discrétion.*

■ Le complément d'objet indirect ne peut pas devenir le sujet de la transformation passive.

On peut dire : *Il profite **de ses vacances**.*

Mais on ne peut pas dire : ○ *Ses vacances sont profitées par lui.*

■ Les verbes qui se construisent avec un COI sont appelés des verbes **transitifs indirects**.

Astuce

Comment reconnaître un COI ?

Pour reconnaître un COI, on pose une question qui comprend toujours une **préposition** : *de qui, de quoi, à qui, à quoi, sur qui, sur quoi*. Cette question porte sur le **verbe**.

*Le client bénéficie **d'une réduction**.*

De quoi le client bénéficie-t-il ? D'une réduction. (COI)

---

70 Le complément d'objet second (COS)

■ Un complément d'objet **second** (autrefois appelé **complément d'attribution**) est un complément d'objet indirect qui suit un premier complément d'objet : *Donner quelque chose* (COD) *à quelqu'un* (COS). *Parler de quelque chose* (COI) *à quelqu'un* (COS).

*Le roi Nabussan confia sa peine **au sage Zadig**.*

■ VOLTAIRE, *Zadig.*

Sa peine est COD du verbe *confia* ; *au sage Zadig* est COS du verbe *confia*.

*En arrivant sur la porte de notre maison, ma tante me recommanda − à voix basse − de ne jamais parler **à personne** de cette rencontre.* ■ MARCEL PAGNOL, *La Gloire de mon père.*

À personne est COS du verbe *parler* ; *de cette rencontre* est COI du verbe *parler*.

Pour aller plus loin

Qu'est-ce qu'un complément d'objet interne ?

Un complément d'objet interne est un complément d'objet qui est très proche du sens du verbe, comme dans les expressions *vivre sa vie, chanter une chanson*.

> *Deux Pigeons s'aimaient **d'amour tendre**.*
>
> ■ JEAN DE LA FONTAINE, *Les Deux Pigeons*.

D'amour tendre est un complément d'objet interne ; *aimer* et *amour* sont des mots de la même famille.

Résumé

● Le complément d'objet fait partie du groupe verbal. Il complète l'action exprimée par le verbe.

● Le complément d'objet direct se construit directement avec le verbe.

● Le complément d'objet indirect et le complément d'objet second sont introduits par des prépositions.

Pour répondre aux questions : où ? quand ? comment ? avec quoi ? pourquoi ? dans quel but ? on utilise des compléments circonstanciels.

GRAMMAIRE

71 Le rôle du complément circonstanciel

■ Le complément circonstanciel apporte une information sur les **circonstances** de l'action exprimée par le verbe. Il y a des compléments circonstanciels :

– de lieu : *Émile se rend **à Marseille**.*
– de temps : *Je pars **demain**.*
– de manière : *Vincent chante **bien**.*
– de moyen : *Le maçon travaille* ***avec une truelle**.*
– de cause : *Je pars **à cause du froid**.*
– de but : *Cyprien s'entraîne **pour gagner**.*
– de conséquence : *Il est si rapide **qu'il a déjà tout fini**.*
– d'opposition : ***Malgré sa timidité**, Luc est allé voir la maîtresse.*
– de comparaison : ***Comme Balzac**, Zola est un écrivain romancier.*
– de condition : ***Si** tu viens, tu auras une surprise.*

72 Comment reconnaître un complément circonstanciel ?

■ Le complément circonstanciel n'appartient pas au groupe verbal. Il s'agit d'un **complément facultatif** qui complète le groupe verbal ou l'ensemble de la phrase.

> *On descend **une fois par an dans cette carrière**,*
> *à **l'époque où l'on marne les terres**.*

■ GUY DE MAUPASSANT, « Pierrot », *Contes de la Bécasse*.

Une fois par an et *dans cette carrière* sont des compléments circonstanciels qui complètent le groupe verbal *descend*, *à l'époque où l'on marne les terres* est un complément circonstanciel qui complète l'ensemble de la phrase.

■ On peut supprimer, déplacer et multiplier les compléments circonstanciels.

> *Elle attend le chevalier **devant sa grande maison tout le temps qu'il faut**.*
>
> ■ « La vieille qui graissa la patte au chevalier », *Fabliaux du Moyen Âge.*
>
> On pourrait dire : *Tout le temps qu'il faut, elle attend le chevalier devant sa grande maison.* Ou bien : *Devant sa grande maison, tout le temps qu'il faut, elle attend le chevalier.* Ou encore : *Elle attend le chevalier.*

73 La nature du complément circonstanciel

■ Un complément circonstanciel peut être :
– un groupe nominal : *Ce soir, j'irai au cinéma.*
– un groupe prépositionnel : *Il mangea **avant de partir**.*
– un adverbe : *Marius s'endort **calmement**.*
– un gérondif : *C'est **en forgeant** qu'on devient forgeron.*
– une proposition subordonnée conjonctive :
> ***Quand la cloche sonnera**, on partira.*
– une proposition participiale :
> ***Une fois ton travail terminé**, tu pourras jouer.*

Attention

Il ne faut pas confondre un complément circonstanciel facultatif et un complément circonstanciel essentiel.

Certains compléments exprimant une circonstance de l'action appartiennent au groupe verbal. Ils apportent une information essentielle à l'action et dépendent du verbe.

> *Je vais **à Paris**.*
> *La représentation dure **trois heures**.*
> *Cette maison coûte **des millions d'euros**.*

R é s u m é

● Les compléments circonstanciels apportent une information facultative sur les circonstances de l'action.

● On peut les supprimer, les déplacer et les multiplier.

LES EXPANSIONS DU NOM

*C'était une **jeune fille d'une très rare beauté**,
et **qui n'était pas moins aimable que pleine de gaieté**.*

■ EDGAR ALLAN POE, *Histoires extraordinaires.*

À l'intérieur du groupe nominal, divers éléments précisent le nom :
ce sont des expansions du nom.

74 Le groupe nominal minimal et les expansions du nom

■ Un nom propre ou un nom commun accompagné de son déterminant constitue le **groupe nominal minimal**.

*Vincent s'étendit dans **son hamac** pour faire **la sieste**.*

■ On appelle **expansions du nom** les mots ou groupes de mots qui apportent des précisions sur le nom noyau du groupe nominal.

*la **vieille** maison ; la maison **de Paul** ; la maison **que j'aime***

■ Les expansions élargissent le groupe nominal et constituent ainsi, avec le nom noyau, un **groupe nominal étendu**.

*L'humidité **nocturne de la forêt** la fit frissonner.*

Le nom noyau *humidité* est précisé par deux expansions : l'adjectif qualificatif *nocturne* et le complément du nom *de la forêt*.

75 La nature et la fonction des expansions du nom

■ Les expansions du nom sont de natures différentes :
– adjectif (ou participe) épithète ;

*Le ciel **bleu** resplendit.*

– proposition subordonnée relative épithète ;

*Il trouva la solution **qui lui convenait**.*

– groupe prépositionnel complément du nom.

*Elle restaura la maison **de ses parents**.*

> **Attention**
>
> **L'apposition est une expansion du groupe nominal.**
>
> L'apposition complète l'ensemble du groupe nominal et non pas le seul nom noyau. Elle n'est donc pas une expansion du nom comme on la présente parfois.
>
> *Sa fille aînée, **Miranda**, devait avoir sept ans quand elle s'aventura un matin dans la chambre de ses parents.*
>
> ■ MICHEL TOURNIER, *Les Rois mages.*
>
> *Miranda* est une apposition au groupe nominal *sa fille aînée.*

76 La valeur des expansions du nom

■ Les expansions du nom ont une valeur **déterminative** lorsqu'elles sont nécessaires pour identifier l'être ou la chose dont on parle.

> *L'homme **qui a risqué sa vie pour sauver son semblable** peut être fier de lui-même.*
>
> ■ EUGÈNE LABICHE, *Le Voyage de Monsieur Perrichon.*
>
> La proposition subordonnée relative épithète est indispensable pour savoir quel homme est concerné.

■ Elles ont une valeur **explicative** (ou **descriptive**) lorsqu'elles servent simplement à apporter une précision supplémentaire sur l'être ou la chose dont on parle. On peut alors les supprimer.

> *C'était une **belle** mule **noire**, **mouchetée de rouge**.*
>
> ■ ALPHONSE DAUDET, « La mule du pape », *Lettres de mon moulin.*

> **R é s u m é**
>
> ● Les expansions du nom précisent le nom.
>
> ● On distingue : l'adjectif épithète ; la proposition subordonnée relative épithète ; le complément du nom.
>
> ● Les expansions du nom ont une valeur déterminative ou explicative.

Il y avait aussi dix mille
Boîtes de petits pois et de haricots verts,
De céleris, de macédoine, de carottes et d'artichauts.

> ■ PIERRE GAMARRA, « Un enfant dans une grande surface »,
> *L'Almanach de la poésie.*

Grâce aux compléments du nom,
on arrive à se retrouver parmi toutes
ces boîtes.

77 Le rôle du complément du nom

■ Le complément du nom (CDN) est un mot ou un groupe de mots, souvent introduit par une préposition, qui sert à **préciser un nom**, à restreindre son sens. Le complément du nom est aussi appelé **complément de détermination**.

> *Le Pot **de fer** proposa*
> *Au Pot **de terre** un voyage.*
>
> > ■ JEAN DE LA FONTAINE, *Le Pot de terre et le Pot de fer.*
> > *De fer* et *de terre* sont les compléments du nom *Pot*.

■ Il constitue une **expansion du nom** et appartient donc au groupe nominal. Le complément du nom peut parfois être remplacé par les autres expansions du nom : l'adjectif épithète ou la proposition subordonnée relative épithète.

> *le discours **du président** − le discours **présidentiel***
> *le discours **que prononça le président***
>
> *Du président* est un GN complément du nom *discours* ; *présidentiel* est un adjectif épithète ; *que prononça le président* est une proposition subordonnée relative épithète.

■ Le complément du nom peut lui-même être complété par d'autres expansions et recevoir son propre complément du nom.

Ils trouvent dans un val, en un lieu découvert, la maison
*de Circé **aux murs** **de pierres lisses** et, tout autour, changés*
en lions et en loups de montagne, les hommes qu'en leur
donnant sa drogue, avait ensorcelés la perfide déesse.

■ HOMÈRE, *Odyssée.*

Aux murs est complément du nom *maison* ; *de pierres lisses* est
complément du nom *murs.*

78 La nature du complément du nom

■ Le complément du nom est le plus souvent un **groupe nominal**
prépositionnel (c'est-à-dire introduit par une préposition).

*– À ce discours **du magicien de la Perse**, le sultan sentit*
en lui monter la colère et, plein de courroux, donna l'ordre
*de trancher la tête **du charlatan**.*

■ « Qui guérira la princesse Clair-de-Lune ? », *Les Mille et Une Nuits.*

De la Perse est complément du nom *magicien* ; *du magicien de la Perse* est
complément du nom *discours* ; *du charlatan* est complément du nom *tête.*

■ Mais il peut être aussi :
– un infinitif ;

*Désormais Marc prenait le temps **de vivre**.*

– un pronom ;

*Il a toujours agi par amour **des siens**.*

– un adverbe.

*Les gens **d'ici** se sont montrés très accueillants.*

Pour aller plus loin

Le complément du nom peut être une proposition
subordonnée conjonctive introduite par *que.*

On rencontre ce cas avec certains noms abstraits :

– *l'idée que,*

– *l'espoir que,*

– *la pensée que,*

– *le fait que…*

*Nous gardons l'espoir **qu'il revienne**.*

Qu'il revienne est une proposition subordonnée
conjonctive complément du nom *espoir.*
On peut la remplacer par un GN (*l'espoir*) de son retour.

La construction du complément du nom

■ Le complément du nom, placé généralement après le nom, est introduit par une préposition. Les plus fréquemment employées sont **de**, **à** et **en**.

> *Un homme __de trente à trente-cinq ans__, __en__ deuil,*
> *__au__ visage mortellement pâle, descendit.*

> ■ VILLIERS DE L'ISLE-ADAM, *Véra*.

Cette phrase comporte trois compléments du nom *homme*, introduits par les prépositions *de, en, au (à le)*.

■ Mais d'autres prépositions peuvent introduire le complément du nom.

> *une vie __sans__ soucis*
> *un sirop __contre__ la toux*
> *la maison __au fond des__ bois*

■ Certains compléments du nom sont construits sans préposition.

> *un café crème — le style Louis XV — la rue Victor-Hugo*

On parle aussi, dans ce cas, d'**épithète nominale**.

Attention

Il ne faut pas confondre le complément du nom avec d'autres compléments prépositionnels.

■ **Le complément d'objet second (COS)**

> *Je reçois une augmentation du directeur.*

Du directeur est complément d'objet second du verbe *reçois*. On peut dire : *Je la reçois de lui*.

> *Je reçois les amis du directeur.*

Du directeur est complément du nom *amis*. On peut dire : *Je les reçois*.

Le complément du nom appartient au groupe nominal, alors que le COS appartient au groupe verbal.

■ **Le complément circonstanciel**

Parfois, la construction ne permet pas de savoir s'il s'agit d'un complément du nom ou d'un complément circonstanciel.

> *Il a rapporté un vase de Chine.*

De Chine peut être complément du nom *vase* ou complément circonstanciel de lieu.

Les différents sens du complément du nom

■ Le complément du nom apporte au nom des précisions de sens très variées. Il peut exprimer : la possession *(la maison de mes parents)*, la matière *(un vase en cristal)*, la cause *(un arrêt de maladie)*, la qualité *(un homme d'une grande générosité)*…

■ Il faut parfois s'aider du contexte pour trouver le sens du complément du nom, par exemple lorsque le nom complété exprime ou sous-entend une action.

l'amour des parents

Cette expression peut signifier :

Les parents *aiment (l'enfant).*
Le complément du nom représente le sujet de l'action.

(L'enfant) aime **les parents**.
Le complément du nom représente l'objet de l'action.

GRAMMAIRE

R é s u m é

● Le complément du nom est une expansion du nom ;
il appartient au groupe nominal.

● Il prend la forme d'un groupe prépositionnel.

LA FONCTION ÉPITHÈTE

Épithète vient d'un mot grec signifiant « ajouté ».
L'épithète s'ajoute au nom pour former avec lui un groupe soudé.

81 Le rôle de l'épithète

■ La fonction épithète (également appelée **épithète liée**) permet de **caractériser le nom**. Elle est remplie par un mot ou un groupe de mots qui se place directement à côté du nom, sans l'intermédiaire d'une préposition, à la différence du complément du nom.

> *Maintenant, c'était la Thénardier qui lui apparaissait ;*
> *la Thénardier **hideuse** avec sa bouche d'hyène et la colère*
> ***flamboyante** dans les yeux.*   ■ VICTOR HUGO, *Les Misérables*.
>
> Hideuse est un adjectif qualificatif épithète du GN *la Thénardier* et
> flamboyante est un adjectif qualificatif épithète du GN *la colère*.

■ L'épithète est une **expansion du nom** qui appartient au groupe nominal. Mais elle en est un élément **facultatif** : sa suppression ne rend pas la phrase grammaticalement incorrecte.

> *Elle lui offrit un **somptueux** collier.*
> L'épithète *somptueux* appartient au groupe nominal *un somptueux collier*.

82 La nature de l'épithète

■ L'épithète est le plus souvent un **adjectif qualificatif** ou un **participe** (employé comme adjectif) qui précède ou suit le nom. Plusieurs adjectifs peuvent être épithètes d'un même nom.

> *Sur la branche d'un arbre était en sentinelle*
> *Un **vieux** Coq **adroit** et **matois**.*
>
> ■ JEAN DE LA FONTAINE, *Le Coq et le Renard*.

■ On rencontre aussi en fonction d'épithète un **adverbe** employé comme adjectif qualificatif.

> *Paul est un homme **bien**.*

Il ne faut pas confondre l'épithète avec les autres fonctions de l'adjectif qualificatif.

■ L'adjectif apposé, également appelé épithète détachée, n'appartient pas au groupe nominal ; il en est séparé par une virgule.

Superbe, la bête s'avança. (adjectif apposé)

Une bête superbe s'avança. (adjectif épithète)

■ L'adjectif attribut est construit avec un verbe et appartient au groupe verbal.

L'attente parut interminable. (adjectif attribut)

Une interminable attente commença. (adjectif épithète)

■ L'épithète peut être également une **proposition subordonnée relative**. Elle n'est pas séparée de l'antécédent par une virgule, à la différence de la subordonnée relative apposée.

*À quoi peut bien servir un livre **où il n'y a ni images ni conversations** ?* ■ LEWIS CARROLL, *Alice au pays des merveilles.*

Où il n'y a ni images ni conversations est une proposition subordonnée relative épithète du GN *un livre.*

■ Enfin l'épithète peut être un **nom propre**. Cette **épithète nominale** indique l'identité du nom qui la précède.

*la planète **Mars** − le président **Mitterrand***

■ Il peut également s'agir d'un **nom commun** employé sans déterminant et formant avec le nom qu'il accompagne un groupe soudé à la manière d'un nom composé.

*une femme **enfant** − une pause **café***

R é s u m é

● La fonction épithète est le plus souvent remplie par un adjectif qualificatif ou par une proposition subordonnée relative.

● L'épithète est une expansion du nom et appartient au groupe nominal.

LA FONCTION APPOSITION

La tante de Bobby Watson, **la vieille Bobby Watson,**
pourrait très bien, à son tour, se charger de l'éducation
de Bobby Watson, **la fille de Bobby Watson.**

■ EUGÈNE IONESCO, *La Cantatrice chauve.*

L'apposition est comme une parenthèse qui vient apporter une information supplémentaire sur le groupe nominal. Heureusement, car dans cette histoire tout le monde s'appelle Bobby Watson.

83 La construction de l'apposition

■ L'apposition est une construction détachée qui se rapporte à un groupe nominal ou à un pronom ; elle en est séparée par une pause à l'oral et par une virgule, deux points ou un tiret à l'écrit.

Le héros d'endurance, **Ulysse le divin,** *restait à méditer.*

■ HOMÈRE, *L'Odyssée.*

Plein d'orgueil, *il essaya pendant quelques secondes de lutter contre les larmes qui l'étranglaient.*

■ GUY DE MAUPASSANT, « Le papa de Simon », *La Maison Tellier.*

■ L'apposition peut se placer **avant** ou **après** le mot auquel elle se rapporte ; elle peut en être séparée par plusieurs autres mots.

Un grand rire le secoua, **nerveux, fou, inextinguible.**

■ MICHEL TOURNIER, *Vendredi ou la Vie sauvage.*
Les trois adjectifs qualificatifs sont des appositions au GN *un grand rire.*

84 Le rôle de l'apposition

■ L'apposition apporte une information sur le groupe nominal, comme le ferait une subordonnée relative introduite par *qui est.*

Un Persan, **magicien et astrologue de son état,** *vint depuis son pays se présenter au sultan.*

■ « Histoire d'Aladin ou la Lampe merveilleuse », *Les Mille et Une Nuits.*
L'apposition *magicien et astrologue de son état* peut être remplacée par *qui était magicien et astrologue de son état.*

■ L'apposition n'est pas incluse dans le groupe nominal, mais elle le complète, tout comme un complément circonstanciel complète un groupe verbal. Elle est souvent facultative et on peut généralement la déplacer.

> *M. le sous-préfet était couché sur le ventre, dans l'herbe,*
> **débraillé comme un bohème**.

> ■ ALPHONSE DAUDET, *Lettres de mon moulin.*

Débraillé comme un bohème est une apposition au GN M. le sous-préfet. Cette apposition pourrait être placée devant le GN ou immédiatement après lui. Sa suppression ne rendrait pas la phrase incorrecte.

85 La nature de l'apposition

■ L'apposition est le plus souvent :
– un nom ou un groupe nominal (parfois sans déterminant) ;

> *La voiture,* **une grosse cylindrée**, *démarra.*

– un adjectif ou un participe (également appelé **épithète détachée**) ;

> **Étonné**, *Vincent éclata de rire.*

– une proposition subordonnée relative.

> *Le film,* **qui était fort long**, *l'ennuya beaucoup.*

■ Mais elle peut être aussi :
– un pronom : *Sophie avait retenu un seul nom,* **le sien**.
– un infinitif : *Ses amis n'eurent qu'une hâte,* **le retrouver**.
– une proposition subordonnée conjonctive :

> *Nous avions tous un espoir :* **qu'il remporte la victoire**.

R é s u m é

● L'apposition est une construction détachée qui complète un groupe nominal ou un pronom.

● Elle est le plus souvent :
  – un nom ou un groupe nominal ;
  – un adjectif, aussi appelé épithète détachée ;
  – une proposition subordonnée relative.

*Les **premiers** jours, elle n'osait lever la tête, **gênée** de le sentir autour d'elle, avec sa crinière de **vieux** lion, son nez **crochu** et ses yeux **perçants**, sous les touffes **raides** de ses sourcils.*

■ ÉMILE ZOLA, *Au Bonheur des dames.*

L'adjectif qualificatif peut occuper différentes fonctions.

86 L'adjectif qualificatif épithète

■ L'adjectif est **épithète** lorsqu'il est placé **directement à côté du nom** ou du groupe nominal qu'il qualifie : aucun verbe ni aucune préposition n'est alors nécessaire entre le nom et l'adjectif. On parle aussi d'**épithète liée**.

■ L'adjectif épithète fait partie du groupe nominal mais, si on le supprime, la phrase reste correcte.

*Je me rappellerai toujours ces bois **sombres**, la rivière **frissonnante**, l'air **tiède** et le **grand** aigle…*

■ JULES VALLÈS, *L'Enfant.*

Sombres est épithète du nom *bois*, *frissonnante* est épithète du nom *rivière*, *tiède* est épithète du nom *air*, *grand* est épithète du nom *aigle*. Sans ces adjectifs, la phrase reste correcte.

87 L'adjectif qualificatif attribut

■ L'adjectif est **attribut** lorsqu'il est **relié au nom** ou **au groupe nominal** qu'il qualifie par un **verbe attributif**, qui est souvent un verbe d'état ou de changement d'état : *être, paraître, sembler, rester, devenir, avoir l'air…*

■ L'adjectif attribut fait alors partie du groupe verbal et on ne peut pas le supprimer : on peut ainsi le différencier facilement de l'adjectif épithète.

*Mme Loisel semblait **vieille**, maintenant.*

■ GUY DE MAUPASSANT, *La Parure.*

La suppression de l'adjectif attribut *vieille* rendrait la phrase incorrecte.

Pour aller plus loin

L'adjectif qualificatif peut être attribut de l'objet.

Certains verbes permettent d'attribuer une qualité non pas au sujet de la phrase mais au **complément d'objet**. Il s'agit le plus souvent de verbes d'opinion : *croire, estimer, juger, trouver...* Dans ce cas, l'adjectif qualificatif qui est relié au COD par l'un de ces verbes est attribut de l'objet.

*Ils trouvent leurs enfants **turbulents**.*

L'adjectif *turbulents* qualifie *leurs enfant*s, COD du verbe *trouvent* : il est donc attribut de l'objet *leurs enfants*.

88 L'adjectif qualificatif apposé

■ L'adjectif est **apposé** lorsqu'il est **séparé** du nom ou du groupe nominal qu'il qualifie par une pause à l'oral et **par une virgule** à l'écrit, comme s'il s'agissait d'une parenthèse. On parle aussi d'épithète détachée.

■ L'adjectif apposé est extérieur au groupe nominal et, si on le supprime, la phrase reste correcte.

***Grasse et onctueuse** comme une méduse, tante Éponge accourut en se dandinant pour voir ce qui se passait.*

■ ROALD DAHL, *James et la grosse pêche.*

Grasse et *onctueuse* sont deux adjectifs apposés au GN *tante Éponge*, qu'ils qualifient. Ils en sont séparés par une virgule. On peut les supprimer sans rendre la phrase incorrecte.

R é s u m é

● Les trois fonctions possibles de l'adjectif qualificatif sont :
– épithète : l'adjectif fait partie du groupe nominal mais peut être supprimé ;
– attribut : l'adjectif fait partie du groupe verbal et ne peut pas être supprimé ;
– apposé : l'adjectif ne fait pas partie du groupe nominal et peut être supprimé.

LA FONCTION APOSTROPHE

Apostrophê, en grec ancien, signifie « action de se détourner », généralement pour fuir. Par une étonnante évolution du sens du mot, l'apostrophe, en grammaire, sert à « détourner » quelqu'un pour qu'il vous écoute et non pour qu'il vous fuie !

89 Le rôle de l'apostrophe

■ L'apostrophe est la fonction qui sert à **interpeller** un interlocuteur à qui on veut s'adresser.

> — *Oh, oh, **l'ami**, lui répondit le moins âgé des voyageurs, tu ne risques que ta carcasse !* ■ HONORÉ DE BALZAC, *Les Chouans*.
> Le GN *l'ami* est une apostrophe qui sert à interpeller le personnage auquel s'adresse le voyageur.

■ Le locuteur sollicite ainsi l'**attention de l'interlocuteur**. Il veut que celui-ci l'écoute et éventuellement engage le dialogue.

> DON RODRIGUE. – *À moi, **Comte**, deux mots.*
> LE COMTE. – *Parle !* ■ PIERRE CORNEILLE, *Le Cid*.
> Rodrigue engage fermement le dialogue avec don Gomès, le Comte, en utilisant l'apostrophe *Comte*.

■ On peut apostropher quelque chose (une idée, un lieu) que l'on personnifie.

> **Rome**, *l'unique objet de mon ressentiment !*
> ■ PIERRE CORNEILLE, *Horace*.

Attention

Il ne faut pas confondre l'apostrophe et l'interjection.

■ L'apostrophe s'adresse à quelqu'un : *Dieu, aidez-moi !*

■ L'interjection ne s'adresse à personne : *Dieu ! quel désastre !*

90 La place de l'apostrophe

■ L'apostrophe est **détachée** du reste de la phrase par une pause à l'oral et par une virgule ou un point d'exclamation à l'écrit. Sa place dans la phrase est **libre**.

Belle marquise, vos beaux yeux me font mourir d'amour.

■ MOLIÈRE, *Le Bourgeois gentilhomme.*

On pourrait dire : *Vos beaux yeux, belle marquise, me font mourir d'amour* ; ou encore : *Vos beaux yeux me font mourir d'amour, belle marquise.*

91 La nature de l'apostrophe

■ L'apostrophe peut être :

– un groupe nominal ;

Anne, ma sœur Anne, *ne vois-tu rien venir ?*

■ CHARLES PERRAULT, *La Barbe bleue.*

On distingue deux apostrophes successives dans cette phrase : la première est un nom propre sans déterminant, la seconde un GN.

– un pronom.

*– **Toi**, va d'abord mettre tes pantoufles, sinon tu vas nous faire encore une angine. Allez, file !*

■ MARCEL PAGNOL, *La Gloire de mon père.*

■ Certains termes de politesse *(Monsieur, Madame),* ou certains titres professionnels ou sociaux *(Sire, Maître, Docteur, Chauffeur)* sont souvent employés dans une fonction d'apostrophe.

Et sur quoi jugez-vous que j'en perds la mémoire,
Prince *? Aurais-je perdu tout le soin de ma gloire ?*

■ JEAN RACINE, *Phèdre.*

Résumé

● L'apostrophe permet d'interpeller un interlocuteur.

● Les termes employés servent à identifier et (ou) à appeler l'interlocuteur.

PHRASE ET PROPOSITION

Le nain, qui jugeait quelquefois
un peu trop vite, décida d'abord
qu'il n'y avait personne sur la terre.
■ VOLTAIRE, *Micromégas.*

Cet énoncé comporte une seule
phrase et trois propositions.
Phrase et proposition ne désignent
donc pas la même chose.

92 La phrase verbale et la phrase non verbale

■ On définit généralement la **phrase** comme une suite de mots
grammaticalement organisés, ayant un sens complet, commençant par une majuscule et se terminant par une ponctuation forte
(point, point d'exclamation…).

■ On parle de **phrase verbale** lorsque la phrase est construite
autour d'un verbe conjugué.

■ On parle de **phrase non verbale** (appelée aussi **phrase nominale**) lorsque la phrase ne comprend pas de verbe conjugué et
qu'elle est construite autour d'un nom, d'un adjectif…

DORIMÈNE. — *[**Comment**, Dorante ?] [Voilà un **repas** tout*
à fait magnifique !]   ■ MOLIÈRE, *Le Bourgeois gentilhomme.*
La première phrase est construite autour de l'adverbe *comment*, la seconde
autour du nom *repas*.

93 La phrase simple et la phrase complexe

■ On appelle **phrase simple** une phrase qui ne comporte qu'**un**
verbe conjugué. On parle aussi de **proposition indépendante**.

*À cet instant, le large sourire du mille-pattes **apparut** dans*
un trou du plafond.   ■ ROALD DAHL, *James et la grosse pêche.*
Apparut est le seul verbe conjugué : il s'agit donc d'une phrase simple.

■ On appelle **phrase complexe** une phrase qui comporte **plusieurs** verbes conjugués.

*Ses longues jambes maigres **trépignent** de colère, tandis que, de ses mains osseuses, elle **égratigne** son chapelet.*

■ ALFRED DE MUSSET, *On ne badine pas avec l'amour.*

■ Dans une phrase complexe, chaque ensemble composé au minimum d'un verbe conjugué et de son sujet (sauf s'il s'agit du mode impératif, car le sujet n'est pas exprimé) s'appelle une **proposition**.

*[**Remarquez** bien] [que les nez **ont été faits** pour porter des lunettes,] [aussi **avons**-nous des lunettes.]*

■ VOLTAIRE, *Candide.*

Cette phrase comporte trois propositions.

■ Les différentes propositions qui composent une phrase complexe peuvent être **juxtaposées**, **coordonnées** ou **subordonnées**.

94 Les propositions juxtaposées, les propositions coordonnées

■ Les propositions sont **juxtaposées** lorsque la phrase complexe est composée de plusieurs propositions séparées par une virgule, un point-virgule ou deux points, mais non reliées par un mot de liaison.

[Rien ne sert de courir] ; [il faut partir à point.]

■ JEAN DE LA FONTAINE, *Le Lièvre et la Tortue.*

Les deux propositions juxtaposées sont séparées par un point-virgule.

■ Les propositions sont **coordonnées** lorsque la phrase complexe est composée de plusieurs propositions reliées par une **conjonction de coordination** *(mais, car, or, et…)* ou par un **adverbe de liaison** *(cependant, alors, puis…).*

[Un seul être vous manque] et [tout est dépeuplé.]

■ ALPHONSE DE LAMARTINE, *Méditations poétiques.*

Les deux propositions juxtaposées sont séparées par la conjonction de coordination *et.*

■ Les propositions juxtaposées ou coordonnées sont **indépendantes**. Si on supprime une des propositions, la phrase reste correcte.

95 Les propositions principale, subordonnée, indépendante

■ Une proposition est **subordonnée** lorsqu'elle dépend d'une autre, appelée proposition **principale**. La subordonnée est le plus souvent reliée à la principale par un **mot subordonnant** comme **que**.

*[Je ne supporterai pas] [**que** tu sois insupportable !]*

■ Jean-Jacques Sempé et René Goscinny, *Histoires inédites du Petit Nicolas.*
Je ne supporterai pas est la proposition principale, *que tu sois insupportable* est la proposition subordonnée. Il existe donc bien une relation de dépendance entre les deux propositions : il est impossible de supprimer l'une des deux.

■ Lorsqu'une proposition n'est ni principale ni subordonnée, on parle de proposition **indépendante**.

Pour aller plus loin

Les relations entre les propositions peuvent se combiner.

■ Une proposition subordonnée peut parfois jouer le rôle d'une proposition principale par rapport à une autre subordonnée.
Léa a attaché une casserole à la queue de Médor
[qui s'est mis à aboyer] [parce qu'il entendait du bruit.]
Qui s'est mis à aboyer : cette subordonnée est la principale de la subordonnée *parce qu'il entendait du bruit.*

■ Des propositions subordonnées peuvent être coordonnées ou juxtaposées entre elles.
[Elle est venue] [parce qu'elle voulait revoir son frère]
et [pour que son père lui pardonne.]
Les propositions *parce qu'elle voulait revoir son frère* et *pour que son père lui pardonne* sont coordonnées par la conjonction de coordination *et.*

Les différentes propositions subordonnées

■ Il existe six types de propositions subordonnées :
- la proposition subordonnée **relative** (→ 97 à 100) ;
- la proposition subordonnée **conjonctive complétive** (→ 101 à 104) ;
- la proposition subordonnée **interrogative indirecte** (→ 105 à 107) ;
- la proposition subordonnée **conjonctive circonstancielle** (→ 108 à 110) ;
- la proposition subordonnée **infinitive** (→ 111-112) ;
- la proposition **participiale** (→ 113-114) ;

La proposition infinitive et la proposition participiale ont la particularité de n'être introduites par aucun mot subordonnant.

GRAMMAIRE

Résumé

● La phrase est en général construite autour d'un verbe conjugué, on l'appelle phrase verbale.

● La phrase simple ne comporte qu'un seul verbe conjugué et la phrase complexe en comporte plusieurs.

● Une phrase complexe est composée de plusieurs propositions qui peuvent être juxtaposées, coordonnées ou subordonnées.

LA PROPOSITION RELATIVE

Il y a une armoire à peine luisante
qui a entendu les voix de mes grand-tantes,
qui a entendu la voix de mon grand-père,
qui a entendu la voix de mon père.

■ Francis Jammes, « La salle à manger »,
De l'angélus de l'aube à l'angélus du soir.

Les trois propositions relatives
se rapportent au nom *armoire*.

97 Qu'est-ce qu'une proposition relative ?

■ La proposition relative est une **proposition subordonnée** introduite par un **pronom relatif**. Elle complète un groupe nominal ou un pronom appartenant à la proposition principale et appelé **antécédent**.

*Les rares habitants [**qui** se trouvaient en ce moment*
à leurs fenêtres ou sur le seuil de leurs maisons]
regardaient ce voyageur avec une sorte d'inquiétude.

■ Victor Hugo, *Les Misérables.*

Qui se trouvaient en ce moment à leurs fenêtres ou sur le seuil de leurs maisons est une proposition subordonnée relative qui a pour antécédent le groupe nominal *les rares habitants*.

■ La proposition relative est une construction qui permet de réunir en une seule phrase deux phrases comportant le même groupe nominal, évitant ainsi une répétition. La proposition relative, qui suit généralement son antécédent, peut être **enchâssée** (c'est-à-dire insérée) dans la proposition principale.

Tu as acheté une voiture. Cette voiture est en panne.
*[La voiture [**que** tu as achetée] est en panne.]*

La proposition relative *que tu as achetée* est enchâssée dans la proposition principale *La voiture est en panne.*

La fonction de la proposition relative

■ La proposition relative, qui est une **expansion du nom ou du groupe nominal**, peut être **épithète** (on dit aussi **épithète liée**) de l'antécédent.

Et le petit prince eut un très joli éclat de rire
*[**qui** m'irrita beaucoup].*

■ ANTOINE DE SAINT-EXUPÉRY, *Le Petit Prince.*

La proposition relative *qui m'irrita beaucoup* est épithète de l'antécédent *un très joli éclat de rire.*

■ Elle peut être **apposée** (on dit aussi **épithète détachée**) ; elle est alors séparée de l'antécédent par une virgule.

La princesse, [qui ne pouvait croire cette nouvelle,]
vient vite se présenter à la fenêtre et aperçoit Aladin.

■ « Histoire d'Aladin ou la Lampe merveilleuse », *Les Mille et Une Nuits.*

La proposition relative *qui ne pouvait croire cette nouvelle* est apposée à l'antécédent *la princesse.*

Les fonctions épithète et apposée étaient autrefois réunies sous le nom de complément de l'antécédent.

■ Il ne faut pas confondre la fonction de la proposition relative avec la **fonction du pronom relatif**. Celui-ci peut remplir, à l'intérieur de la proposition relative, toutes les fonctions d'un groupe nominal.

*Un Loup survient à jeun [**qui** cherchait aventure,]*
*Et [**que** la faim en ces lieux attirait.]*

■ JEAN DE LA FONTAINE, *Le Loup et l'Agneau.*

Les deux propositions relatives sont épithètes de l'antécédent *un loup.*
Le pronom relatif *qui* est le sujet de *cherchait* et le pronom relatif *que* est le COD de *attirait.*

Astuce

Comment distinguer les fonctions du pronom relatif *dont* ?

Le pronom relatif **dont** remplace un groupe nominal précédé de la préposition **de**. On peut identifier ses fonctions en le remplaçant par son antécédent.

Le pronom relatif **dont** peut être :

– complément d'objet indirect ;

    *C'est une ville [**dont** il m'a souvent parlé.]*

    Il m'a souvent parlé *d'une ville*. Dont est le COI de *a parlé*.

– complément du nom ;

    *L'enfant [**dont** le ballon tomba à l'eau] se mit à pleurer.*

    Le ballon *de l'enfant* tomba à l'eau. Dont est le complément du nom *ballon*.

– complément de l'adjectif ;

    *C'est une information [**dont** je suis certain.]*

    Je suis certain *de cette information*. Dont est le complément de l'adjectif *certain*.

– complément circonstanciel ;

    *La manière [**dont** il t'a parlé] m'a déplu.*

    Il t'a parlé *d'une manière qui m'a déplu*. Dont est le complément circonstanciel de manière de *a parlé*.

– complément d'agent.

    *Ses amis, [**dont** il fut toujours aimé,] l'aidèrent beaucoup.*

    Il fut aimé *de ses amis*. Dont est le complément d'agent de *fut aimé*.

99 La proposition relative déterminative et la proposition relative explicative

■ Une proposition relative est dite **déterminative** lorsqu'elle est indispensable au sens de la phrase. Sans elle, la phrase perd son sens ou prend un autre sens. La relative déterminative est épithète et n'est jamais séparée de l'antécédent par une virgule.

    David partit avec son ami en vacances dans les jours [qui suivirent leur rencontre.]

    Privée de la proposition relative, la phrase serait incorrecte :
    ● *David partit dans les jours.*

    Les animaux [qui ont été contaminés par cette maladie très contagieuse] seront abattus.

    Sans la proposition relative, la phrase signifierait que tous les animaux sont concernés.

■ Une proposition relative est dite **explicative** lorsqu'elle apporte une information qui rend la phrase plus précise, mais qui peut être supprimée. Il s'agit le plus souvent d'une relative apposée, séparée de l'antécédent par une virgule.

Ses longs cheveux dénoués, [où se trouvaient encore mêlées quelques petites fleurs bleues,] faisaient un oreiller à sa tête et protégeaient de leurs boucles la nudité de ses épaules.

■ THÉOPHILE GAUTIER, *La Morte amoureuse.*

100 La proposition relative sans antécédent

■ Il arrive qu'une proposition relative n'ait pas d'antécédent ; elle est introduite par les pronoms relatifs **qui, quoi, où**, par les locutions relatives **ce qui, ce que, celui qui, celui que** ou par le pronom relatif indéfini **quiconque**. On la rencontre fréquemment dans les proverbes ou pour désigner quelqu'un ou quelque chose d'indéfini.

[Qui aime bien] châtie bien.

■ Cette proposition relative sans antécédent peut être remplacée par un groupe nominal et en a toutes les fonctions.

La vie n'est pas [ce qu'on croit.]

On pourrait dire : *La vie n'est pas un long fleuve tranquille.* La proposition relative est attribut du sujet *la vie.*

Va [où tu veux.]

On pourrait dire : *Va à Paris.* La proposition relative est complément circonstanciel de lieu de *va.*

Résumé

● La proposition subordonnée relative est introduite par un pronom relatif. Elle complète un groupe nominal appartenant à la proposition principale et appelé antécédent.

● Elle fait partie des expansions du nom ou du groupe nominal. Elle peut être épithète ou apposée.

● Certaines propositions relatives n'ont pas d'antécédent ; elles ont les mêmes fonctions qu'un groupe nominal.

LA PROPOSITION CONJONCTIVE COMPLÉTIVE

C'est, mon père, [que je connais] [que vous avez parlé d'une personne], et [que j'ai entendu une autre.]

■ MOLIÈRE, *Le Malade imaginaire.*

Cette chaîne de propositions en *que* est une suite de propositions conjonctives complétives.

101 Qu'est-ce qu'une proposition conjonctive complétive ?

■ La proposition conjonctive complétive est une **proposition subordonnée**. Elle est **conjonctive** parce qu'elle est introduite par la **conjonction** *que* ; elle est **complétive** parce qu'elle est le plus souvent **complément d'objet**. Mais elle peut aussi remplir d'autres fonctions dans la phrase.

La réalité est [que l'empereur, entré dans Grenoble, avait refusé de s'installer à l'hôtel de la préfecture.]

■ VICTOR HUGO, *Les Misérables.*

Que l'empereur, entré dans Grenoble, avait refusé de s'installer à l'hôtel de la préfecture est une proposition subordonnée conjonctive complétive introduite par la conjonction *que*. Elle occupe ici une fonction d'attribut.

102 La proposition conjonctive complétive complément d'objet

■ La proposition conjonctive complétive peut être complément d'objet :

– d'un verbe transitif direct ;

Maintenant, elle savait [qu'elle était orpheline.] (COD)

■ HENRI TROYAT, *Viou.*

– d'un verbe transitif indirect ; la conjonction de subordination prend alors la forme **ce que**.

*Elle veille [à **ce qu'**il ait son compte de sommeil.]* (COI)

Comment ne pas confondre la proposition relative introduite par *que* et la proposition conjonctive complétive introduite par *que* ?

■ On peut remplacer la proposition relative par un adjectif qualificatif.

L'homme [que je regarde] porte un chapeau.
On peut dire : L'homme *maigre* porte un chapeau.

■ On ne peut pas remplacer la proposition conjonctive complétive par un adjectif qualificatif.

Je dis [que l'homme porte un chapeau.]
On ne peut pas dire : ◒ Je dis *maigre*.

 103

Le mode de la proposition conjonctive complétive complément d'objet

■ Le mode de la proposition conjonctive complétive peut être imposé par le sens du verbe de la proposition principale.

Les verbes de **déclaration** *(dire, affirmer, espérer)*, d'**opinion** *(penser, croire, considérer)*, de **perception** *(sentir)*, à la **forme affirmative**, se construisent avec l'**indicatif**.

*Jusque-là, je n'avais pas ouvert les yeux, je sentais [que j'**étais couché** sur le dos et sans liens.]*
■ EDGAR POE, « Le Puits et le Pendule », *Histoires extraordinaires*.
Sentais est un verbe de perception, employé à la forme affirmative. Le verbe de la proposition complétive, *étais couché*, est donc à l'indicatif.

*Je **crois** que deux et deux **sont** quatre, Sganarelle, et que quatre et quatre **sont** huit.* ■ MOLIÈRE, *Dom Juan*.
Crois est un verbe d'opinion, employé à la forme affirmative. Le verbe des deux propositions complétives, *sont*, est donc à l'indicatif.

Les verbes de **souhait** (*vouloir, souhaiter, désirer*), de **doute** (*douter*), d'**ordre** (*ordonner, interdire*), de **demande** (*demander*), de **crainte** (*craindre, avoir peur*), **de sentiment** (*regretter, s'étonner*) se construisent avec le **subjonctif**.

> *Je voudrais [qu'avec son bien il **eût** encore quelque bon goût des choses.]*　■ MOLIÈRE, *Le Bourgeois gentilhomme*.
> *Voudrais* est un verbe de souhait. Le verbe de la proposition complétive, *eût*, est donc au subjonctif.

> *En vérité, fait-elle, chevalier, je **crains** que vous **soyez** bien mal venu.*　■ CHRÉTIEN DE TROYES, *Le Chevalier au lion*.
> Après le verbe de crainte, le verbe de la proposition complétive, *soyez*, est donc au subjonctif.

■ Pour d'autres verbes, le mode est laissé au choix du locuteur : les verbes **déclaratifs** ou d'**opinion**, à la **forme négative** ou **interrogative**, peuvent se construire avec l'**indicatif** ou le **subjonctif**.

On peut choisir le futur de l'indicatif ou le présent du subjonctif. En employant le subjonctif, le locuteur est moins sûr de son affirmation.

> *Je ne pense pas qu'il **viendra**.*
> *Viendra* est au futur de l'indicatif.

> *Je ne pense pas qu'il **vienne**.*
> *Vienne* est au présent du subjonctif.

On peut aussi choisir le passé composé de l'indicatif ou le passé du subjonctif. En employant le subjonctif, le locuteur est moins sûr de son affirmation.

> *Sa mère ne croit pas qu'il **a volé**.*
> *A volé* est au passé composé de l'indicatif.

> *Sa mère ne croit pas qu'il **ait volé**.*
> *Ait volé* est au passé du subjonctif.

104 Les autres fonctions de la proposition conjonctive complétive

■ Une proposition conjonctive complétive peut occuper d'autres fonctions que celle de complément d'objet. Elle peut être :
– sujet ;

> *[Qu'il arrive demain] m'ennuie beaucoup.*

- attribut du sujet ;
  Le problème est [que je n'ai plus d'essence dans ma voiture.]
- complément du nom ;
  L'idée [que vous arriviez en retard] est insupportable.
- sujet réel de verbe ou tournure impersonnelle.
  Il est évident [qu'il n'est pas fort en mathématiques.]

Astuce

**Comment reconnaître la fonction
d'une proposition conjonctive complétive ?**

Il suffit de la remplacer par un groupe nominal et d'identifier la fonction de ce groupe nominal.
Je vois [qu'il marche.]
Je vois [cet arbre].
Cet arbre est un groupe nominal COD du verbe *vois*, *qu'il marche* est donc une complétive COD.

Résumé

- La proposition conjonctive complétive est introduite par la conjonction *que.*
- Elle occupe le plus souvent la fonction de complément d'objet du verbe.

LA PROPOSITION INTERROGATIVE INDIRECTE

ESTRAGON *(la bouche pleine, distraitement).* – **On n'est pas liés ?**
VLADIMIR. – *Je n'entends rien.*
ESTRAGON *(mâche, avale).* – *Je demande **si on est liés**.*

■ SAMUEL BECKETT, *En attendant Godot.*

Estragon utilise d'abord une phrase interrogative directe,
puis une proposition interrogative indirecte.

105 Qu'est-ce qu'une proposition interrogative indirecte ?

■ La proposition interrogative indirecte est une **proposition subordonnée** qui pose une question par l'intermédiaire d'un **verbe introducteur** *(demander, chercher, dire, raconter…).* Il ne faut pas la confondre avec la **phrase interrogative directe**.

> *On n'est pas liés ?*
> Il s'agit d'une phrase interrogative directe.
>
> *Je demande [si on est liés.]*
> *Si on est liés* est une proposition interrogative indirecte subordonnée à la proposition principale *je demande*.

■ Contrairement à la phrase interrogative directe, la proposition interrogative indirecte :

– n'a pas d'intonation montante ;
– n'a pas de point d'interrogation ;
– n'a pas d'inversion sujet-verbe.

> *As-tu mal ?* (interrogation directe)
> *Je te demande [si tu as mal.]*
> (interrogation indirecte)

🄰 Astuce

Comment reconnaître une proposition interrogative indirecte ?

On peut toujours la transformer en une phrase interrogative directe.

> *Dites-moi s'il est là.* On peut dire : *Est-ce qu'il est là ?*

■ La proposition interrogative indirecte est une proposition subordonnée **complétive**. Elle est le plus souvent **COD**.

Léa demande [comment on le nomme.]

On peut remplacer la proposition complétive par un GN : *Léa demande son nom. Comment on le nomme* est une complétive COD du verbe *demande*.

106 La proposition interrogative indirecte introduite par *si*

■ Quand l'interrogation directe est **totale** (on peut répondre par *oui* ou par *non*), l'interrogative indirecte est introduite par **si**.

Elle demanda [si les livres lui seraient utiles.]

L'interrogation directe correspondante est : *Les livres lui seraient-ils utiles ?* La question appelle une réponse par *oui* ou par *non* : l'interrogation indirecte est donc introduite par *si*.

107 La proposition interrogative indirecte introduite par *quel, pourquoi, comment...*

■ Quand l'interrogation directe est **partielle** (on ne peut pas répondre par *oui* ou par *non*), la proposition interrogative indirecte est introduite par le **même mot interrogatif** que dans l'interrogation directe : *quel, pourquoi, comment…*

Jamais il ne lui révéla [où il s'était caché] et [qui l'avait aidé cette troisième et dernière fois.]

■ LES FRÈRES GRIMM, *Le Ouistiti.*

Les deux interrogations directes correspondantes sont : *Où était-il caché ?* et *Qui l'avait aidé ?* Les questions appellent une réponse partielle. *Où* et *qui* introduisent les interrogations directe et indirecte.

R é s u m é

● La proposition interrogative indirecte est une proposition subordonnée complétive.

● Elle est introduite par *si* quand l'interrogation est totale, par des mots interrogatifs *(quel, pourquoi, comment…)* quand l'interrogation est partielle.

LES PROPOSITIONS CONJONCTIVES CIRCONSTANCIELLES

Pour indiquer certaines circonstances de l'action : quand ? comment ? pourquoi ?... on peut employer des propositions conjonctives circonstancielles.

108 Qu'est-ce qu'une proposition conjonctive circonstancielle ?

■ La proposition conjonctive circonstancielle est une **proposition subordonnée**. Elle est **conjonctive** parce qu'elle est introduite par une **conjonction de subordination** *(lorsque, comme, quand...)* ou par une **locution conjonctive** *(parce que, après que...)*. Elle est **circonstancielle** parce qu'elle est **complément circonstanciel**.

> *Le long d'un clair ruisseau buvait une Colombe,*
> *[Quand sur l'eau se penchant une Fourmi y tombe.]*
> ■ JEAN DE LA FONTAINE, *La Colombe et la Fourmi.*

Quand sur l'eau se penchant une Fourmi y tombe est une proposition subordonnée conjonctive circonstancielle introduite par la conjonction de subordination *quand.*

■ On peut coordonner plusieurs propositions conjonctives circonstancielles par **que**.

> **Lorsque** *je vais sur la jetée,* **et que** *je regarde le bout du ciel, je suis déjà de l'autre côté.* ■ MARCEL PAGNOL, *Marius.*

On pourrait dire : *Lorsque je vais sur la jetée et lorsque je regarde le bout du ciel...* La conjonction *que* évite de répéter *lorsque*.

109 Les différentes propositions conjonctives circonstancielles

■ On distingue les propositions conjonctives circonstancielles :
– de **temps** ou « temporelles », introduites par : *lorsque, quand, après que, avant que, pendant que...*
– de **cause** ou « causales », introduites par : *parce que, puisque, comme, dès lors que, sous prétexte que...*

– de **conséquence** ou « consécutives », introduites par : *si bien que, de telle sorte que, au point que, si (+ adjectif) que, tellement que, tant que, trop (+ adjectif) que…*

– de **but** ou « finales », introduites par : *afin que, pour que, de peur que, de crainte que…*

– d'**opposition** et de **concession** ou « concessives », introduites par : *alors que, bien que, même si, quoique…*

– de **condition** ou « conditionnelles », introduites par : *si, pourvu que, à supposer que…*

– de **comparaison** ou « comparatives », introduites par : *comme, de même que, aussi que, tel que, aussi (+ adjectif) que…*

■ Dans une même phrase, on peut trouver plusieurs propositions conjonctives circonstancielles exprimant des relations variées.

[S'il tourne bien], [comme tout porte à le croire,] il sera notre héritier. ■ GUY DE MAUPASSANT, *Aux champs.*

Dans cette phrase, on trouve une proposition circonstancielle de condition, *s'il tourne bien*, puis une proposition circonstancielle de comparaison, *comme tout porte à le croire.*

■ On peut aussi trouver une proposition conjonctive circonstancielle dépendant d'une autre proposition conjonctive circonstancielle. Les propositions s'enchaînent en cascade.

Et l'on galopa encore pendant deux heures, [quoique les chevaux fussent si fatigués] [qu'il était à craindre [qu'ils ne refusassent bientôt le service.]]

■ ALEXANDRE DUMAS, *Les Trois Mousquetaires.*

Quoique les chevaux fussent si fatigués est une proposition circonstancielle de concession qui complète la principale *Et l'on galopa encore pendant deux heures* ; cette proposition est elle-même complétée par une autre proposition circonstancielle, de conséquence cette fois, *qu'il était à craindre qu'ils ne refusassent bientôt le service*. Dans cette dernière proposition, on trouve aussi une proposition complétive : *qu'ils ne refusassent bientôt le service.*

La proposition circonstancielle et les autres tournures exprimant la circonstance

■ La proposition conjonctive circonstancielle peut **remplacer** un groupe nominal complément circonstanciel.

Sans le vacarme de la ville, on pourrait entendre la plainte qui coule de sa gorge.

■ PIERRE PÉJU, *La Petite Chartreuse.*

On pourrait dire :
[S'il n'y avait pas le vacarme de la ville,]
[on pourrait entendre la plainte qui coule de sa gorge.]
La première proposition est une subordonnée circonstancielle de condition qui remplace le GN complément circonstanciel *sans le vacarme de la ville.*
La deuxième proposition est la principale.

■ Elle peut aussi **remplacer** une proposition coordonnée.

[Toute la journée la banquise gronde]
mais [j'arrive quand même à dormir.]

■ JEAN-LOUIS ÉTIENNE, *Le Marcheur du pôle.*

Les deux propositions indépendantes sont coordonnées par la conjonction de coordination *mais.*
On pourrait dire :
[Bien que toute la journée la banquise gronde,]
[j'arrive quand même à dormir.]
La première proposition est une subordonnée circonstancielle de concession qui remplace la première proposition indépendante.
La deuxième proposition est la principale.

■ La proposition conjonctive circonstancielle peut enfin **remplacer** une proposition ou une phrase juxtaposée.

Mon père avait envie d'un petit jardin. Son désir flambait au milieu de nous comme un feu.

■ JEAN GIONO, *Jean le bleu.*

La deuxième phrase est juxtaposée à la première.
On pourrait dire :
[Mon père avait tellement envie d'un petit jardin]
[que son désir flambait au milieu de nous comme un feu.]
La deuxième proposition est une subordonnée circonstancielle de conséquence qui remplace la phrase juxtaposée.
La première proposition est la principale.

■ À l'inverse, la proposition circonstancielle peut **être remplacée** par :

– un groupe nominal ;
– une proposition coordonnée ;

– une phrase ou une proposition juxtaposée.
[Comme elles possédaient, devant l'habitation, un étroit jardin,] [elles cultivaient quelques légumes.]

■ GUY DE MAUPASSANT, « Pierrot », *Contes de la Bécasse.*

La première proposition est une subordonnée circonstancielle de cause ; la deuxième est la proposition principale.

On pourrait dire :
Elles cultivaient quelques légumes, car elles possédaient, devant l'habitation, un étroit jardin.
Cette phrase comprend deux propositions indépendantes coordonnées par *car.*

Résumé

● Les propositions conjonctives circonstancielles apportent des précisions sur une ou plusieurs circonstances de l'action : le temps, la cause, la conséquence, le but, l'opposition, la condition, la comparaison.

● Elles peuvent remplacer d'autres tournures exprimant la circonstance :
  – un groupe nominal ;
  – une proposition coordonnée ;
  – une proposition juxtaposée.

LA PROPOSITION INFINITIVE

*Les vaches regardent **passer les trains**.*
*Le poète voit **les feuilles tomber**.*
*Les oiseaux sentent **le printemps arriver**.*

Ces phrases sont construites avec des propositions infinitives.

111 Qu'est-ce qu'une proposition infinitive ?

■ La proposition infinitive est une **proposition subordonnée complétive**. Elle est **infinitive** parce que son verbe est à l'**infinitif**. Elle est **complétive** parce qu'elle est **complément d'objet**. Elle est construite **directement** après le verbe de la principale dont elle dépend, sans mot subordonnant pour l'introduire.

> *Il voyait [le* Bonheur des dames *envahir tout le pâté entouré par ces rues.]* ■ ÉMILE ZOLA, *Au Bonheur des dames.*
> Le Bonheur des dames envahir tout le pâté entouré par ces rues *est une proposition infinitive. Elle commence directement après le verbe principal* voyait. *Elle est COD du verbe* voyait.

■ La proposition infinitive a un **sujet distinct** de celui de la proposition principale.

> *J'ai senti [mes tempes se gonfler.]*
> ■ VICTOR HUGO, *Le Dernier Jour d'un condamné.*
> Le pronom j' *est le sujet du verbe* ai senti *dans la proposition principale.* Mes tempes *est le sujet du verbe* se gonfler *dans la proposition infinitive.*

■ Il ne faut pas confondre la proposition infinitive et l'**infinitif complément d'objet**. Quand on sépare la proposition principale et la proposition infinitive en deux propositions indépendantes, elles ont un sujet différent.

> *Julie entend [chanter le merle.]*
> On peut décomposer en : *Julie entend.*
> *Le merle chante.*

En revanche, quand l'infinitif est complément d'objet, on obtient des sujets identiques si on sépare la phrase en deux propositions indépendantes.

Le merle sait chanter.

On peut décomposer en : *Le merle sait. Le merle chante.*

112 Quand emploie-t-on la proposition infinitive ?

■ La proposition infinitive s'emploie après :

– les verbes de perception *(regarder, voir, écouter, entendre, sentir)* ;

Il regarde [les oiseaux voler.]

Les oiseaux voler est une proposition infinitive dont le sujet est *les oiseaux* et dont le verbe est *voler.*

– les verbes **laisser** et **faire**.

Je fais [pousser des fleurs.]

Pousser des fleurs est une proposition infinitive dont le sujet est *des fleurs* et dont le verbe est *pousser.*

J'ai laissé [les enfants regarder la télévision.]

Les enfants regarder la télévision est une proposition infinitive dont le sujet est *les enfants* et dont le verbe est *regarder.*

R é s u m é

● Une proposition infinitive est une proposition subordonnée complétive.

● Son verbe est à l'infinitif et son sujet est différent de celui de la proposition principale.

LA PROPOSITION PARTICIPIALE

Toutes proportions gardées... Cela dit... La nuit tombant.

Le langage courant abonde en propositions participiales.

113 Qu'est-ce qu'une proposition participiale ?

■ La proposition participiale est une **proposition subordonnée.**
Elle est **participiale** parce que son verbe est au **participe passé** ou
présent. Elle est **subordonnée** parce qu'elle **dépend** de la proposition principale. Cependant, elle n'a pas de mot subordonnant
pour l'introduire.

> *[Le tour du salon **terminé**,] M. Madinier voulut*
> *qu'on recommençât : ça en valait la peine.*
>
> ■ ÉMILE ZOLA, *L'Assommoir.*
>
> Le tour du salon terminé est une proposition participiale. Son verbe est le
> participe passé *terminé*.

■ La proposition participiale a un **sujet distinct** de celui de la
proposition principale.

> *Au retour, [**la grande porte du palais** étant embarrassée*
> *par les préparatifs d'une illumination,] **la voiture** rentra*
> *par les cours de derrière.* ■ STENDHAL, *Vanina Vanini.*
>
> Dans la proposition participiale, *la grande porte du palais* est le sujet de
> *étant embarrassée*. Dans la proposition principale, *la voiture* est le sujet du
> verbe *rentra*.

■ Il ne faut pas confondre la proposition participiale avec le **participe apposé** ou avec le **gérondif**. Le participe apposé et le gérondif n'ont **pas de sujet propre**.

> *L'hôte, **entendant** la porte s'ouvrir et entrer un nouveau venu, dit sans lever les yeux de ses fourneaux : « Que veut monsieur ? »*
> ■ VICTOR HUGO, *Les Misérables.*

Le participe *entendant* est apposé au sujet de la phrase, *l'hôte*. Il n'a pas de sujet propre. Cette phrase ne comporte pas de proposition participiale.

> ***En rentrant** à la maison, l'enfant fut stupéfaite d'avoir crié : « Au secours ! »*
> ■ JULES SUPERVIELLE, *L'Enfant de la haute mer.*

Le gérondif *en rentrant* a pour sujet *l'enfant*, qui est aussi le sujet du verbe conjugué *fut stupéfaite*. Cette phrase ne comporte pas de proposition participiale.

114 La fonction de la proposition participiale

■ La proposition participiale est une proposition subordonnée **complément circonstanciel**. Elle peut être :

– complément circonstanciel de **temps** ;

> *[La vaisselle terminée,] ils se mirent devant le poste de télévision.*

– complément circonstanciel de **cause** ;

> *César revint à Rome plein de puissance, [les Gaulois ayant été vaincus.]*

– complément circonstanciel de **condition**.

> *[La pluie cessant,] nous pourrions sortir.*

R é s u m é

● Une proposition participiale est une proposition subordonnée circonstancielle.

● Son verbe est au participe et son sujet est différent de celui de la proposition principale.

LA CONCORDANCE DES TEMPS DANS LES PROPOSITIONS SUBORDONNÉES

Si j'aurais su, j'aurais pas venu !

On ne peut pas, comme ce personnage de *La Guerre des boutons*, de Louis Pergaud, employer n'importe quel temps dans une subordonnée. Il faut respecter quelques règles.

115 Qu'est-ce que la concordance des temps ?

■ La concordance des temps désigne un ensemble de règles à respecter concernant le **choix des temps dans une proposition subordonnée**. Ce choix n'est pas libre, il **dépend du temps du verbe dans la proposition principale**.
Ainsi on peut dire : *Je crois qu'il sera là.*
Mais on ne peut pas dire : ● *Je croyais qu'il sera là.*
Si on change le temps de la principale, il faut généralement changer aussi celui de la subordonnée : *Je croyais qu'il serait là.*

■ Les règles de la concordance des temps concernent tous les types de propositions subordonnées comportant un verbe conjugué. Mais lorsqu'il s'agit d'une subordonnée de condition, des règles particulières de concordance s'appliquent.

■ Le temps employé dans la subordonnée dépend de la relation chronologique existant entre la principale et la subordonnée : l'action (ou le fait) exprimée dans la subordonnée peut être **antérieure**, **simultanée** ou **postérieure** à celle de la principale. (→116-117)

Pour aller plus loin

Qu'est-ce que le présent de vérité générale ?

Lorsque le verbe de la subordonnée exprime une vérité générale, on utilise le présent, quels que soient le temps et le mode de la principale. On appelle cette valeur du présent le présent de vérité générale.

Il a compris que les hommes sont égoïstes.

116 Les temps dans les subordonnées à l'indicatif

Temps de la principale	Action de la subordonnée par rapport à la principale		
	antérieure	simultanée	postérieure
Présent ou futur	Passé composé, imparfait, ou plus-que-parfait	Présent	Futur
Il dit / Il dira	*qu'il le **savait**.*	*qu'il le **sait**.*	*qu'il le **saura**.*
Passé *Il a dit / Il disait* *Il avait dit*	Plus-que-parfait	Imparfait	Conditionnel présent
	*qu'il l'**avait su**.*	*qu'il le **savait**.*	*qu'il le **saurait**.*

117 Les temps dans les subordonnées au subjonctif

Temps de la principale	Action de la subordonnée par rapport à la principale		
	antérieure	simultanée	postérieure
Présent ou futur *Il craint /* *Il craindra*	Passé	Présent	Présent
	*qu'il l'**ait su**.*	*qu'il le **sache**.*	*qu'il le **sache**.*
Passé *Il a craint /* *Il avait craint*	Plus-que-parfait	Imparfait	Imparfait
	*qu'il l'**eût su**.*	*qu'il le **sût**.*	*qu'il le **sût**.*

■ Aujourd'hui, dans la langue courante, on emploie principalement le présent du subjonctif dans la subordonnée.

*Il craignait qu'elle le **sache**.*

L'EXPRESSION DU TEMPS

*Le matin, quand il fut réveillé, il courut **aussitôt** par monts et par vaux à la recherche d'une fleur pareille. **Huit jours durant**, il la chercha, et **à l'aube du neuvième jour**, il trouva la fleur rouge de sang. Elle avait dans son cœur une grosse goutte de rosée, aussi grosse qu'une belle perle.*

■ LES FRÈRES GRIMM, *Yorinde et Yoringue.*

Groupe nominal, proposition, adverbe…, il existe de nombreux moyens d'exprimer le temps.

118 Qu'est-ce qu'une relation temporelle ?

■ On exprime une relation temporelle (ou un rapport de temps) quand on situe une action ou un fait dans le temps en indiquant sa **date** (quand ?), sa **durée** (combien de temps ?) ou sa **fréquence** (combien de fois ?).

> ***Plusieurs fois, en hiver,** il dormit **de longues heures** devant la cheminée.*
>
> *Plusieurs fois* exprime la fréquence, *en hiver* la date, *de longues heures* la durée du sommeil.

■ La relation temporelle peut s'exprimer par des compléments circonstanciels ou par d'autres moyens grammaticaux.

Attention

Il ne faut pas confondre moyens lexicaux et moyens grammaticaux pour exprimer le temps.

Le **vocabulaire** (moyen lexical) peut exprimer le temps ; mais les mots qui expriment une idée de temps ne sont pas toujours des compléments circonstanciels de temps (moyen grammatical). Cependant, moyens lexicaux et moyens grammaticaux peuvent s'associer pour exprimer le temps.

> *Il aimait l'**été** ; les **heures** de travail ne lui pesaient pas.*
>
> Les mots *été* et *heures* expriment le temps (moyen lexical) ; mais *l'été* est le COD du verbe *aimait* et *les heures* est le sujet du verbe *pesaient*.

> ***L'été,** il nageait **plusieurs heures** dans la rivière.*
>
> Ici, *l'été* et *plusieurs heures* sont des moyens lexicaux d'exprimer le temps mais aussi des moyens grammaticaux puisqu'ils sont compléments circonstanciels de temps.

Exprimer le temps par un complément circonstanciel à l'intérieur d'une proposition

■ À l'intérieur d'une proposition, le complément circonstanciel de temps peut être :

– un **adverbe** : *aujourd'hui, hier, demain, parfois, souvent, toujours, maintenant, bientôt, autrefois, désormais…*

> ***Aujourd'hui**, le travail de brute, mortel, mal payé, recommençait.* ■ ÉMILE ZOLA, *Germinal.*

– un **groupe nominal** ou un **groupe nominal prépositionnel**, introduit par une préposition ou une locution prépositionnelle : *à, avant, après, dans, depuis, dès, pendant, au moment de, jusqu'à…*

> *Octavien entreprit de faire comprendre au jeune Pompéien que vingt siècles s'étaient écoulés **depuis la conquête de la Gaule par Jules César**.*
> ■ THÉOPHILE GAUTIER, *Arria Marcella.*

– un **infinitif prépositionnel**. Il a le même sujet que le verbe conjugué et il est introduit par une préposition ou une locution prépositionnelle : *avant de, après, au moment de…*

> *Cette nuit-là, **après avoir réveillonné chez des amis**, je rentre chez moi, un peu pompette.*
> ■ PIERRE GRIPARI, « La sorcière du placard à balais », *Contes de la rue Broca.*

– un **gérondif**. Il a le même sujet que le verbe conjugué.

> *Sa voix résonne comme si elle sortait du puits.*
> *__En l'entendant__, il redresse la tête et appelle de nouveau.*
> ■ *Le Roman de Renart.*

120 Exprimer le temps par une proposition subordonnée circonstancielle

■ Le complément circonstanciel de temps peut prendre la forme d'une **subordonnée conjonctive circonstancielle de temps** (aussi appelée **subordonnée temporelle**). Cette proposition peut exprimer :

– une **antériorité**, lorsque l'action de la subordonnée se déroule **avant** celle de la principale. La subordonnée est introduite par une conjonction de subordination ou une locution conjonctive suivie de l'**indicatif** : *quand, lorsque, après que, depuis que, aussitôt que…*

[Quand il eut achevé d'écrire,] [le mort immobile contempla son œuvre.]   ■ GUY DE MAUPASSANT, *La Morte.*

La proposition subordonnée *quand il eut achevé d'écrire* exprime une action antérieure à l'action de la proposition principale *le mort immobile contempla son œuvre.*

– une **simultanéité**, lorsque l'action de la subordonnée se déroule **en même temps** que celle de la principale. La subordonnée est introduite par une conjonction ou une locution conjonctive suivie de l'**indicatif** : *comme, quand, lorsque, pendant que, tandis que, tant que, au moment où, alors que, à mesure que, chaque fois que…*

Après quoi, je m'étendis sous un arbre, [et j'allais m'endormir,] [lorsque mon chien vint me parler à l'oreille.]   ■ MARCEL PAGNOL, *La Gloire de mon père.*

La proposition subordonnée *lorsque mon chien vint me parler à l'oreille* et la proposition principale *j'allais m'endormir* expriment deux actions simultanées.

– une **postériorité**, lorsque l'action de la subordonnée se déroule **après** celle de la principale. La subordonnée est introduite par une locution conjonctive suivie du **subjonctif** : *avant que, en attendant que, jusqu'à ce que…*

Et moi, qu'on me porte au bout de la table [en attendant que je meure.]   ■ MOLIÈRE, *Les Fourberies de Scapin.*

La proposition subordonnée *en attendant que je meure* exprime une action postérieure à l'action de la proposition principale *et moi, qu'on me porte au bout de la table.*

Rentrons [avant qu'il ne pleuve.]

Dans la langue soutenue, *avant que* est employé avec la négation explétive *ne* qui n'a pas de valeur négative.

Attention

**Dans une phrase, il faut bien distinguer
l'ordre grammatical et l'ordre chronologique.**

■ On ne doit pas confondre l'ordre des propositions dans la phrase (ordre grammatical) et l'ordre des actions dans le temps (ordre chronologique). Une action qui s'est déroulée après une autre action peut précéder cette dernière dans la phrase.

[En attendant que leur mère rentre du travail,]
[ils regardaient la télévision.]
La proposition subordonnée *en attendant que leur mère rentre du travail* est placée avant la proposition principale *ils regardaient la télévision* (ordre grammatical). Mais l'action de la subordonnée est postérieure à l'action de la principale (ordre chronologique).

■ La conjonction **après que** introduit une subordonnée exprimant une antériorité et la conjonction **avant que** introduit une subordonnée exprimant une postériorité, puisqu'on considère la relation temporelle par rapport à l'action de la principale.

[Il referma la porte,] [après que tous eurent quitté la pièce.]
L'action de la proposition subordonnée *après que tous eurent quitté la pièce* est antérieure à l'action de la proposition principale *il referma la porte*.

■ L'emploi du subjonctif avec **après que** est fautif ; toutefois il tend à se généraliser. Ainsi, on trouve :

⊝ *Après que nous soyons allés au cinéma, il nous a emmenés au restaurant.*

au lieu de :

Après que nous sommes allés au cinéma, il nous a emmenés au restaurant.

■ Lorsque plusieurs subordonnées conjonctives circonstancielles de temps sont coordonnées entre elles, on évite la répétition de la conjonction de subordination en la remplaçant par **que**.

*[**Quand** il fut arrivé] [et **qu'**il eut examiné le palais de près et de tous les côtés,] il ne douta pas qu'Aladin ne se fût servi de la lampe pour le faire bâtir.*

■ « Histoire d'Aladin ou la Lampe merveilleuse », *Les Mille et Une Nuits.*
Qu'il eut examiné le palais de près et de tous les côtés est une proposition subordonnée circonstancielle de temps et signifie : *quand il eut examiné.*

■ Le complément circonstanciel de temps peut aussi prendre la forme d'une proposition **subordonnée participiale**. Son verbe est au participe et elle a un sujet propre. À la valeur temporelle s'ajoute alors souvent une valeur de cause.

*La nuit tombait et, [**mon travail fini,**] j'allais gagner mon hamac, lorsque je m'avisai de manger une pomme. Je courus sur le pont. Les hommes de quart étaient tous à l'avant, attendant l'apparition de l'île.*

■ ROBERT LOUIS STEVENSON, *L'Île au trésor.*

La proposition participiale *mon travail fini* signifie *quand mon travail fut fini* (temps) et *comme mon travail était fini* (cause).

*[**Une fois l'orage passé,**] tout le monde reprit son activité.*

La locution adverbiale *une fois* peut souligner la valeur temporelle de la proposition participiale.

121 Les autres moyens d'exprimer le temps

■ D'autres moyens grammaticaux, qui ne sont pas des compléments circonstanciels, permettent d'exprimer le temps :

– la **coordination** de propositions par une conjonction de coordination ou un adverbe de liaison comme *et, puis, ensuite, enfin...* Ces adverbes peuvent également lier deux phrases ;

*[**Alors** le loup se jeta sur la petite chèvre] [**et** la mangea.]*

■ ALPHONSE DAUDET, *Lettres de mon moulin.*

L'adverbe *alors* rattache l'ensemble de la phrase au paragraphe précédent ; la conjonction de coordination *et* coordonne les deux propositions : tous deux expriment la succession des actions dans le temps.

– la **juxtaposition** de propositions.

[On lava,] [on rinça tout ce linge sali ;] [on l'étendit en ligne aux endroits de la grève où le flot quelquefois venait battre le bord et lavait le gravier.]   ■ HOMÈRE, *l'Odyssée.*

La juxtaposition des propositions exprime la succession des actions dans le temps.

■ On peut remplacer un moyen grammatical d'exprimer le temps par un autre. Par exemple, une proposition subordonnée peut remplacer un groupe nominal ou des propositions indépendantes coordonnées.

Après un repas léger, *il partit.*
(groupe nominal)

[Il prit un repas léger,] ***puis*** *[il partit.]*
(propositions indépendantes coordonnées)

*[**Après qu'il eut pris un repas léger,**] il partit.*
(proposition subordonnée)

R é s u m é

● Pour exprimer le temps, on peut utiliser des compléments circonstanciels de natures différentes :
– un adverbe, un groupe nominal, un infinitif prépositionnel ou un gérondif ;
– une proposition subordonnée conjonctive circonstancielle ou une proposition subordonnée participiale.

● On peut également exprimer le temps par d'autres moyens grammaticaux : la coordination et la juxtaposition.

L'EXPRESSION DE LA CAUSE

Je ne comprends pas parce que la cause m'échappe.

■ GUY DE MAUPASSANT, *Le Horla.*

La cause est une relation logique qui permet d'expliquer des faits.

122 Qu'est-ce qu'une relation de cause ?

■ On exprime une relation de cause (ou un rapport de cause) quand on indique ce qui est à l'origine d'un fait ou d'une action, c'est-à-dire sa **raison**, son **motif**.

> *Moi, j'aime bien quand papa m'accompagne, [**parce qu'il me donne souvent des sous pour acheter des choses**.]*
>
> ■ JEAN-JACQUES SEMPÉ et RENÉ GOSCINNY, *Les Récrés du Petit Nicolas.*

La proposition subordonnée *parce qu'il me donne souvent des sous pour acheter des choses* exprime la raison de la satisfaction du Petit Nicolas.

■ Il ne faut pas confondre la **cause** et la **conséquence**, qui sont les deux versants d'un même rapport logique. Quand deux faits sont liés entre eux par un rapport de cause à conséquence, on peut choisir de mettre l'accent sur la cause ou sur la conséquence.

> *Les pluies ont été abondantes. La rivière a débordé.*

> *[**Comme les pluies ont été abondantes**,] [la rivière a débordé.]*

La proposition subordonnée *comme les pluies ont été abondantes* exprime une relation de cause ; elle met en évidence ce qui a provoqué le débordement.

> *[Les pluies ont été abondantes,] [**si bien que la rivière a débordé**.]*

La proposition subordonnée *si bien que la rivière a débordé* exprime une relation de conséquence ; elle met en évidence l'effet produit par les pluies.

■ La relation de cause peut s'exprimer par des compléments circonstanciels ou par d'autres moyens grammaticaux.

123 Exprimer la cause par un complément circonstanciel à l'intérieur d'une proposition

■ À l'intérieur d'une proposition, un complément circonstanciel de cause peut être :

– un **groupe nominal** introduit par une préposition ou une locution prépositionnelle : *de, par, pour, à cause de, à force de, du fait de, en raison de, étant donné, faute de, grâce à…*

> *Le Roi ne l'avait épousée qu'à cause de ses grands biens.*

> ■ CHARLES PERRAULT, *La Belle au bois dormant.*

– un **infinitif prépositionnel**. Il a le même sujet que le verbe conjugué et il est introduit par une préposition ou une locution prépositionnelle : *à force de, faute de, pour, sous prétexte de…*

> ***Pour avoir levé une seule fois le regard sur une femme,*** *pour une faute en apparence si légère, j'ai éprouvé pendant plusieurs années les plus misérables agitations.*

> ■ THÉOPHILE GAUTIER, *La Morte amoureuse.*

– un **gérondif**. Il a le même sujet que le verbe conjugué.

> *J'ai bien peur d'avoir commis un péché énorme **en ne me brûlant pas dans le bûcher de mon cher mari**.*

> ■ VOLTAIRE, *Zadig.*

124 Exprimer la cause par une proposition subordonnée circonstancielle

■ Le complément circonstanciel de cause peut prendre la forme d'une **subordonnée conjonctive circonstancielle de cause** (aussi appelée **subordonnée causale**). Elle est introduite par une conjonction de subordination ou une locution conjonctive suivie de l'**indicatif** : *parce que, puisque, comme, du moment que, dès lors que, étant donné que, attendu que, sous prétexte que…* ; ou suivie du **subjonctif** *non que, soit que… soit que.*

> *Tu mangeras de l'oignon, [**parce qu'il te fait mal**,] tu ne mangeras pas de poireaux, [**parce que tu les adores**.]*

> ■ JULES VALLÈS, *L'Enfant.*

■ Lorsque plusieurs subordonnées conjonctives circonstancielles de cause se suivent, on évite la répétition de la conjonction de subordination en la remplaçant par **que**.

[Étant donné que le vent avait cessé de souffler] [et que la mer s'était calmée,] on put sortir l'embarcation.

Attention

Il ne faut pas confondre les conjonctions *parce que* **et** *puisque*.

■ **Parce que** s'emploie pour présenter à l'interlocuteur une cause qu'il ne connaît pas.

« Le match n'aura pas lieu, [parce que le terrain est impraticable] », a annoncé l'entraîneur aux parents.

■ **Puisque** s'emploie pour une cause déjà connue de l'interlocuteur et présentée comme une justification par le locuteur.

« Eh bien, tu ne viendras pas, [puisque tu n'en as pas envie !]», s'est exclamé mon père.

Il ne faut pas confondre les différents sens de *comme.*

■ La **cause** : le plus souvent, la subordonnée est en tête de phrase :

[Comme il faisait chaud,] ils allèrent se rafraîchir à la fontaine.

■ Le **temps** : *Il entra, [comme elle sortait.]*

■ La **comparaison** : *Il dormait, [comme dort un enfant.]*

■ Le complément circonstanciel de cause peut aussi prendre la forme d'une proposition **subordonnée participiale**. Son verbe est au participe et elle a un sujet propre.

Or [le goût du pouvoir s'étant emparé de la reine,] elle s'efforçait de tenir son fils à l'écart des affaires du royaume.

■ MICHEL TOURNIER, *Les Rois mages.*

125 Les autres moyens d'exprimer la cause

■ D'autres moyens grammaticaux, qui ne sont pas des compléments circonstanciels, permettent d'exprimer la cause :

– l'**apposition** d'un adjectif (ou participe) ou d'une proposition subordonnée relative ;

Ces compliments enorgueillissent Poil de Carotte, et,
honteux *d'en être indigne, il lutte déjà contre sa couardise.*

■ JULES RENARD, *Poil de Carotte.*

Honteux est un adjectif apposé au sujet *il* ; il exprime la cause de *il lutte déjà contre sa couardise.*

*Dans le pays on l'appelait l'Alouette. Le peuple, [**qui aime les figures**,] s'était plu à nommer de ce nom ce petit être pas plus gros qu'un oiseau.* ■ VICTOR HUGO, *Les Misérables.*

Qui aime les figures est une subordonnée relative apposée qui exprime la cause de *s'était plu à nommer.*

– la **coordination** de propositions par la conjonction de coordination **car** ou l'adverbe de liaison **en effet**. **En effet** peut aussi relier deux phrases ou groupes de phrases ;

*Il se jeta sur la bonne femme, et [la dévora en moins de rien,] [**car** il y avait plus de trois jours qu'il n'avait mangé.]*

■ CHARLES PERRAULT, *Le Petit Chaperon rouge.*

– la **juxtaposition** de propositions, souvent séparées par deux points. Dans ce cas, la relation causale est **implicite** (c'est-à-dire sous-entendue).

Ses yeux se fixèrent sur ceux de la reine, [et un sourire de joie terrible passa sur ses lèvres] : [la reine n'avait pas ses ferrets de diamants.] ■ ALEXANDRE DUMAS, *Les Trois Mousquetaires.*

■ On peut remplacer un moyen grammatical d'exprimer la cause par un autre. Ainsi, la subordination peut remplacer la coordination.

*[Il met un pull,] [**car** il fait froid.]* (coordination)
*Il met un pull, [**parce qu'il fait froid**.]* (subordination)

R é s u m é

● Pour exprimer la cause, on peut utiliser des compléments circonstanciels de natures différentes :
– un groupe nominal, un infinitif prépositionnel ou un gérondif ;
– une proposition subordonnée conjonctive circonstancielle ou une proposition subordonnée participiale.

● On peut également exprimer la cause par d'autres moyens grammaticaux : l'apposition, la coordination, la juxtaposition.

L'EXPRESSION DE LA CONSÉQUENCE

*Zadig, avec de grandes richesses, **et par conséquent avec des amis,** ayant de la santé, une figure aimable, un esprit juste et modéré, un cœur sincère et noble, crut qu'il pouvait être heureux.*
■ Voltaire, *Zadig.*

La conséquence est la relation logique inverse de la cause.

126 Qu'est-ce qu'une relation de conséquence ?

■ On exprime une relation de conséquence (ou un rapport de conséquence) quand on indique l'**effet** d'une action ou d'un fait, son **résultat**.

*J'ai tant rêvé de toi [**que tu perds ta réalité**.]*
■ Robert Desnos, *Corps et Biens.*
La subordonnée *que tu perds ta réalité* exprime la conséquence du rêve.

■ Il ne faut pas confondre la **cause** et la **conséquence**. Alors que la cause exprime ce qui provoque un fait ou une action, la conséquence exprime ce qui en découle. Une phrase qui exprime un rapport de conséquence peut être transformée de manière à exprimer un rapport de cause, et inversement.

*Les voitures ne cessaient d'affluer, [**si bien qu'un gigantesque embouteillage se forma**.]*
Si bien qu'un gigantesque embouteillage se forma est une proposition subordonnée circonstancielle de conséquence.

*Un gigantesque embouteillage se forma, [**étant donné que les voitures ne cessaient d'affluer**.]*
Étant donné que les voitures ne cessaient d'affluer est une proposition subordonnée circonstancielle de cause.

■ La relation de conséquence peut s'exprimer par des compléments circonstanciels ou par d'autres moyens grammaticaux.

127 Exprimer la conséquence par un complément circonstanciel à l'intérieur d'une proposition

■ À l'intérieur d'une proposition, le complément circonstanciel de conséquence peut être un **infinitif prépositionnel**. Il a le même sujet que le verbe conjugué et il est introduit par une préposition ou une locution prépositionnelle : *à, au point de, de manière à, de façon à, jusqu'à, trop… pour, assez… pour…*

*Ali Baba était, un jour, dans la forêt, et il achevait d'avoir coupé à peu près **assez** de bois **pour faire la charge de ses ânes**.* ■ « Ali Baba et les quarante voleurs », *Les Mille et Une Nuits*.

128 Exprimer la conséquence par une proposition subordonnée circonstancielle

■ Le complément circonstanciel de conséquence peut prendre la forme d'une **subordonnée conjonctive circonstancielle de conséquence** (aussi appelée **subordonnée consécutive**). Elle peut être introduite par :
– une locution conjonctive : *si bien que, de façon que, de manière que, de sorte que, en sorte que, au point que, trop… pour que, assez… pour que…*
– la conjonction **que** précédée, dans la principale, par un adjectif ou un adverbe **corrélatif** (qui met en relation deux termes) : **tel, si, tant, tellement.**

*Alice avait **tellement** pris l'habitude de s'attendre à des choses extravagantes, [**qu'il lui paraissait ennuyeux et stupide de voir la vie continuer de façon normale.**]*
■ LEWIS CARROLL, *Alice au pays des merveilles*.

■ Les propositions subordonnées de conséquence sont à l'**indicatif**, sauf celles introduites par *trop... pour que, assez... pour que* qui sont au subjonctif.

La porte de la roulotte était **trop** *étroite [***pour qu'une vache y pût passer.***]*   ■ MARCEL AYMÉ, *Les Contes du chat perché.*

129 Les autres moyens d'exprimer la conséquence

■ D'autres moyens grammaticaux, qui ne sont pas des compléments circonstanciels, permettent d'exprimer la conséquence :

– la proposition **subordonnée relative au subjonctif** ;

*Le roi de France est vieux. Nous n'avons point d'exemple, dans nos histoires, d'un monarque [***qui ait si longtemps régné.***]*   ■ MONTESQUIEU, *Lettres persanes.*
Il faut comprendre : *d'un monarque tel qu'il régna si longtemps* ; ou : *d'un monarque à avoir si longtemps régné.*

– la **coordination** de propositions par les conjonctions de coordination **donc**, **et** ou les adverbes de liaison comme *ainsi, alors, aussi, par conséquent, c'est pourquoi...* Ces connecteurs peuvent aussi relier deux phrases ;

*[Mais ça ne m'amusait pas de rester comme ça sans rien faire,] [***alors** j'ai décidé de dessiner.]*

    ■ JEAN-JACQUES SEMPÉ et RENÉ GOSCINNY, *Le Petit Nicolas.*

*[Le directeur a eu un empêchement] ; [***aussi** la réunion est-elle reportée.]*
Quand *aussi* exprime la conséquence, il entraîne généralement l'inversion du sujet.

– la **juxtaposition** de propositions. Dans ce cas, la relation consécutive est **implicite** (c'est-à-dire sous-entendue).

[On me fait apprendre à lire dans un livre où il y a écrit, en grosses lettres, qu'il faut obéir à ses père et mère] :
[ma mère a bien fait de me battre.]   ■ JULES VALLÈS, *L'Enfant.*

Les deux points peuvent être remplacés par *donc*.

■ On peut remplacer un moyen grammatical d'exprimer la conséquence par un autre. Par exemple, la subordination peut remplacer la coordination.

[Il pleuvait de plus en plus fort,] ***[donc il ouvrit***
son parapluie.] (coordination)
Il pleuvait de plus en plus fort ***[de sorte qu'il ouvrit***
son parapluie.] (subordination)

R é s u m é

● Pour exprimer la conséquence, on peut utiliser des compléments circonstanciels de natures différentes :
– un infinitif prépositionnel ;
– une proposition subordonnée conjonctive circonstancielle.

● On peut également exprimer la conséquence par d'autres moyens grammaticaux :
– la proposition subordonnée relative ;
– la coordination ou la juxtaposition.

L'EXPRESSION DU BUT

— Quand je serai grand, je serai girafe
Pour être bien vu par les géographes.

■ MARC ALYN, « Girafe », *L'Arche enchantée.*

Voilà un but bien ambitieux
pour ce petit poisson
auquel le poète donne la parole.

130 Que signifie exprimer le but ?

■ On exprime le but quand on indique l'**objectif** recherché, visé par l'action.

*Le chat, qui se mordait les lèvres [**pour dissimuler son émotion**], avala sa moustache et manqua s'étrangler.*

■ MARCEL AYMÉ, *Les Contes du chat perché.*

L'infinitif prépositionnel *pour dissimuler son émotion* exprime le but recherché par le chat.

■ Il ne faut pas confondre le **but** avec la **conséquence**. La conséquence est le résultat obtenu, alors que le but est le résultat que l'on cherche à obtenir. Les propositions subordonnées de but sont au subjonctif, mode de la volonté, alors que les propositions subordonnées de conséquence sont à l'indicatif, mode du réel.

*Les parents s'étaient sacrifiés [**pour que leur fils réussisse**.]*

Pour que leur fils réussisse est une proposition subordonnée circonstancielle de but. Le verbe *réussir* est au subjonctif.

*Il avait toujours eu de la chance, [**si bien qu'il avait réussi**.]*

Si bien qu'il avait réussi est une proposition subordonnée circonstancielle de conséquence. Le verbe *réussir* est à l'indicatif.

■ La relation de but peut s'exprimer par des compléments circonstanciels.

131

Exprimer le but par un complément circonstanciel à l'intérieur d'une proposition

■ À l'intérieur d'une proposition, un complément circonstanciel de but peut être :

– un **groupe nominal** introduit par une préposition ou une locution prépositionnelle : *pour, en vue de, dans l'espoir de…*

> *Durant les semaines qui suivirent, Robinson explora l'île méthodiquement et tâcha de repérer les sources et les abris naturels, les meilleurs emplacements **pour la pêche**, les coins à noix de coco, à ananas et à choux palmistes.*
>
> ■ MICHEL TOURNIER, *Vendredi ou la Vie sauvage.*

– un **infinitif prépositionnel**. Il a le même sujet que le verbe conjugué et il est introduit par une préposition ou une locution prépositionnelle : *pour, afin de, en vue de, dans l'intention de, dans le but de, de peur de, de crainte de…*

> *Je passe sous silence plusieurs autres particularités de cette île, **de peur de vous ennuyer**. J'y échangeai quelques-uns de mes diamants contre de bonnes marchandises. De là, nous allâmes à d'autres îles.*
>
> ■ « Sindbad le marin », *Les Mille et Une Nuits.*

Attention

Après un verbe de mouvement, l'infinitif complément circonstanciel de but s'emploie sans préposition.

*Elle partit **chercher du pain**.*
Chercher du pain est le complément circonstanciel de but du verbe *partit*.

Il ne faut pas confondre les deux sens de *pour* + infinitif.

■ **Pour + infinitif présent** exprime le but.
Il travaille pour réussir.

■ **Pour + infinitif passé** exprime la cause.
Il est récompensé pour avoir bien travaillé.

Exprimer le but par une proposition subordonnée circonstancielle

■ Le complément circonstanciel de but peut prendre la forme d'une **subordonnée conjonctive circonstancielle de but** (aussi appelée **subordonnée finale**). Toujours au **subjonctif**, la subordonnée est introduite par une locution conjonctive : *pour que, afin que…*

> *Le petit prince s'assit sur une pierre et leva les yeux vers le ciel :*
> *— Je me demande, dit-il, si les étoiles sont éclairées [**afin que chacun puisse un jour retrouver la sienne.**]*
>
> ■ ANTOINE DE SAINT-EXUPÉRY, *Le Petit Prince.*

■ La locution conjonctive exprime parfois un but négatif : *de peur que, de crainte que…* (ce qu'on cherche à éviter). Dans la langue soutenue, ces locutions s'emploient avec un *ne* **explétif** sans valeur négative.

> *Denise, [**de peur que les larmes ne lui jaillissent des yeux,**] se hâta de retourner au tas de vêtements qu'elle transportait et qu'elle classait sur un comptoir. Là, au moins, elle était perdue dans la foule, la fatigue l'empêchait de penser.* ■ ÉMILE ZOLA, *Au Bonheur des dames.*

■ Après un verbe à l'impératif, le but s'exprime par la conjonction de subordination **que**, équivalant à **pour que**.

> *Et les petits chevreaux répondent : « Montre-nous d'abord ta patte, [**que nous puissions voir si tu es bien notre petite maman chérie.**] » Le loup posa sa patte à la fenêtre.*
>
> ■ LES FRÈRES GRIMM, *Le Loup et les Sept Chevreaux.*

Attention

Il ne faut pas confondre *pour que,* **et** *trop... pour que*
assez... pour que.

Pour que exprime le but, **trop... pour que** et **assez... pour que** expriment
la conséquence.

Je lui téléphonerai [pour que nous convenions d'un rendez-vous.]
(but)

Il a trop d'ennuis [pour que nous le laissions tomber en ce moment.]
(conséquence)

Résumé

● Pour exprimer le but, on peut utiliser des compléments
circonstanciels de natures différentes :
– un groupe nominal ;
– un infinitif prépositionnel ;
– une proposition subordonnée conjonctive circonstancielle.

L'EXPRESSION DE L'OPPOSITION

Moi je ne suis qu'une ombre, et vous qu'une clarté !

■ EDMOND ROSTAND, *Cyrano de Bergerac.*

Cyrano exprime en images tout ce qui l'oppose à sa bien-aimée Roxane.

133 Qu'est-ce qu'une relation d'opposition ?

■ On exprime une relation d'opposition (ou un rapport d'opposition) quand on relie deux faits qui font **contraste** entre eux.

*Elle vit venir à elle **un petit homme fort laid et fort désagréable, mais vêtu très magnifiquement**.*

■ CHARLES PERRAULT, *Riquet à la houppe.*

Les groupes de mots : *un petit homme fort laid et fort désagréable* et *mais vêtu très magnifiquement* expriment une opposition entre deux aspects de Riquet à la houppe.

■ Lorsque les deux faits sont contradictoires, c'est-à-dire qu'ils ne sont logiquement pas compatibles, on parle de **concession**. La concession est une cause qui ne produit pas l'effet attendu.

*[**Bien que Poil de Carotte n'aime pas le rhum**,] il dit : « Je ne donne ma part à personne. »*

■ JULES RENARD, *Poil de Carotte.*

Le fait que Poil de Carotte n'aime pas le rhum devrait avoir pour effet qu'il donne sa part aux autres ; or c'est l'inverse qui se produit.

■ La relation d'opposition peut s'exprimer par des compléments circonstanciels ou par d'autres moyens grammaticaux.

134 Exprimer l'opposition par un complément circonstanciel à l'intérieur d'une proposition

■ À l'intérieur d'une proposition, le complément circonstanciel d'opposition peut être :

– un **groupe nominal** introduit par une préposition ou une locution prépositionnelle : *malgré, excepté, sans, à part, en dépit de, à défaut de, au lieu de...*

> ***Malgré le froid, malgré le vent**, il avait ouvert sa fenêtre, et je le vis distinctement qui envoyait des baisers à l'ombre. Il embrassait la nuit.*
>
> ■ GASTON LEROUX, *Le Parfum de la dame en noir.*

– un **infinitif prépositionnel**. Il a le même sujet que le verbe conjugué et il est introduit par une préposition ou une locution prépositionnelle : *au lieu de, loin de, sans...*

> *Une gaîté glacée de rêverie ; sculpturale et exquise ; telle était Fantine ; et l'on devinait sous ces chiffons une statue, et dans cette statue une âme. Fantine était belle, **sans trop le savoir**.*   ■ VICTOR HUGO, *Les Misérables.*
>
> Sans trop le savoir est l'équivalent ici de *mais elle ne le savait pas*.

– un **gérondif**. Il a le même sujet que le verbe conjugué et il est souvent précédé de **tout** ou de **même**.

> *L'enfant fit un pas, puis deux. Il monta, **tout en ayant envie de descendre**, et approcha, **tout en ayant envie de reculer**. Les attractions d'abîme sont de toute sorte ; il y en avait une au haut de cette colline. L'enfant fit un pas.*
>
> ■ VICTOR HUGO, *L'Homme qui rit.*

135 Exprimer l'opposition par une proposition subordonnée circonstancielle

■ Le complément circonstanciel d'opposition peut prendre la forme d'une **subordonnée circonstancielle d'opposition** (aussi appelée **subordonnée concessive**).

■ Cette proposition peut être une subordonnée **conjonctive**. Son mode varie suivant la conjonction de subordination ou la locution conjonctive qui l'introduit :

– *quoique, bien que, encore que, sans que, au lieu que, loin que…* sont suivies du **subjonctif** ;

> *Le prince avait l'air inquiet, et ne dit pas grand'chose.*
> *Il parlait si bas que, [**quoique la porte-fenêtre fût***
> ***ouverte**,] Vanina ne put entendre ses paroles.*

■ STENDHAL, *Vanina Vanini.*

– *alors que, tandis que, quand, pendant que, si, même si…* sont suivies de l'**indicatif** ;

> *Madame, dit-il, pourquoi donc, s'il vous plaît, n'avez-vous*
> *point vos ferrets de diamants, [**quand vous savez**] qu'il*
> *m'eût été agréable de les voir ?*

■ ALEXANDRE DUMAS, *Les Trois Mousquetaires.*

– *quand bien même, alors même que, quand…* sont suivies du **conditionnel.**

> *[**Quand bien même je serais malade**,] j'irais à cette*
> *réunion.*

■ La proposition peut aussi être une subordonnée **relative indéfinie** introduite par une locution relative : *qui que, quoi que, quel que, où que, pour… que, si… que, tout… que, quelque… que* suivie du **subjonctif.**

> *La pensée de Clarimonde recommença à m'obséder, et,*
> *[**quelques efforts que je fisse pour la chasser**,] je n'y*
> *parvenais pas toujours.*   ■ THÉOPHILE GAUTIER, *La Morte amoureuse.*

■ La subordonnée d'opposition introduite par **quoique** ou **bien que** est souvent **elliptique** du verbe, c'est-à-dire que son verbe n'est pas exprimé.

[Bien qu'affaibli,] le cerveau du jeune homme fut frappé par cette idée banale constamment présente à l'esprit des prisonniers : la liberté.

■ ALEXANDRE DUMAS, *Le Comte de Monte-Cristo.*

La proposition subordonnée d'opposition *bien qu'affaibli* pourrait être remplacée par : *bien qu'il fut affaibli.*

Attention

Il ne faut pas confondre les différents sens de *alors que, quand* et *si*.

■ La locution conjonctive **alors que** peut exprimer :
– l'opposition ;
   Il portait un manteau, [alors qu'il faisait chaud.]
– le temps.
   [Alors que le soir tombait,] ils entreprirent une promenade.

■ La conjonction **quand** peut exprimer :
– l'opposition ;
   [Quand il serait roi,] elle ne l'épouserait pas.
– le temps.
   [Quand il fut roi,] elle l'épousa.

■ La conjonction **si** peut exprimer :
– l'opposition ;
   [Si l'équipe a réussi la première mi-temps,] le match a cependant été décevant.
– la condition.
   [Si l'équipe gagne ce match,] tous les espoirs sont permis.

---

136 Les autres moyens d'exprimer l'opposition

■ D'autres moyens grammaticaux, qui ne sont pas des compléments circonstanciels, permettent d'exprimer l'opposition :

– l'**apposition** d'un adjectif (ou participe) ou d'une proposition subordonnée relative ;

GRAMMAIRE

*Captive, toujours **triste**, **importune** à moi-même,
Pouvez-vous souhaiter qu'Andromaque vous aime ?*

■ JEAN RACINE, *Andromaque*.

Les adjectifs *captive, triste, importune* sont apposés à *Andromaque*.
Ils expriment une opposition avec le sentiment amoureux.

GUILLEMETTE. — *Comment a-t-il pu vous le vendre à crédit,
[**lui qui est si dur en affaires**] ?*

PATHELIN. — *Eh bien, je vous l'ai accommodé à telle sauce
de louange et de flatterie qu'il m'en a presque fait cadeau.*

■ *La Farce de Maître Pathelin*.

La proposition relative *lui qui est si dur en affaires* est apposée au pronom
sujet *il*. Le caractère du vendeur s'oppose à l'idée de crédit.

– la **coordination** de propositions par une conjonction de coordination ou un adverbe de liaison : *mais, or, et, pourtant, cependant,
néanmoins, toutefois, en revanche, au contraire…* Ces mots peuvent
également relier deux phrases ;

*[Je me croyais riche d'une fleur unique,] [et je ne possède
qu'une rose ordinaire.]*

■ ANTOINE DE SAINT-EXUPÉRY, *Le Petit Prince*.

*Une fois, un coq voulut faire le chien. **Mais** il n'eut pas
de chance, car on le reconnut tout de suite.*

■ EUGÈNE IONESCO, *La Cantatrice chauve*.

– la **juxtaposition** de propositions. Dans ce cas, la relation d'opposition est **implicite**, c'est-à-dire sous-entendue.

*Quel que soit le sein que j'ai mordu, je ne me rappelle pas
une caresse du temps où j'étais tout petit ; [je n'ai pas été
dorloté, tapoté, baisoté] ; [j'ai été beaucoup fouetté.]*

■ JULES VALLÈS, *L'Enfant*.

Je n'ai pas été dorloté, tapoté, baisoté et j'ai été beaucoup fouetté sont
deux propositions indépendantes juxtaposées entre lesquelles existe une
relation d'opposition.

L'expression **avoir beau** peut souligner l'opposition dans la première proposition.

*[Il **avait beau** essayer,] [il ne réussissait jamais à
l'atteindre.]*

■ On peut remplacer un moyen grammatical d'exprimer l'opposition par un autre. Par exemple, la subordination peut remplacer la coordination.

*[L'argent manquait,] [**mais** ils voulaient partir en vacances.]*
(coordination)

*L'argent manquait, [**alors qu'ils voulaient partir en vacances**.]* (subordination)

R é s u m é

● Pour exprimer l'opposition ou la concession, on peut utiliser des compléments circonstanciels de natures différentes :
– un groupe nominal, un infinitif prépositionnel ou un gérondif ;
– une proposition subordonnée circonstancielle d'opposition ou une relative indéfinie.

● On peut également exprimer l'opposition par d'autres moyens grammaticaux : l'apposition, la coordination, la juxtaposition.

L'EXPRESSION DE LA CONDITION

« *Si tu avais seulement deux mille ans*, reprit le vieux roi, *je t'accorderais bien volontiers la princesse, mais la disproportion est trop forte, et puis il faut à nos filles des maris qui durent.* »
■ THÉOPHILE GAUTIER, *Le Pied de momie*.

Voilà une condition bien difficile à remplir pour un jeune Français qui veut épouser une momie.

137 Qu'est-ce qu'une relation de condition ?

■ On exprime une relation de condition (ou un rapport de condition) quand on relie deux actions dont **l'une est la condition de l'autre**, c'est-à-dire que l'une est nécessaire à la réalisation de l'autre. On appelle **système hypothétique** l'ensemble formé par ces deux actions étroitement dépendantes.

> *Il fait bon écouter les fabliaux, Messires.* [*Si le conte est joliment fait,*] [*on oublie tout ce qui est désagréable, même les douleurs du corps, même les souffrances du cœur, même les injustices des méchants.*] *Voilà pourquoi je suis fier de mon métier, moi, Courtebarbe.*

■ COURTEBARBE, « Les trois aveugles de Compiègne », *Fabliaux du Moyen Âge*.
Si le conte est joliment fait est la condition de *on oublie tout ce qui est désagréable, même les douleurs du corps, même les souffrances du cœur, même les injustices des méchants.*

■ La relation de condition est parfois appelée **hypothèse**. L'hypothèse consiste à supposer que la condition est remplie.

> *[S'il fait beau dimanche,] nous irons nous baigner avec nos amis dans l'Ardèche.*
>
> Le beau temps est la condition de la baignade, c'est-à-dire ce qui la rend possible, et cette condition est exprimée par une hypothèse : *s'il fait beau dimanche.*

■ La relation de condition peut s'exprimer par des compléments circonstanciels ou par d'autres moyens grammaticaux.

138 Exprimer la condition par un complément circonstanciel à l'intérieur d'une proposition

■ À l'intérieur d'une proposition, le complément circonstanciel de condition peut être :

– un **groupe nominal** introduit par une préposition ou une locution prépositionnelle : *en cas de, sans, avec, sous réserve de…*

> *J'aurais été parfaitement heureux **sans un maudit cauchemar qui revenait toutes les nuits**.*
>
> ■ THÉOPHILE GAUTIER, *La Morte amoureuse.*

– un **infinitif prépositionnel**. Il a le même sujet que le verbe conjugué et il est introduit par une préposition ou une locution prépositionnelle : *à condition de, à moins de…*

> *Nous partirons en vacances **à condition d'avoir fini la rénovation de l'appartement**.*

– un **gérondif**. Il a le même sujet que le verbe conjugué.

> ***En travaillant régulièrement**, il aurait réussi son examen d'entrée dans l'école de commerce.*

139 Exprimer la condition par une proposition subordonnée circonstancielle

■ Le complément circonstanciel de condition peut prendre la forme d'une **subordonnée conjonctive circonstancielle de condition** (aussi appelée **subordonnée hypothétique**).

■ La subordonnée de condition peut être introduite par **si**. Dans ce cas, elle est toujours à l'**indicatif**, mais le temps de la subordonnée varie en fonction du mode et du temps de la principale.

*[Si tu connaissais le Temps aussi bien que moi,] dit le Chapelier, tu ne **parlerais** pas de le perdre. Le Temps est un être vivant.* ■ LEWIS CARROLL, *Alice au pays des merveilles.*

Le verbe *connaissais* est à l'imparfait de l'indicatif ; le verbe de la principale, *parlerais*, est au conditionnel présent.

*Il n'a pas eu de chance, Agnan : [s'il n'avait pas enlevé ses lunettes,] [il ne l'**aurait** pas **reçu**, le coup de poing sur le nez.]*

■ JEAN-JACQUES SEMPÉ et RENÉ GOSCINNY, *Les Récrés du Petit Nicolas.*
Le verbe *avait enlevé* est au plus-que-parfait de l'indicatif et le verbe de la principale, *aurait reçu*, est au conditionnel passé.

■ On distingue quatre valeurs de la proposition subordonnée de condition introduite par **si**, selon la manière dont l'hypothèse est envisagée.

– L'**éventuel** présente l'hypothèse comme un fait réel dans le passé, le présent ou l'avenir ; la subordonnée est au présent ou à l'imparfait de l'indicatif ; la principale est à l'indicatif ou à l'impératif.

*S'il **fait** beau, nous **allons** à la piscine.*
*S'il **fait** beau, nous **irons** à la piscine.*
*S'il **faisait** beau, **nous allions** à la piscine.*
*S'il **fait** beau, **allons** à la piscine.*

– Le **potentiel** présente l'hypothèse comme un fait imaginaire possible dans l'avenir ; la subordonnée est à l'imparfait de l'indicatif et la principale est au présent du conditionnel.

S'il *faisait* beau (demain), nous *irions* à la piscine.

– **L'irréel du présent** présente l'hypothèse comme un fait imaginaire mais contraire à la réalité présente ; la subordonnée est à l'imparfait de l'indicatif et la principale est au présent du conditionnel.

S'il *faisait* beau (aujourd'hui, mais ce n'est pas le cas), *nous irions* à la piscine.

Ainsi, le potentiel et l'irréel du présent s'expriment de la même façon ; seul le contexte permet de les distinguer.

– **L'irréel du passé** présente l'hypothèse comme un fait imaginaire et contraire à la réalité passée ; la subordonnée est au plus-que-parfait de l'indicatif et la principale est au passé du conditionnel.

S'il *avait fait* beau (hier), nous *serions allés* à la piscine.

Dans la langue soutenue, pour exprimer l'irréel du passé, on peut utiliser le plus-que-parfait du subjonctif dans la subordonnée comme dans la principale.

S'il l'*eût rencontrée* alors, il en aurait été (ou *eût été*) amoureux.

■ Lorsque deux subordonnées introduites par **si** se suivent, on évite généralement la répétition en remplaçant **si** par **que** ; dans ce cas, le mode est le subjonctif.

[S'il aime ces fruits] [et qu'il en veuille d'autres], il peut venir en ramasser.

Astuce

Quelle forme verbale utiliser lorsque *si* exprime la condition ?

■ Lorsque **si** exprime la condition, il n'est jamais suivi du conditionnel.
  S'il venait, je serais contente.
On ne dit jamais : ● S'il viendrait, je serais contente.

■ Un procédé mnémotechnique permet d'éviter la faute.
  Les poissons-scies (*si*) n'aiment pas les raies (*-rais/-rait*).

GRAMMAIRE

■ La subordonnée de condition peut également être introduite par une locution conjonctive :

– *selon que, suivant que,* suivies de l'indicatif ;
– *au cas où, dans l'hypothèse où,* suivies du conditionnel ;
– *pourvu que, à moins que, à condition que, à supposer que, en admettant que, pour peu que, soit que... soit que, que... que,* suivies du subjonctif.

> *Peu m'importait la direction que je prenais, [pourvu qu'elle m'éloignât des assassins.]*
> ■ ROBERT LOUIS STEVENSON, *L'Île au trésor.*

140 Les autres moyens d'exprimer la condition

■ D'autres moyens grammaticaux, qui ne sont pas des compléments circonstanciels, permettent d'exprimer la condition :
– l'**apposition** d'un groupe nominal ou d'un adjectif ;
> *Bien armé, il l'aurait emporté.*

– une proposition **subordonnée relative** au **conditionnel** ;
> *Un enfant [qui l'aurait découvert] en aurait fait un jouet.*

– la **juxtaposition** de propositions. Dans ce cas, c'est la première proposition qui exprime la condition ; elle peut prendre différentes formes.

> *[Chassez le naturel,] il revient au galop.*
> La proposition *chassez le naturel* est à l'impératif.

> *[Tu voudrais gagner,] tu ne le pourrais pas.*
> La proposition *tu voudrais gagner* est au conditionnel.

> *[Voulez-vous être riche ?] jouez au loto.*
> La proposition *voulez-vous être riche ?* est une phrase interrogative.

> *[Qu'il se mette à pleuvoir,] il n'y a plus personne dans les rues.*
> La proposition *qu'il se mette à pleuvoir* est au subjonctif.

■ On peut remplacer un moyen grammatical d'exprimer la condition par un autre. Par exemple, une subordonnée peut remplacer un groupe nominal.

*N'hésitez pas à nous appeler **en cas de besoin**.*
En cas de besoin est un groupe nominal.

*N'hésitez pas à nous appeler, **[si vous en avez besoin**.]*
Si vous en avez besoin est une proposition subordonnée.

R é s u m é

● Pour exprimer la condition ou l'hypothèse, on peut utiliser des compléments circonstanciels de natures différentes :
  – un groupe nominal, un infinitif prépositionnel ou un gérondif ;
  – une proposition subordonnée conjonctive circonstancielle.

● La subordonnée introduite par *si* est toujours à l'indicatif ; elle peut exprimer l'éventuel, le potentiel ou l'irréel.

● On peut également exprimer la condition ou l'hypothèse par d'autres moyens grammaticaux : l'apposition et la juxtaposition.

L'EXPRESSION DE LA COMPARAISON

SGANARELLE. — *Monsieur, c'est une grande et subtile question entre les docteurs, de savoir **si les femmes sont plus faciles à guérir que les hommes**. Je vous prie d'écouter ceci, s'il vous plaît. Les uns disent que non, les autres disent que oui. Et moi je dis que oui et non.* ■ MOLIÈRE, *Le Médecin malgré lui.*

La comparaison met en évidence les ressemblances ou les différences.

141 Qu'est-ce qu'une relation de comparaison ?

■ On exprime une relation de comparaison (ou un rapport de comparaison) quand on met en rapport deux personnes, deux choses ou deux faits pour indiquer une **ressemblance**, une **différence**, une **égalité**, une **inégalité** ou une **proportion**.

La mer est toute ronde
Comme une belle montre
Que le soleil remonte. ■ MAURICE CARÊME, « La mer », *L'Arlequin.*
La comparaison met en rapport la *mer* et la *montre* pour souligner une ressemblance de forme.

■ La comparaison peut s'exprimer par des compléments circonstanciels ou par d'autres moyens grammaticaux.

142 Exprimer la comparaison par un complément circonstanciel à l'intérieur d'une proposition

■ À l'intérieur d'une proposition, le complément circonstanciel de comparaison peut être un **groupe nominal** introduit par une locution prépositionnelle : *à la façon de, à la manière de, en comparaison de, auprès de, contrairement à…*

*Cependant, la belle Almona alla trouver le second pontife. Celui-ci l'assura que le soleil, la lune et tous les feux du firmament n'étaient que des feux follets **en comparaison de ses charmes**.* ■ VOLTAIRE, *Zadig.*

Il ne faut pas confondre moyens lexicaux et moyens grammaticaux pour exprimer la comparaison.

Dans une phrase simple, le **vocabulaire** (moyen lexical) peut exprimer la comparaison. Ainsi, des verbes ou des locutions verbales *(ressembler, sembler, paraître, avoir l'air, on dirait, on aurait cru...)*, des adjectifs *(pareil à, semblable à, identique à, tel...)*, des adverbes *(pareillement à...)* introduisent des comparaisons qui ne sont pas des compléments circonstanciels (moyen grammatical).

*Cela **ressemblait à** un tremblement de terre.*

Le verbe *ressemblait à* exprime la comparaison (moyen lexical) ; mais *un tremblement de terre* est COI du verbe *ressemblait.*

*Ils étaient **pareils à** des enfants.*

L'adjectif *pareil à* exprime la comparaison (moyen lexical) ; mais *des enfants* est complément de l'adjectif *pareils.*

143 Exprimer la comparaison par une proposition subordonnée circonstancielle

■ Le complément circonstanciel de comparaison peut prendre la forme d'une **subordonnée conjonctive circonstancielle de comparaison** (aussi appelée **subordonnée comparative**), à l'**indicatif** ou au **conditionnel**, et introduite par :

– une conjonction de subordination ou une locution conjonctive : *comme, de même que, ainsi que, autrement que, autant que, moins que, plus que, plutôt que...*

*Denise, qui écoutait [**comme on écoute un conte de fées**,] eut un léger frisson.* ■ ÉMILE ZOLA, *Au Bonheur des dames.*

– la conjonction **que** précédée, dans la principale, par un adjectif ou un adverbe **corrélatif** (qui met en relation deux termes) : *tel... que, aussi... que, le même... que, autant... que, plus... que, moins... que, autre... que, d'autant plus... que, d'autant moins... que...*

*Il était **aussi** aimable [**que nous l'avions connu autrefois**.]*

– une locution conjonctive qui associe comparaison et hypothèse : *de même que si, autant que si, plus que si, moins que si...*

*Il neigeait [**plus que si nous avions été en hiver**.]*

■ La subordonnée de comparaison est souvent **elliptique** du verbe, c'est-à-dire que son verbe n'est pas exprimé.

> *Quelle sensation bizarre ! dit Alice. Je dois être en train de rentrer en moi-même, [**comme une longue-vue !**]*
>
> ■ LEWIS CARROLL, *Alice au pays des merveilles.*

Comme une longue-vue est une subordonnée de comparaison dont le verbe est sous-entendu : il faut comprendre *comme une longue-vue rentre en elle-même.*

■ Le **complément du comparatif** est un cas de subordonnée de comparaison elliptique.

> *L'huile de l'épicier du coin est de bien **meilleure** qualité [**que l'huile de l'épicier d'en face,**] elle est même **meilleure** [**que l'huile de l'épicier du bas de la côte.**]*
>
> ■ EUGÈNE IONESCO, *La Cantatrice chauve.*

Que l'huile de l'épicier d'en face est une subordonnée de comparaison dont le verbe est sous-entendu : il faut comprendre *que ne l'est l'huile de l'épicier d'en face.*

Attention

Il ne faut pas confondre les différents sens de *tel que* et de *comme*.

■ La conjonction **tel que** peut exprimer :
– la comparaison : *La voiture était [telle que nous l'avions laissée.]*
– la conséquence : *La voiture était dans un tel état [qu'ils l'avaient laissée sur place.]*

■ La conjonction **comme** peut exprimer :
– la comparaison : *Il nage [comme un poisson.]*
– la cause : *[Comme il pleuvait,] ils restèrent à la maison.*
– le temps : *Ils arrivèrent en vue des côtes, [comme le jour se levait.]*

Un autre moyen d'exprimer la comparaison

■ Un autre moyen grammatical, qui n'est pas un complément circonstanciel, permet d'exprimer la comparaison. Il s'agit de la **juxtaposition** de propositions, souvent renforcée par la **corrélation** (qui met en relation deux termes) de deux adjectifs ou adverbes : *tel... tel, plus... plus, plus... moins...*

> *La nef, tranchant les vagues profondes, emportait Iseut.*
> *[Mais **plus** elle s'éloignait de la terre d'Irlande,]*
> *[**plus** tristement la jeune fille se lamentait.]*
>
> ■ *Le Roman de Tristan et Iseut.*

La juxtaposition indique que la tristesse de la jeune fille est proportionnelle à l'éloignement de sa terre natale.

■ On peut remplacer un moyen grammatical d'exprimer la comparaison par un autre. Par exemple, une proposition subordonnée peut remplacer un groupe nominal.

> *Il parlait **à la manière d'un professeur**.* (groupe nominal)
> *Il parlait [**comme un professeur**.]* (proposition subordonnée elliptique du verbe)

GRAMMAIRE

R é s u m é

● Pour exprimer la comparaison, on peut utiliser des compléments circonstanciels de natures différentes :
– un groupe nominal ;
– une proposition subordonnée conjonctive circonstancielle.

● On peut également exprimer la comparaison par la juxtaposition.

SITUATION DE COMMUNICATION ET SITUATION D'ÉNONCIATION

Où courir ? Où ne pas courir ? N'est-il point là ?
N'est-il point ici ? Qui est-ce ? Arrête.
Rends-moi mon argent, coquin…
(Il se prend lui-même le bras.) *Ah ! c'est moi. Mon esprit*
est troublé, et j'ignore où je suis, qui je suis, et ce que je fais.

■ MOLIÈRE, *L'Avare.*

Voilà un énoncé peu clair. Harpagon, qui s'adresse à lui-même, aurait-il des problèmes de communication ?

145 Qu'est-ce qu'une situation de communication ?

■ Toute situation dans laquelle sont échangés des messages est une **situation de communication**.

> *Un Indien envoie des signaux de fumée au village voisin*
> *pour signaler la présence d'un troupeau de bisons.*
> *Un adolescent « tchate » sur Internet avec son copain*
> *à propos du film de la veille à la télévision.*
> *Une abeille vole en huit pour indiquer la présence d'un*
> *champ de pollen aux autres abeilles.*

■ Une situation de communication est toujours composée :
– d'un **émetteur** : *un Indien, un adolescent, une abeille ;*
– d'un **récepteur** : *les Indiens du village voisin, le copain de l'adolescent, les abeilles de la ruche ;*
– d'un **message** : *la présence d'un troupeau de bisons, l'avis des adolescents sur le film de la veille à la télévision, la présence d'un champ de pollen ;*
– d'un **canal** par lequel passe le message : *les signaux de fumée, Internet et l'écran de l'ordinateur, le vol et le corps de l'abeille ;*
– d'un **code** qui traduit le message et le rend intelligible : *le langage humain transformé en signaux de fumée, le langage humain transformé en lettres, les figures formées par le vol de l'abeille.*

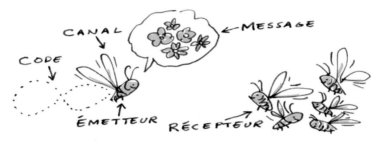

146 · Qu'est-ce qu'une situation d'énonciation ?

■ Tout acte de communication à l'aide du langage humain (oral ou écrit) est produit dans une situation particulière et unique, dite **situation d'énonciation**. Elle se définit par quatre questions : **qui parle ?** (ou qui écrit ?) **à qui ? où ? quand ?**

■ Le message, produit par la situation d'énonciation, est appelé l'**énoncé**. Celui qui parle est appelé le **locuteur** ; celui à qui s'adresse le message, le **destinataire** ou l'**interlocuteur**.

> *Hé ! bonjour, Monsieur du Corbeau.*
> *Que vous êtes joli ! que vous me semblez beau !*
> ■ Jean de La Fontaine, *Le Corbeau et le Renard.*

Le locuteur est le renard, le destinataire est le corbeau. L'énoncé est produit près d'un arbre, à un moment indéterminé.

147 ## Comment analyser une situation d'énonciation ?

■ Analyser la situation d'énonciation d'un texte revient à **répondre aux quatre questions** : **qui parle ? à qui ? où ? quand ?** Cependant, la question « qui parle ? » est doublement importante ; il s'agit de trouver un nom, une identité, mais aussi de repérer une façon de penser, la **subjectivité**. Il faut donc se demander dans quel but et de quelle façon le locuteur formule ses propos.

■ Pour analyser la situation d'énonciation, il faut repérer dans le texte :
– les **indices (ou marques) de l'énonciation** ;
– les **indices de la subjectivité du locuteur** qui révèlent le point de vue du locuteur sur ce qu'il dit.

Pour analyser la situation d'énonciation dans *Le Corbeau et le Renard* de La Fontaine, il faut dire que c'est le renard qui parle, mais il faut aussi se demander dans quel but et de quelle façon le renard s'adresse au corbeau.

148 ## Les indices de l'énonciation

■ Les indices de l'énonciation permettent de répondre aux quatre questions qui déterminent la situation d'énonciation. On distingue :
– les indices de la personne (locuteur et interlocuteur) : les pronoms personnels *(je, tu, nous, vous…)* ; les pronoms possessifs *(le mien, les nôtres…)* et les déterminants possessifs *(mon, ton, nos, vos…)* ;
– les pronoms *(celui-ci…)* et les déterminants démonstratifs *(ce, cet…)* ;
– les indices de lieu : *ici, là…*
– les indices de temps : *maintenant, hier, demain, l'autre jour…*
– les temps verbaux : présent, futur, passé composé, qui font référence au moment de l'énonciation.

À *Madame de Grignan*

À Vichy, mardi 19 mai 1676.
Je commence aujourd'hui à **vous** écrire ; **ma** lettre **partira**
quand elle **pourra ; je veux** causer avec **vous. J'arrivai ici**
hier au soir. ■ MADAME DE SÉVIGNÉ, *Lettres.*

• *Je* désigne la locutrice, Mme de Sévigné ; *ma* renvoie aussi à cette locutrice.
• *Vous* désigne le destinataire, Mme de Grignan.
• *Aujourd'hui* se rapporte au moment où est écrite la lettre ; *hier* est la veille
de ce moment. Par la date, on sait qu'on est le *mardi 19 mai 1676.*
• *Ici* désigne le lieu où est écrite la lettre, indiqué dans l'en-tête, *Vichy.*
• Les temps des verbes, présent *(commence, veux)*, passé *(arrivai)* et futur
(partira, pourra), se comprennent par rapport au moment de l'énonciation.

Pour aller plus loin

**Dans un texte littéraire, il ne faut pas toujours
identifier le locuteur avec l'auteur.**

La réponse à la question « qui parle ? » a deux réponses possibles.

■ Dans un texte autobiographique, c'est l'auteur qui parle à travers les
pronoms **je** ou **nous.**

*Je suis né à Genève en 1712, d'Isaac Rousseau, Citoyen, et de
Suzanne Bernard, Citoyenne.* ■ JEAN-JACQUES ROUSSEAU, *Confessions.*

■ Dans un texte de fiction (roman, théâtre...), c'est un personnage qui
parle à travers les pronoms **je** et **nous.**

*Je suis perdu ! Quelqu'un possède **mon** âme et la gouverne !*
■ GUY DE MAUPASSANT, *Le Horla.*

---

149 ## Les indices de la subjectivité du locuteur

■ Les indices qui dévoilent la subjectivité du locuteur, c'est-à-dire
son **jugement** et ses **sentiments,** sont :
– le vocabulaire, mélioratif et péjoratif : noms *(grandeur, laideur…)* ;
adjectifs qualificatifs *(stupide, merveilleux, superflu…)* ;

*Ah ! cria M. Hennebeau. Je l'attendais, cette accusation
d'**affamer** le peuple et de vivre de sa sueur !
Comment pouvez-vous dire des **bêtises** pareilles ?*

■ ÉMILE ZOLA, *Germinal.*

Le terme *bêtises* révèle le jugement défavorable porté par M. Hennebeau
sur les propos tenus par les mineurs auxquels il s'adresse. Le terme *affamer*
révèle le jugement négatif des mineurs sur leurs patrons.

– les types de phrase : déclaratif, impératif/injonctif, interrogatif, exclamatif ;

> *Ah ! se disait-elle, si j'avais connu Julien il y a dix ans quand je pouvais encore passer pour jolie !*

■ STENDHAL, *Le Rouge et le Noir.*

À travers cette phrase exclamative, on perçoit du regret dans la voix de la locutrice, Mme de Rênal, si désireuse de plaire au jeune Julien.

– les modalisateurs.

150 Qu'est-ce qu'un modalisateur ?

■ Un modalisateur est un mot, une expression ou un procédé qui indique si le locuteur prend ses distances par rapport à son énoncé ou s'il est sûr de ce qu'il affirme. Il sert à **modaliser**, c'est-à-dire à **nuancer une affirmation**.

■ Les modalisateurs peuvent être :
– des adverbes ou des locutions adverbiales : *certainement, peut-être, sans doute…*

> MAGDELON. – *C'est **sans doute** un bel esprit qui aura ouï parler de nous.*
> CATHOS. – ***Assurément**, ma chère.*

■ MOLIÈRE, *Les Précieuses ridicules.*

Avec l'expression *sans doute*, Magdelon formule une hypothèse.
Avec l'adverbe *assurément*, Cathos confirme avec conviction la validité du propos de sa cousine Magdelon.

– des verbes de jugement : *prétendre, supposer, croire, penser…*

> *Tout bien considéré, **je te soutiens** en somme*
> > *Que scélérat pour scélérat,*
> > *Il vaut mieux être un Loup qu'un Homme.*

■ JEAN DE LA FONTAINE, *Les Compagnons d'Ulysse.*

Avec le verbe *je te soutiens*, le locuteur affirme la certitude de son point de vue.

– des verbes à valeur modale (verbes qui nuancent une affirmation, par exemple en la renforçant ou en l'affaiblissant) : *devoir, pouvoir, sembler, paraître…*

> *Tout à coup, **il me sembla** que j'étais suivi, qu'on marchait sur mes talons, tout près, à me toucher.*

■ GUY DE MAUPASSANT, *Le Horla.*

Le verbe impersonnel *il me sembla* indique l'incertitude du locuteur.

– des verbes au conditionnel qui atténuent la certitude du propos ;

*Internet et la télévision **sont** responsables de la perte du goût de la lecture chez la jeunesse.*

*Internet et la télévision **seraient** responsables de la perte du goût de la lecture chez la jeunesse.*

Dans la première phrase, le locuteur est sûr de son propos ; dans la seconde phrase, le locuteur n'est pas sûr de la vérité de son propos.

– des signes de ponctuation (guillemets, parenthèses) et l'écriture en italique qui indiquent que le locuteur prend une certaine distance par rapport à ses propos.

*Nous étions à l'étude, quand le Proviseur entra, suivi d'un **nouveau** habillé en bourgeois et d'un garçon de classe qui portait un grand pupitre.* ■ GUSTAVE FLAUBERT, *Madame Bovary.*

L'adjectif *nouveau* a été mis en italique par Flaubert. Ce procédé indique que le locuteur emploie un terme que tout le monde utilise dans le collège pour distinguer le nouveau collégien des autres.

R é s u m é

● La situation de communication désigne toute situation dans laquelle sont échangés des messages.

● La situation d'énonciation concerne le discours humain. Elle apporte une réponse aux quatre questions : qui parle ? à qui ? où ? quand ?

● Plusieurs indices permettent de répondre à ces questions :
– les indices de l'énonciation : indices de personnes, indices démonstratifs, indices de temps et de lieu ;
– les indices de la subjectivité du locuteur : le vocabulaire, les types de phrase et les modalisateurs.

ÉNONCÉS ANCRÉS, ÉNONCÉS COUPÉS DE LA SITUATION D'ÉNONCIATION

Ce siècle avait deux ans.

Cet énoncé, le premier vers d'un poème de Victor Hugo extrait du recueil *Les Feuilles d'automne,* est ancré dans la situation d'énonciation.

Victor Hugo est né en 1802.

Cet autre énoncé est coupé de la situation d'énonciation.

151 Qu'est-ce qu'un énoncé ancré dans la situation d'énonciation ?

■ On dit qu'un énoncé est ancré dans la situation d'énonciation lorsqu'il **comporte des indices de l'énonciation** :

– les indices de personne, qui désignent le locuteur et éventuellement l'interlocuteur : pronoms personnels *(je, nous, tu, vous),* pronoms possessifs *(le mien, le tien...)* et déterminants possessifs *(ton, ta...)* ;

– les indices spatio-temporels, qui indiquent les circonstances dans lesquelles l'énoncé est produit et situent l'énoncé par rapport au moment où les paroles sont prononcées.

> *C'est assez, dit le Rustique ;*
> **Demain vous** *viendrez chez* **moi.**
>
> ■ JEAN DE LA FONTAINE, *Le Rat de ville et le Rat des champs.*
>
> *Vous* et *moi* sont des pronoms personnels qui font référence au *Rustique* et à son interlocuteur ; *demain* est un adverbe de temps qui fait référence à un moment postérieur à celui où les paroles ont été prononcées.

■ On ne peut comprendre les énoncés ancrés dans la situation d'énonciation **que si on connaît la situation d'énonciation** dans laquelle ils ont été produits.

> *Ce siècle avait deux ans.*
>
> On ne peut comprendre cette phrase que si on sait qu'elle a été écrite par Victor Hugo, écrivain du XIXᵉ siècle. On en déduit qu'il désigne, par cet énoncé, l'année 1802.

■ Les énoncés ancrés se rencontrent surtout dans les textes à la première personne, comme l'autobiographie, la lettre, la poésie lyrique, les dialogues de pièces de théâtre ou de romans.

Je sens en écrivant ceci que mon pouls s'élève encore ; ces moments me seront toujours présents quand je vivrais cent mille ans. ■ JEAN-JACQUES ROUSSEAU, *Les Confessions.*

Cette citation est un énoncé ancré dans la situation d'énonciation. Elle est extraite d'une autobiographie.

152 Le système des temps ancrés dans la situation d'énonciation

■ Le système des temps ancrés dans la situation d'énonciation est aussi appelé **système du discours** : le locuteur rattache son énoncé au moment où il parle et situe les événements par rapport au présent de l'énonciation.

■ Le temps de base est le **présent**, associé au passé composé, à l'imparfait, au plus-que-parfait, au futur simple et au futur antérieur.

DON DIÈGUE. *− Je le **sais**, vous **servez** bien le Roi : Je vous **ai vu** combattre et commander sous moi.*
■ PIERRE CORNEILLE, *Le Cid.*

Le temps de base est le présent pour les verbes *sais*, *servez*, associé au passé composé, *ai vu*.

153 Qu'est-ce qu'un énoncé coupé de la situation d'énonciation ?

■ On dit qu'un énoncé est coupé de la situation d'énonciation lorsqu'il **ne comporte pas d'indices qui font référence à la situation d'énonciation**. Dans ce type d'énoncé, on ne peut pas répondre aux quatre questions : qui parle ? à qui ? où ? quand ? Cet énoncé se caractérise par :
– l'emploi de la troisième personne ;
– des repères spatio-temporels que l'on peut comprendre en tous temps et en tous lieux, comme les dates historiques et les lieux géographiques, ou des repères spatio-temporels sans rapport avec la situation d'énonciation *(ce jour-là, le lendemain, là…).*

*Le **28 février 1815**, la vigie de **Notre-Dame-de-la-Garde** signala le trois-mâts le Pharaon, venant de **Smyrne**, **Trieste** et **Naples**.* ■ ALEXANDRE DUMAS, *Le Comte de Monte-Cristo*.

La date, *28 février 1815*, et les noms de lieux, la basilique de Marseille *Notre-Dame-de-la-Garde*, les villes *Smyrne*, *Trieste* et *Naples*, peuvent être compris par n'importe qui : ces références sont universelles. Si on ne les connaît pas, il suffit d'ouvrir un dictionnaire pour se renseigner.

■ On peut comprendre les énoncés coupés de la situation d'énonciation sans que l'on ait besoin de connaître la situation dans laquelle ils ont été produits.

Victor Hugo est né en 1802.

Cette phrase se comprend sans qu'on sache qui l'a écrite, où et quand.

■ Ce type d'énoncé se rencontre surtout dans les romans, les nouvelles, les ouvrages scientifiques ou historiques.

Dans ces régions est une grandissime cité appelée Baudac, laquelle en Sainte Écriture est appelée Suse. Différentes races de peuples y habitent, notamment Juifs, païens et surtout Sarrazins. ■ MARCO POLO, *Le Livre des merveilles*.

Cette citation est un énoncé coupé de la situation d'énonciation. Elle est extraite d'un ouvrage géographique, le récit des voyages de Marco Polo.

154 Le système des temps coupés de la situation d'énonciation

■ Le système des temps coupés de la situation d'énonciation est aussi appelé **système du récit** : le locuteur met son énoncé à distance de la situation d'énonciation pour donner l'impression que les événements, situés dans le passé, se racontent eux-mêmes.

■ Le temps de base est le **passé simple**, associé au passé anté-rieur, à l'imparfait, au plus-que-parfait, au conditionnel présent et au conditionnel passé.

*Michel **aperçut** la fontaine. Elle **était** juste au centre du bâtiment : l'homme ne la **perdrait** pas de vue.*

■ PIERRE BOILEAU et THOMAS NARCEJAC,
« Le fugitif », *Le train bleu s'arrête treize fois.*

Dans ce récit à la troisième personne, coupé de la situation d'énonciation puisqu'on ne peut répondre aux questions : qui parle ? à qui ? où ? et quand ? on remarque l'association du passé simple *aperçut*, de l'imparfait *était* et du conditionnel présent *perdrait*.

R é s u m é

● Un énoncé ancré dans la situation d'énonciation comporte des indices de l'énonciation : indices qui désignent le locuteur et l'interlocuteur, indices spatio-temporels.

● Un énoncé coupé de la situation d'énonciation ne comporte pas d'indices de l'énonciation, mais se caractérise par l'emploi de la troisième personne et par des repères spatio-temporels indépendants de la situation d'énonciation.

LES PAROLES RAPPORTÉES

« Il a vraiment raison, papa, quand il dit que les mamans faut pas chercher à comprendre. »
    ■ JEAN-JACQUES SEMPÉ ET RENÉ GOSCINNY, *Le Petit Nicolas.*

Il arrive, comme le fait ici le Petit Nicolas, que l'on rapporte les paroles d'autrui dans son propre discours.

155 Qu'appelle-t-on les paroles rapportées ?

■ Pour inclure des paroles dans ses propos, celui qui parle utilise des **paroles rapportées** (ou **discours rapporté**).

■ Il existe quatre façons différentes de rapporter des paroles : au **discours direct**, au **discours indirect**, au **discours indirect libre** ou dans un **récit de parole**.

156 Le discours direct

■ Lorsque les paroles sont rapportées telles qu'elles ont été prononcées (ou telles qu'un personnage imaginaire les aurait prononcées), on parle de **discours direct**. Le discours direct rend le récit plus vivant.

■ Le discours direct se caractérise le plus souvent par la présence :
– de **guillemets** qui encadrent les paroles rapportées ;

   Il dit à son maître : « Si vous voulez suivre mon conseil, votre fortune est faite. »
       ■ CHARLES PERRAULT, *Le Maître Chat ou le Chat botté.*

– de **tirets** avant chaque prise de parole ;
– d'un **verbe de parole** placé avant ou après les paroles prononcées, ou intégré aux paroles grâce à une **proposition incise** (placée à l'intérieur d'une autre proposition).

   *– Elle a, **dit-il**, tout avoué.*
   – Enfin !

Ces marques du discours direct ne sont pas nécessairement toutes présentes et les tirets ont actuellement tendance à remplacer les guillemets.

> — *Tu te ratatines, ma vieille !* **affirma** *Compère Gredin.*
> — *Impossible !*
> — *Oh si ! tu te ratatines et joliment !* **continua** *Compère Gredin.*
> ■ ROALD DAHL, *Les Deux Gredins.*

157 Le discours indirect

■ Lorsque les paroles rapportées ne sont pas citées directement mais sont transformées pour être intégrées dans le récit, on parle de **discours indirect.**

■ Le discours indirect se caractérise par l'utilisation d'un **verbe introducteur de paroles,** qui peut être suivi :

– d'une proposition subordonnée conjonctive complétive ;
> *Il* **dit** *qu'Auriane l'attend.*

– d'une proposition subordonnée interrogative indirecte ;
> *Il me* **demande** *si je viens.*

– d'un infinitif :
> *Mme Moreau, surprise de ses façons, lui demanda* **ce qu'il voulait devenir.**
> — *Ministre ! répliqua Frédéric.*
> *Et il affirma* **qu'il ne plaisantait nullement, qu'il prétendait se lancer dans la diplomatie, que ses études et ses instincts l'y poussaient.**
> ■ GUSTAVE FLAUBERT, *L'Éducation sentimentale.*

Ministre est au discours direct mais tous les passages en gras sont au discours indirect.

158 La transposition du discours direct au discours indirect

■ Transposer un discours direct en un discours indirect implique des transformations.

> *Jean promit à Marie : « Je viens demain chez toi, tu ne seras pas déçue !* » (discours direct)
> *Jean promit à Marie **qu'il viendrait le lendemain** chez **elle** et qu'**elle** ne **serait** pas déçue.* (discours indirect)

On a effectué des transformations :
• de personnes : *je* devient *il* ; *toi* et *tu* deviennent *elle* ;
• de temps : on passe du présent ou du futur au conditionnel présent ;
• d'indices spatio-temporels : *demain* devient *le lendemain* ;
• de ponctuation : le point d'exclamation devient un point.

■ La transposition peut s'effectuer en sens inverse.

> *Elle dit qu'elle ne partirait que le lendemain.* (discours indirect)
> *Elle dit : « Je ne partirai que demain.* » (discours direct)

159 Le discours indirect libre

■ Lorsque les paroles sont intégrées dans le récit mais sans le recours à une proposition subordonnée, on parle de **discours indirect libre**. Celui-ci permet d'éviter toute rupture entre le récit et les paroles.

■ Le discours indirect libre est difficile à identifier, car il ne comporte ni guillemets ni mot subordonnant. Cependant, il existe quelques critères permettant de le repérer :

– les pronoms personnels et les temps sont les mêmes que dans le discours indirect ;

> *Paul était en colère. Il affirma **qu'il voulait se venger**.*
> (discours indirect)
> *Paul était en colère. **Il voulait se venger**.* (discours indirect libre)

– il peut comporter les mêmes signes de ponctuation que le discours direct (point d'exclamation, point d'interrogation…) ;

– le discours indirect libre est souvent précédé d'un passage au discours indirect ou d'une expression mentionnant une prise de parole.

Mais Mme Goujet se récria. **Cette chemise n'était pas à elle, elle n'en voulait pas. On lui changeait son linge, c'était le comble !** ■ ÉMILE ZOLA, *L'Assommoir.*

Le verbe *se récria*, qui signifie *s'exclama*, nous fait comprendre que ce qui suit correspond aux paroles rapportées de Mme Goujet.

160 Le récit de paroles

■ Lorsque le narrateur évoque un discours, une conversation, mais sans en rapporter le contenu, on parle de **récit de paroles** ou de **discours narrativisé**.

■ Le récit de paroles ne se distingue pas du reste du récit, il se signale uniquement par la présence de mots ou d'expressions liés au vocabulaire de la parole.

*Après avoir **dit quelques mots à la vieille dans un argot que je ne pus comprendre**, il courut au hangar.*

■ PROSPER MÉRIMÉE, *Carmen.*

On sait que des paroles ont été prononcées, mais on ignore lesquelles.

Résumé

● Les paroles peuvent être rapportées :

– au discours direct : les paroles sont rapportées telles qu'elles ont été prononcées ;

– au discours indirect : les paroles sont généralement rapportées dans une proposition subordonnée ;

– au discours indirect libre : les paroles sont présentées sans guillemets ni proposition subordonnée ;

– dans un récit de paroles : les paroles sont évoquées mais non reproduites.

LES POINTS DE VUE NARRATIFS

Les peintres choisissent un angle de vue pour dessiner
un paysage, une scène ou un portrait.
Les écrivains, dans un récit, choisissent un « point de vue »
pour raconter et décrire.

161 Qu'est-ce qu'un point de vue narratif ?

■ Un point de vue est l'angle de vue sous lequel un narrateur
(celui qui raconte) présente les choses et les êtres dont il parle. On
parle aussi de **focalisation**, terme emprunté à la photographie qui
désigne le foyer à partir duquel une photographie est prise.

■ Pour savoir quel est le point de vue adopté, il faut se demander
à travers quel regard le narrateur nous fait voir les personnages,
les lieux et les faits du récit. On peut simplifier cette question en se
demandant **qui voit** : un observateur extérieur ? un personnage ?
un narrateur qui sait tout ?

Attention

Il ne faut pas confondre « qui voit ? » et « qui raconte ? ».

■ Avec la question « qui voit ? », on se demande **comment le narrateur
nous présente les faits,** sous quel angle de vision.

■ Avec la question « qui raconte ? », on se demande **qui est le narrateur**
et s'il se manifeste ou non dans son récit.

---

162 Le point de vue ou la focalisation externe

■ Quand la scène est décrite à travers le regard d'un **observateur**
neutre et complètement **extérieur** à l'histoire, le point de vue est
externe. La narrateur ne nous dit que ce qui peut être montré
par une caméra qui filmerait **objectivement** les faits, les lieux et
les êtres. Ce point de vue est souvent associé au vocabulaire de
l'apparence extérieure.

*Les hommes avaient **la barbe longue et sale, des uniformes en guenilles**, et ils avançaient d'une **allure molle**, sans drapeau, sans régiment.* ■ Guy de Maupassant, *Boule-de-Suif.*

Les éléments en gras sont des indications de forme *(barbe, uniforme)*, de dimension *(longue)*, d'état *(sale, en guenilles)*, de vitesse *(allure molle)*, qui sont visibles à l'œil nu par n'importe quel observateur.

163 Le point de vue ou la focalisation interne

■ Quand la scène est décrite à travers le regard d'un **personnage de l'histoire**, le point de vue est **interne**. Le narrateur nous présente les faits, les lieux et les êtres comme les voit et les ressent un personnage. La perception est donc **subjective**, c'est-à-dire limitée et propre à un individu, le personnage. Ce point de vue est souvent annoncé par un verbe de perception et nuancé par des **indices de la subjectivité** et des **modalisateurs** (→ 149-150).

*Aussi Robinson fut-il bien étonné en **apercevant** à une centaine de pas la silhouette d'un bouc sauvage au poil très long qui se dressait immobile, et qui **paraissait** l'observer.* ■ Michel Tournier, *Vendredi ou la Vie sauvage.*

Le verbe *apercevant* annonce la perception visuelle d'un fait *(la silhouette d'un bouc qui se dressait immobile)* par un personnage *(Robinson)* ; le modalisateur *paraissait* montre que la perception est subjective ; il indique que la vision est celle de Robinson qui, ici, n'est pas très sûr de ce qu'il perçoit.

■ Dans **un récit à la première personne où le narrateur, personnage principal, nous raconte sa vie**, le point de vue est interne et subjectif : le lecteur voit les faits sous le regard, les émotions et les jugements de ce narrateur-personnage.

> *J'y trouvai Manon. C'était elle, mais **plus aimable et plus brillante** que je ne l'avais jamais vue.*
>
> ■ ABBÉ PRÉVOST, *Manon Lescaut.*

Le narrateur (représenté par le pronom *je*) est le chevalier des Grieux, qui raconte son histoire d'amour pour une jeune fille nommée Manon. On comprend pourquoi il emploie un vocabulaire mélioratif pour la décrire *(plus aimable et plus brillante)*.

164 Le point de vue omniscient ou la focalisation zéro

■ Quand la scène est décrite par un **narrateur qui sait tout** sur les personnages et le cadre des actions du récit, le point de vue est **omniscient**. On parle aussi de **focalisation zéro**. Le narrateur connaît des informations sans limites, par exemple les sentiments intimes des personnages, leur passé, leur avenir, mais aussi l'aspect des lieux, la situation historique, etc.

> *Madame Vauquer, **née de Conflans**, est une vieille femme qui, **depuis quarante ans**, tient **à Paris** une pension bourgeoise établie **rue Neuve-Sainte-Geneviève**, entre le **quartier latin** et le **faubourg Saint-Marceau**.*
>
> ■ HONORÉ DE BALZAC, *Le Père Goriot.*

Les renseignements sont précis, impossibles à deviner par un observateur extérieur, tant sur le personnage (nom de jeune fille, durée de la carrière), que sur le lieu (ville, rue, quartier) de l'action.

165 Les variations de point de vue dans un récit à la troisième personne

■ Dans un récit à la troisième personne, les trois types de points de vue peuvent alterner.

Ainsi, dans *Notre-Dame de Paris*, Victor Hugo décrit la façon dont Quasimodo défend sa cathédrale face à l'attaque des truands :

– d'abord d'un point de vue interne (ce sont les truands qui voient) ;

Ce qu'ils voyaient était extraordinaire. Sur le sommet de la galerie la plus élevée, plus haut que la rosace centrale, il y avait une grande flamme qui montait entre les deux clochers avec des tourbillons d'étincelles.

– puis d'un point de vue omniscient (le narrateur sait ce qui se passe ailleurs, à l'intérieur des maisons).

Il se fit un silence de terreur parmi les truands, pendant lequel on n'entendit que les cris d'alarme des chanoines enfermés dans leur cloître et plus inquiets que des chevaux dans une écurie qui brûle, le bruit furtif des fenêtres vite ouvertes et plus vite fermées, le remue-ménage intérieur des maisons et de l'Hôtel-Dieu.

R é s u m é

- Le point de vue est la réponse à la question « qui voit ? ».

- Quand le narrateur présente les faits comme les verrait un observateur extérieur à l'histoire, le point de vue est externe.

- Quand le narrateur présente les faits comme s'il était à l'intérieur d'un personnage de l'histoire, le point de vue est interne.

- Quand le narrateur présente des informations sans limites dans le temps et l'espace, le point de vue est omniscient.

LES ACTES DE PAROLE

Cependant la Barbe bleue, tenant un grand coutelas à sa main, criait de toute sa force à sa femme :
« Descends vite, ou je monterai là-haut.
— Encore un moment, s'il vous plaît », lui répondait sa femme.
■ CHARLES PERRAULT, *La Barbe bleue.*

Parler, c'est agir : quand la Barbe bleue menace, sa femme supplie.

166 Qu'est-ce qu'un acte de parole ?

■ Lorsqu'un locuteur s'adresse à un interlocuteur, il accomplit une action : *informer, interroger, ordonner* ou encore *menacer, supplier, pardonner*... Tout énoncé constitue un **acte de parole**.

*Je vous **pardonne**, dit-il, le mal que vous m'avez fait ;*
*je vous **pardonne** mon avenir brisé, mon honneur perdu,*
mon amour souillé. ■ ALEXANDRE DUMAS, *Les Trois Mousquetaires.*

Certains verbes employés à la première personne, comme *pardonner, jurer, décréter*, constituent à eux seuls des actes de parole. Le locuteur accomplit l'action exprimée par le verbe au moment même où il prononce celui-ci.

■ Le français dispose de quatre types de phrase qui correspondent à quatre principaux actes de parole : la phrase **déclarative** (ou assertive) pour informer ; la phrase **interrogative** pour poser une question ; la phrase **impérative** (ou injonctive) pour donner un ordre ; la phrase **exclamative** pour manifester une émotion.

167 Les actes de parole directs et les actes de parole indirects

■ On parle d'**acte de parole direct** lorsque, pour effectuer un acte de parole, on emploie le type de phrase qui lui correspond.

Poil de Carotte, va fermer les poules !
■ JULES RENARD, *Poil de Carotte.*

L'acte de parole est un ordre exprimé par le type de phrase correspondant : une phrase impérative.

■ On parle d'**acte de parole indirect** lorsque, pour effectuer un acte de parole, on emploie un type de phrase qui ne correspond pas à celui-ci.

> *Félix, si tu allais les fermer ? dit Madame Lepic à l'aîné de ses trois enfants.* ■ Jules Renard, *Poil de Carotte.*
> L'ordre est donné au moyen d'une phrase interrogative.

168 Les actes de parole indirects et l'implicite

■ Un acte de parole indirect est un énoncé qui comporte une information **implicite**, c'est-à-dire qui n'est pas directement exprimée par les mots, mais qui est seulement suggérée.

> *Peux-tu me donner le journal ?*
> Cette phrase interrogative n'est pas une vraie question ; elle n'appelle pas du locuteur une réponse par *oui* ou par *non*, mais une action. Elle correspond donc à une injonction dont la formulation explicite serait : *Donne-moi le journal.*

■ Pour que la communication soit réussie, il faut tenir compte du **contexte** et parfois effectuer une véritable **interprétation** de ce qui est dit.

> *Que cette bague est belle !*
> Cette phrase exclamative peut, dans une certaine situation, être interprétée comme une demande : *Achète-la moi !*

Résumé

● En adressant une phrase à un interlocuteur, le locuteur effectue un acte de parole.

● Le locuteur informe par une phrase déclarative ; il pose une question par une phrase interrogative ; il donne un ordre par une phrase impérative ; il exprime un sentiment par une phrase exclamative.

● Les actes de parole directs utilisent le type de phrase qui leur correspond. Les actes de parole indirects utilisent un type de phrase qui ne leur correspond pas.

LES TYPES DE PHRASE

LÉANDRE — *Me promets-tu de travailler pour moi ?*
SCAPIN — *On y songera.*
LÉANDRE — *Mais tu sais que le temps presse !*
SCAPIN — *Ne vous mettez pas en peine.*

■ MOLIÈRE, *Les Fourberies de Scapin.*

Ce petit dialogue comporte les quatre types de phrase qui existent en français.

169 Quels sont les quatre types de phrase ?

■ Toute phrase appartient à l'un des quatre types suivants :
– la phrase **déclarative** (ou assertive) : *Il fait beau aujourd'hui.*
– la phrase **interrogative** : *Viens-tu au cinéma ?*
– la phrase **impérative** (ou injonctive) : *Range ta chambre.*
– la phrase **exclamative** : *Quelle chaleur !*

Ces types de phrase se caractérisent par une construction grammaticale et une **intonation** particulières.

170 La phrase déclarative

■ La phrase déclarative **apporte une information, fait une constatation**. Elle est terminée par un point et son intonation est d'abord montante, puis descendante.

Pendant plusieurs jours de suite des lambeaux d'armée en déroute avaient traversé la ville.

■ GUY DE MAUPASSANT, *Boule-de-Suif.*

■ Elle peut aussi exprimer, de manière indirecte :
– une interrogation : *Je me demande quelle heure il est.*
– un ordre : *Vous débarrasserez la table.*
– tout autre acte de parole : promesse, menace, souhait…
Je reprendrais volontiers un peu de thé. (souhait)

La phrase interrogative

■ La phrase interrogative **demande une information, pose une question**. Elle est terminée par un point d'interrogation et son intonation est montante.

> *Est-ce que ça vous chatouille, ou est-ce que ça vous*
> *grattouille ?*   ■ JULES ROMAINS, *Knock*.

■ Lorsque la question porte sur la totalité de la phrase et qu'on peut y répondre par *oui* ou par *non*, on parle d'**interrogation totale**. Elle s'exprime différemment selon le niveau de langue :
– avec la locution *est-ce que* dans le langage courant ;

> *Est-ce que tu sors ce soir ?*

– avec l'inversion du sujet dans le langage soutenu ;

> *Sors-tu ce soir ?*

– avec uniquement l'intonation montante et le point d'interrogation dans le langage familier.

> *Tu sors ce soir ?*

■ Lorsque la question porte sur une partie de la phrase et qu'on ne peut pas y répondre par *oui* ou par *non*, on parle d'**interrogation partielle**. Elle est introduite par un mot interrogatif : un pronom *(qui…)*, un déterminant *(quel…)*, un adverbe *(comment…)*.
Le mot interrogatif est accompagné de l'inversion du sujet dans le langage courant.

> *Comment a-t-il fait ?*

Dans le langage familier, on peut trouver le mot interrogatif rejeté en fin de phrase ou renforcé par la locution **est-ce que**.

> *Il a fait comment ? Comment est-ce qu'il a fait ?*

■ La phrase interrogative peut également exprimer, de manière indirecte :
– une affirmation : *N'est-il pas mignon ?*

> On parle alors de *question rhétorique* : cette fausse question n'appelle pas de réponse de l'interlocuteur, mais vise à l'impliquer.

– un ordre : *Peux-tu m'apporter un verre d'eau ?*
– une hypothèse : *Souhaitez-vous changer d'air ? allez à la mer.*

La phrase impérative (ou injonctive)

■ La phrase impérative exprime un **ordre**, mais aussi une **défense**, une **prière**, un **conseil**, une **demande**, un **souhait**. Elle est terminée par un point ou un point d'exclamation et son intonation est descendante.

> GÉRONTE. *–Va-t'en, Scapin, va-t'en dire à ce Turc que je vais envoyer la justice après lui.* ■ MOLIÈRE, *Les Fourberies de Scapin.*

■ Elle est généralement au mode **impératif** et comporte souvent une apostrophe qui désigne la personne à laquelle s'adresse l'ordre. À la troisième personne, l'ordre est exprimé au **subjonctif**.

> *– **Taisez-vous** ! ordonna la Reine, pourpre de fureur.*
> *– Je ne me tairai pas ! répliqua Alice.*
> *– Qu'on lui **coupe** la tête ! hurla la Reine de toutes ses forces.*
> ■ LEWIS CARROLL, *Alice au pays des merveilles.*

L'ordre est exprimé par l'impératif *taisez-vous* et le subjonctif *coupe*.

Attention

Il existe d'autres moyens d'exprimer l'ordre.

Les actes de parole indirects sont très fréquents pour exprimer une injonction.

On peut utiliser :
– une phrase interrogative ;
  Pourriez-vous m'indiquer l'heure ?
– une phrase déclarative au présent de l'indicatif ;
  Tu vides le lave-vaisselle.
– une phrase déclarative au futur de l'indicatif ;
  Tu videras le lave-vaisselle.
– un verbe à l'infinitif, pour un ordre à valeur générale et impersonnelle ;
  Ne pas fumer.
– une phrase nominale.
  Silence !
  Interdiction de fumer.

La phrase exclamative

◼ La phrase exclamative exprime une **émotion** ou un **sentiment** (joie, colère, surprise, admiration…). Elle est terminée par un point d'exclamation et son intonation est montante. Elle comporte souvent une interjection.

Ah ! Gringoire, qu'elle était jolie la petite chèvre de M. Seguin ! ◼ ALPHONSE DAUDET, *Lettres de mon moulin.*

◼ Elle peut être introduite par le déterminant exclamatif *quel* ou par un adverbe exclamatif : *comme, que, combien* (souvent remplacés par *ce que* dans le langage familier). Elle peut entraîner une inversion du sujet *(Suis-je bête !).* Cependant, elle ne comporte pas toujours de verbe *(Que de monde !).*

◼ La phrase exclamative peut aussi exprimer indirectement une demande.

Quelle chaleur !
Cette phrase peut signifier : *Ouvrez la fenêtre !*

GRAMMAIRE

R é s u m é

● Il existe quatre types de phrase :
– la phrase déclarative, qui donne une information ;
– la phrase interrogative, qui pose une question ;
– la phrase impérative, qui donne un ordre ;
– la phrase exclamative, qui exprime un sentiment.

TOINETTE. — *Oui, vous n'aurez pas ce cœur-là.*
ARGAN. — *Je l'aurai.*
TOINETTE. — *Vous vous moquez.*
ARGAN. — *Je ne me moque point.*
TOINETTE. — *La tendresse paternelle vous prendra.*
ARGAN. — *Elle ne me prendra point.*

■ MOLIÈRE, *Le Malade imaginaire.*

L'alternance de la forme négative et de la forme affirmative produit le comique de ce dialogue.

174 Quelles sont les formes de phrase ?

■ À côté des quatre types de phrase, on distingue des formes de phrase : la **forme affirmative**, la **forme négative** et la **forme emphatique**.

■ Toute phrase déclarative, interrogative, impérative ou exclamative peut adopter l'une de ces formes. Mais, à la différence des types de phrase, les formes de phrase ne se caractérisent pas par une intonation particulière.

POIL DE CAROTTE. — *Non, maman, je n'irai pas au moulin.*
MADAME LEPIC. — *Comment ! tu n'iras pas au moulin ?*

■ JULES RENARD, *Poil de Carotte.*

La première phrase est déclarative ; la phrase *tu n'iras pas au moulin ?* est interrogative ; mais toutes deux sont à la forme négative.

175 La forme affirmative

■ Toute phrase se présente soit à la **forme affirmative** (ou positive) soit à la forme négative. La forme affirmative se caractérise par l'**absence de négation** dans la phrase.

*Le soleil brille./ Le soleil **ne** brille **pas**.*
*Il a de nombreux amis./ Il **n'**a **aucun** ami.*

176 La forme négative

■ La **forme négative** se caractérise par la **présence d'une négation** dans la phrase. Tout type de phrase peut subir une transformation négative. Lorsqu'il s'agit d'une phrase interrogative, on parle de **forme interro-négative**.

> **N'**est-il **pas** déjà parti ?

■ Il existe différents moyens d'exprimer la négation :
– une locution négative : *ne... pas, ne... plus, ne... jamais, ne... guère, aucun... ne, personne... ne, rien... ne...* La locution *ne... que* est une négation restrictive qui équivaut à *seulement* ;

> *Mary a bien cuit les pommes de terre, cette fois-ci.*
> *La dernière fois elle **ne** les avait **pas** bien fait cuire.*
> *Je **ne** les aime **que** lorsqu'elles sont bien cuites.*
> ■ EUGÈNE IONESCO, *La Cantatrice chauve.*

– la conjonction de coordination *ni* pour coordonner deux propositions négatives ou deux termes à l'intérieur d'une phrase négative ;

> *Il **n'**avait **ni** famille **ni** amis.*

– les adverbes *non* et *pas*.

> *Il part en juillet et **non** en août.*
> *Il y a du sel, mais **pas** de poivre.*

Non peut aussi être l'équivalent d'une phrase négative.

> « *Viendras-tu avec nous ?*
> – **Non**. »
> *Non* équivaut à : *je ne viendrai pas.*

■ La place de la locution négative est variable :
– elle encadre le verbe lorsqu'il présente une forme simple ;

> *Il **ne** mange **pas**.*

– elle encadre l'auxiliaire lorsque le verbe présente une forme composée ;

> *Il **n'**a **pas** mangé.*

– elle se place devant le verbe à l'infinitif.

> *Il préfère **ne pas** manger.*

■ Dans la langue soutenue, avec certains verbes comme *pouvoir, oser, savoir, cesser…*, la négation est exprimée seulement par *ne*.

Je n'ose vous demander ce service.

À l'inverse, l'omission de *ne* devant le verbe est incorrecte ; elle est caractéristique de la langue familière et orale.

⊖ *J'ai pas soif.*

Attention

Lorsqu'une phrase comporte deux négations, celles-ci s'annulent et la phrase équivaut à une affirmation.

Il s'agit d'un procédé de style qui consiste à atténuer l'affirmation.

*Je **ne** dis **pas** non.*
Cette phrase signifie : *J'accepte.*

*Je **ne** prétends **pas** qu'elle **ne** soit **pas** belle.*
Cette phrase signifie : *Certes, elle est belle.*

---

177 La forme emphatique et la mise en relief

■ La forme emphatique consiste à modifier l'organisation de la phrase de manière à **mettre en relief** un de ses éléments. Tout type de phrase peut subir cette modification à l'écrit comme à l'oral.

*À la porte **piaffaient** d'impatience deux chevaux noirs comme la nuit, et soufflant sur leur poitrail deux longs flots de fumée.*

■ THÉOPHILE GAUTIER, *La Morte amoureuse.*

Cette phrase est emphatique : le verbe *piaffaient* est mis en relief en étant placé avant le sujet *deux chevaux noirs.*

■ Les procédés de mise en relief sont les suivants :

– le **déplacement** : le terme est mis à une place inhabituelle, que ce soit en tête ou en fin de phrase ;

Nombreux *étaient ses amis.*

L'attribut *nombreux* est mis en relief.

– le **déplacement** et la **reprise par un pronom** : le terme mis en relief est déplacé et repris (ou annoncé) par un pronom personnel ou démonstratif ; la phrase est alors segmentée ;

Ta voiture, **elle** *est super.*

C'est *dur à trouver, le bonheur.*

Qu'il soit honnête, tout le monde **le** *sait.*

– l'emploi d'un **présentatif** : les présentatifs *(c'est, il y a, voici, voilà…)* servent à présenter un nom dans une phrase. Le terme mis en relief est encadré par une tournure présentative : *c'est… qui, c'est… que* ; *il y a… qui, il y a… que* ; *voilà… qui, voilà… que.*

C'est *votre fille le Petit Chaperon Vert* **qui** *vous apporte une galette et un petit pot de beurre.*

■ PIERRE-HENRI CAMI, *Le Petit Chaperon Vert.*

Résumé

● Les formes de phrase peuvent se combiner avec les quatre types de phrase (déclaratif, interrogatif, impératif, exclamatif). On distingue :
– la forme affirmative ;
– la forme négative, qui est une négation de la forme affirmative ;
– la forme emphatique, qui est une mise en relief d'un constituant de la phrase.

LA FORME PASSIVE

Je n'ai pas la joie pure d'embrasser mon père, d'être embrassé par lui le jour de sa fête. ■ JULES VALLÈS, *L'Enfant.*

Dans cette phrase, le même verbe est employé à la voix active *(embrasser)* et à la voix passive *(être embrassé).*

178 Qu'est-ce que la forme passive ?

■ La forme passive est une tournure de phrase dans laquelle le verbe est à la voix passive. Elle ne concerne que les verbes **transitifs directs** (les verbes qui se construisent avec un COD).

■ Un verbe à la voix passive se conjugue toujours avec l'auxiliaire **être** et le **participe passé**.

Il donne. (voix active) *Il est donné.* (voix passive)

■ La forme passive correspond à une **forme active transformée**. Elle est alors souvent accompagnée d'un **complément d'agent**.

179 Le complément d'agent

■ Le complément d'agent désigne celui qui accomplit l'action dans la forme passive. Il est introduit :

– le plus souvent par la préposition **par** ;

Je n'entends point que vous ayez d'autres noms que ceux qui vous ont été donnés par vos parrains et marraines.

■ MOLIÈRE, *Les Précieuses ridicules.*

– parfois par la préposition **de**.

Il est aimé de ses parents.

■ Il est fréquent que le complément d'agent ne soit pas exprimé.

Quand Iseut la Blonde apprit qu'elle serait livrée à ce couard, elle fit d'abord une longue risée, puis se lamenta.

■ *Le Roman de Tristan et Iseut.*

180 La transformation passive

■ Quand une phrase à la forme active est transformée en une phrase à la forme passive, il se produit des changements :
– le complément d'objet direct de la phrase active devient le sujet de la phrase passive ;
– le verbe actif se met à la voix passive en gardant le même mode et le même temps ;
– le sujet de la phrase active devient le complément d'agent de la phrase passive.

On peut représenter la transformation passive à l'aide du schéma suivant :

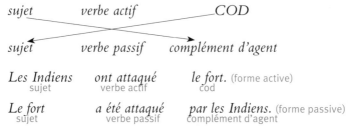

sujet	*verbe actif*	*COD*
sujet	*verbe passif*	*complément d'agent*

Les Indiens *ont attaqué* *le fort.* (forme active)
  sujet   verbe actif   cod

Le fort *a été attaqué* *par les Indiens.* (forme passive)
  sujet   verbe passif   complément d'agent

181 Quand emploie-t-on la forme passive ?

■ Un locuteur (celui qui parle) peut choisir la forme passive plutôt que la forme active selon l'élément qu'il veut mettre en position de **thème** (partie de l'énoncé déjà connue de l'interlocuteur), ou en position de **propos** (information nouvelle apportée à l'interlocuteur).

■ La **forme active** met l'**agent** de l'action **en position de thème.**

> *Les potiers grecs* *ont fabriqué* *des vases à figures noires.*
> On parle des *potiers grecs* (thème) et l'information nouvelle concerne *la fabrication des vases* (propos).

■ La **forme passive** met **celui** (objet, homme ou animal) **qui subit** les conséquences de l'action **en position de thème.**

> *Les vases à figures noires* *ont été fabriqués* *par des potiers grecs.*
> On parle, grâce à la forme passive, des *vases à figures noires* (thème) et l'information nouvelle concerne ceux qui les ont fabriqués, les *potiers grecs* (propos).

*Nous <u>fûmes tous emportés</u> par un courant vers une île qui était devant nous. **Nous** y trouvâmes des fruits et de l'eau de source qui servirent à rétablir nos forces. **Nous** nous y reposâmes même la nuit dans l'endroit où la mer nous avait jetés, sans avoir pris aucun parti sur ce que nous devions faire.*

■ « Sindbad le marin », *Les Mille et Une Nuits*.

Dans cette suite de phrases, le pronom *nous* est en position de thème. La forme passive *(nous fûmes tous emportés)* permet de garder le même thème pour les trois phrases.

*Ganimard décacheta **la lettre**. **Elle** <u>était griffonnée</u> en hâte, au crayon, et contenait ces mots.*

■ MAURICE LEBLANC, *L'Écharpe de soie rouge*.

Une partie du propos de la première phrase, *la lettre*, devient le thème de la phrase suivante, *elle*, grâce à la forme passive, *était griffonnée*.

■■ Un locuteur peut choisir la forme passive s'il ne veut pas ou ne peut pas mentionner l'agent de l'action, soit parce que ce dernier est inconnu, indifférent, évident, soit parce qu'il veut volontairement le cacher. La forme passive sans complément d'agent exprimé est l'équivalent d'une forme active avec le pronom indéfini **on** pour sujet.

*Il **fut installé** dans une vieille caisse à savon et **on** lui offrit d'abord de l'eau à boire.*

■ GUY DE MAUPASSANT, « Pierrot », *Contes de la Bécasse*.

Il représente le chien.

On pourrait dire : *on l'installa... et on lui offrit...* Maupassant ne précise pas qui installe le chien Pierrot dans la maison, ce n'est pas important.

La forme passive impersonnelle

■■ La forme passive est souvent utilisée dans les tournures impersonnelles. Il s'agit de verbes conjugués à la troisième personne du singulier et employés avec le pronom sujet **il**, qui ne représente rien en particulier.

> *Il **fut** immédiatement **décidé** qu'on se débarrasserait de Pierrot. Personne n'en voulut.*
>
> ■ GUY DE MAUPASSANT, « Pierrot », *Contes de la Bécasse.*

Il fut décidé est une forme passive impersonnelle. Le pronom *il* ne représente rien.

R é s u m é

● Dans une phrase de forme passive, le verbe est à la voix passive au lieu d'être à la voix active. Il est souvent accompagné d'un complément d'agent.

● La forme passive permet de mettre en position de thème celui qui subit les conséquences de l'action. Elle permet aussi de passer sous silence l'agent de l'action.

LES FORMES DE DISCOURS

Il était une fois un roi et une reine…

Lorsqu'un texte débute ainsi, le lecteur comprend que le but essentiel de l'auteur est de lui raconter une histoire : l'énoncé produit est un discours narratif.

183 Qu'est-ce qu'un discours ?

■ Le mot discours peut s'employer dans des sens différents. Il peut désigner les **paroles prononcées** par un locuteur (celui qui parle) : on parle alors de discours rapportés (→ 155-160). Il peut désigner plus largement toute **production d'énoncé orale ou écrite** ; c'est le sens retenu dans ce chapitre.

184 Qu'appelle-t-on les formes de discours ?

■ Il existe, à l'oral comme à l'écrit, différentes formes de discours qui dépendent de l'intention du locuteur, c'est-à-dire des raisons pour lesquelles le message est produit. Pour identifier la forme du discours, il faut donc se demander quelle est **l'intention de l'auteur du message.**

■ Il existe quatre formes principales de discours : le **discours narratif**, le **discours descriptif**, le **discours explicatif**, le **discours argumentatif**.

185 Le discours narratif

■ Le locuteur emploie le **discours narratif** lorsque son intention principale est de narrer, de **raconter une histoire**, réelle ou imaginaire. Il évoque une succession d'actions qui se déroulent dans le temps et dans l'espace. On utilise souvent le mot **récit** pour désigner un discours narratif. On rencontre ce discours dans les récits littéraires (romans, nouvelles, contes) ou non littéraires (articles de presse, livres d'Histoire…).

■ Le discours narratif se caractérise par la présence de verbes d'action, de connecteurs temporels, de compléments circonstanciels.

*Un pilote côtier **partit aussitôt** du port, **rasa** le château d'If, et **alla** aborder le navire **entre le cap de Morgiou et l'île de Riou**.* ■ ALEXANDRE DUMAS, *Le Comte de Monte-Cristo.*

La phrase comporte trois verbes d'action, un connecteur temporel *(aussitôt)* et un complément circonstanciel.

■ Les temps principalement employés sont le **passé simple** (dans un texte au passé) et le **présent** (dans un texte au présent).

*La tartine de Pope **part** en sifflant, mais Tatiana **se baisse** et le pain spongieux **s'écrase** sur la poitrine de Kamo. Tatiana **bondit**.* ■ DANIEL PENNAC, *Kamo et moi.*

Cet exemple comporte plusieurs verbes d'action au présent.

186 Le discours descriptif

■ Le locuteur emploie le **discours descriptif** lorsque son intention principale est de décrire, de **caractériser une réalité**. Il la situe dans l'espace et la décrit pour que l'interlocuteur puisse l'imaginer. On rencontre ce discours dans les récits littéraires (romans, nouvelles) ou non littéraires (articles de presse...).

■ Le discours descriptif se caractérise par la présence de verbes d'état, d'adjectifs qualificatifs, de connecteurs spatiaux, d'images.

*Elle **avait** de **petits yeux de cochon**, une bouche en **trou de serrure** et une de ces **grosses** figures **blanches** et **flasques** qui ont l'air d'être bouillies.* ■ ROALD DAHL, *James et la grosse pêche.*

Avait est un verbe d'état ; *petits, grosses, blanches, flasques* sont des adjectifs qualificatifs ; *yeux de cochon, en trou de serrure* sont des images.

■ Les temps principalement employés sont l'**imparfait** (dans un texte au passé) et le **présent** (dans un texte au présent).

187 Le discours explicatif

■ Le locuteur emploie le **discours explicatif** lorsque son intention principale est d'**expliquer un phénomène**, de faire comprendre quelque chose à son interlocuteur. On rencontre ce discours, dans les encyclopédies, les manuels scolaires, les modes d'emploi...

GRAMMAIRE

■ Le discours explicatif se caractérise par la présence de connecteurs logiques, de la troisième personne, de phrases déclaratives. Le locuteur ne prend pas parti et évite les marques d'un jugement personnel. Ce type de discours est en général **objectif**.

Les lettres sont divisées en voyelles, ainsi dites voyelles parce qu'elles expriment les voix, et en consonnes, ainsi appelées consonnes parce qu'elles sonnent avec les voyelles, et ne font que marquer les diverses articulations des voix.

■ MOLIÈRE, *Le Bourgeois gentilhomme*.

Le maître de philosophie veut faire comprendre à M. Jourdain la distinction entre les différentes lettres. On relève l'emploi de *parce que* qui est un connecteur logique, de la troisième personne et de phrases déclaratives.

■ Le temps le plus employé est le **présent de vérité générale**.

188 Le discours argumentatif

■ Le locuteur emploie le **discours argumentatif** lorsque son intention principale est de **défendre une opinion** (la **thèse**). Les raisons apportées par le locuteur pour prouver que sa thèse est vraie sont les **arguments**. On rencontre ce discours dans les messages publicitaires, les articles de journaux, la littérature d'idées…

■ Le discours argumentatif se caractérise par la présence de verbes d'opinion, de la première personne, d'indices de subjectivité, de connecteurs logiques. Le locuteur manifeste sa présence. Ce type de discours est **subjectif**.

*La tragédie, **sans doute**, est quelque chose de **beau** quand elle est **bien touchée** ; **mais** la comédie a ses **charmes**, et **je tiens** que l'une n'est pas moins **difficile** à faire que l'autre.*

■ MOLIÈRE, *La Critique de l'École des femmes*.

Je est le pronom de la première personne ; *tiens* (qui signifie ici *pense*) est un verbe d'opinion ; *sans doute, beau, bien touchée, charmes, difficile* sont des indices de subjectivité ; *mais* est un connecteur logique.

■ Le temps principalement employé est le **présent**.

189 Qu'appelle-t-on forme cadre et forme encadrée ?

■ Un texte est le plus souvent composé de formes de discours différentes : la forme de discours dominante est la **forme cadre**, les formes de discours secondaires, comprises dans la première, sont les **formes encadrées.**

■ Dans un discours narratif, par exemple, la forme **cadre** est narrative, mais elle inclut fréquemment des passages descriptifs (appelés aussi séquences descriptives) qui constituent des **formes encadrées** : l'action passe au second plan, l'imparfait remplace alors souvent le passé simple dans un texte au passé.

Quelques instants après, Derville rentra, mis en costume de bal ; son Maître clerc lui ouvrit la porte, et se remit à achever le classement des dossiers. Le jeune avoué demeura pendant un moment stupéfait en entrevoyant dans le clair-obscur le singulier client qui l'attendait. Le colonel Chabert était aussi parfaitement immobile que peut l'être une figure en cire.

■ HONORÉ DE BALZAC, *Le Colonel Chabert.*

Le discours narratif (forme cadre) laisse place, à partir de la dernière phrase, au discours descriptif (forme encadrée), puisque Balzac a choisi de placer à cet endroit le portrait du colonel Chabert.

Résumé

● Il existe quatre formes de discours, selon l'intention de celui qui s'exprime :
– s'il veut raconter une histoire, le discours est narratif ;
– s'il veut décrire une réalité, le discours est descriptif ;
– s'il veut expliquer un phénomène, le discours est explicatif ;
– s'il veut défendre une opinion, le discours est argumentatif.

LA VALEUR DES MODES

Viens en France, enfant lointain.
Nous *avons* des blés qui dansent, qui dansent :
on *dirait* des poupées.

■ ALAIN BOSQUET, « Viens en France », *Le cheval applaudit.*

Dans ces trois vers, trois modes sont utilisés, c'est-à-dire trois manières différentes d'envisager un fait ou une action.

190 Les différents modes

■ Les modes sont l'indicatif, le subjonctif, le conditionnel, l'impératif, l'infinitif, le participe et le gérondif. Ces modes ont plusieurs significations, plusieurs **valeurs**. Ils permettent au locuteur (celui qui parle) de situer son énoncé par rapport à la réalité. Selon le mode qu'il emploie, le locuteur présente les faits comme réels, souhaitables ou éventuels.

Il vient. (fait réel)   *Qu'il vienne !* (fait souhaitable)
Il viendrait ? (fait éventuel)

191 Les valeurs de l'indicatif

■ L'indicatif est le mode du réel. Ce qui est exprimé à l'indicatif a valeur de constat.

Rien n'a changé. J'ai tout revu : l'humble tonnelle
De vigne folle avec les chaises de rotin.

■ PAUL VERLAINE, « Après trois ans », *Poèmes saturniens.*

■ L'indicatif peut aussi marquer une volonté d'**insistance**, de la part du locuteur, à présenter ce qu'il dit comme réel et vrai.

*Et, pour trancher toutes sortes de discours, ou vous **serez***
***mariées** toutes deux avant qu'il soit peu, ou, ma foi !*
*vous **serez** religieuses, j'en **fais** un bon serment.*

■ MOLIÈRE, *Les Précieuses ridicules.*

Par deux fois Gorgibus emploie l'indicatif futur pour montrer à sa fille et à sa nièce qu'il est sûr du sort qui les attend..

192 Les valeurs du subjonctif

■ Le subjonctif est le mode du **possible**, de l'**incertain**, de la **volonté** et du **souhait**.

■ Dans les propositions indépendantes, le subjonctif exprime :
– l'ordre ou la défense ;

*Qu'on **mette** donc les chevaux au carrosse.*

■ MOLIÈRE, *L'Avare.*

– le souhait ;

***Puissent** tous les hommes se souvenir qu'ils sont frères !*

■ VOLTAIRE, *Traité sur la tolérance.*

– l'indignation.

*Moi, Héron, que je **fasse** une si pauvre chère !*

■ JEAN DE LA FONTAINE, *Le Héron.*

■ Dans les propositions subordonnées conjonctives, le subjonctif s'emploie avec des verbes de volonté, de doute et de sentiment.

*Je souhaite qu'il **vienne** demain à la première heure.*

■ Dans les propositions subordonnées relatives, le subjonctif exprime un fait virtuel.

*Je voudrais une maison qui **soit** grande et belle.*

193 Les valeurs de l'impératif

■ L'impératif est le mode de l'**injonction**. Il sert à exprimer un **ordre** ou une **défense**.

***Vivez**, si m'en croyez, **n'attendez** à demain :*
***Cueillez** dès aujourd'hui les roses de la vie.*

■ PIERRE DE RONSARD, *Sonnets pour Hélène.*

194 Les valeurs du conditionnel, considéré comme mode

■ Le conditionnel est le mode de l'**imaginaire**, de l'**hypothèse**. Il sert à exprimer :

– la supposition ;

> PYRRHUS. – *Me cherchiez-vous, Madame ?*
> *Un espoir si charmant me **serait**-il permis ?*
>
> ■ JEAN RACINE, *Andromaque.*

– l'atténuation ;

> *Je **voudrais** être beau pour que tu m'aimes.*
>
> ■ GUILLAUME APOLLINAIRE, *Poèmes à Lou.*

– l'hypothèse, c'est-à-dire une action soumise à une condition exprimée ou non.

Dans ce cas, on distingue :

– l'action considérée comme possible dans l'avenir (**potentiel**) ;

> *Il **devrait** y avoir ici un jardin d'été comme le parc Monceau, ouvert la nuit, où on **entendrait** de la très bonne musique en buvant des choses fraîches sous les arbres.*
>
> ■ GUY DE MAUPASSANT, *Bel-Ami.*

– l'action non réalisée dans le présent (**irréel du présent**) ;

> *Oui, il me semble que tout **irait** mieux, reprit Briant, si l'un de vous avait autorité sur les autres !*
>
> ■ JULES VERNE, *Deux ans de vacances.*

– l'action non réalisée dans le passé (**irréel du passé**).

> *Le nez de Cléopâtre : s'il eût été plus court, toute la face de la terre **aurait changé**.* ■ BLAISE PASCAL, *Pensées.*

■ En plus de ses valeurs de mode, le conditionnel a également une valeur de temps (→ 206).

195 Les valeurs de l'infinitif

■ L'infinitif est le mode de l'**action pure**, sans considération de temps ni de personne, car c'est un mode **impersonnel** (sans marque de personne).

Il sert à exprimer :
– une généralisation : *Coucher à la belle étoile.*
– un ordre dans des situations très générales :
> *Ne pas se pencher au dehors.* (consigne de prudence)
> *Battre les œufs en neige.* (recette de cuisine)
> *Prendre un comprimé trois fois par jour.* (prescription médicale)

■ L'infinitif peut aussi être l'**équivalent d'un indicatif** dans un discours narratif (on parle d'**infinitif de narration**). Il est alors précédé de la préposition *de*.
> *Et monsieur Cassandre **de ramasser** piteusement sa perruque, et Arlequin **de détacher** au viédase un coup de pied dans le derrière.* (*Viédase* signifie idiot.)
> ■ ALOYSIUS BERTRAND, *Gaspard de la nuit.*

196 Les valeurs du participe présent et du gérondif

■ Le participe présent et le gérondif ont une valeur d'aspect : ils donnent à l'action du verbe une idée de **déroulement**, d'**action simultanée**.
> *Il arrive à chanter **en mâchant** un chewing-gum.*
> L'action du gérondif *en mâchant* se déroule en même temps que celle du groupe verbal *arrive à chanter une chanson*. Elles sont simultanées.

R é s u m é

● Les modes indiquent comment le locuteur situe son énoncé par rapport à la réalité :
– l'indicatif est le mode du réel ;
– le subjonctif est le mode du possible et de l'incertain ;
– l'impératif est le mode de l'injonction ;
– le conditionnel est le mode de l'imaginaire et de l'hypothèse ;
– l'infinitif est le mode de l'action pure ;
– le participe présent et le gérondif sont les modes de la simultanéité.

LE TEMPS ET L'ASPECT

Les heures fuient et m'entraînent ; je n'ai pas même la certitude de pouvoir achever ces Mémoires. Dans combien de lieux ai-je déjà commencé à les écrire, et dans quel lieu les finirai-je ?

■ FRANÇOIS-RENÉ DE CHATEAUBRIAND, *Mémoires d'outre-tombe.*

Passé, présent, futur ; début ou fin d'une action : c'est grâce au temps et à l'aspect du verbe que toutes ces notions peuvent s'exprimer.

197 À quoi servent les temps ?

■ Les temps situent l'action **par rapport au moment de l'énonciation**, c'est-à-dire par rapport au moment où parle le locuteur. Ils indiquent si cette action a lieu dans le **passé**, dans le **présent** ou dans le **futur**.

*Ciel ! **C'est** le loup ! Je **reconnais** la même phrase qu'il **prononça** jadis pour attirer le Petit Chaperon Rouge dans le lit. Le misérable **est** en train de digérer mère-grand, mais grâce à mon idée, il lui **sera** impossible de me dévorer.*

■ PIERRE-HENRI CAMI, *Le Petit Chaperon Vert.*

Le présent des verbes *est* et *reconnais* indique le moment de l'énonciation ; le passé simple *prononça* renvoie à un moment du passé et le futur *sera* à une action à venir.

■ Les temps peuvent également situer l'action **par rapport à une autre action** en indiquant si elle a lieu avant celle-ci (**antériorité**), en même temps (**simultanéité**) ou après (**postériorité**).

*Lorsqu'elle **avait fait** son ouvrage, elle **s'allait** mettre au coin de la cheminée, et s'asseoir dans les cendres.*

■ CHARLES PERRAULT, *Cendrillon.*

Le plus-que-parfait *avait fait* indique une action antérieure à celle exprimée par l'imparfait *s'allait*.

198 Qu'est-ce que l'aspect verbal ?

■ Les temps verbaux, en plus de situer l'action dans le temps, renseignent sur le déroulement de l'action, en indiquant si elle en est à son début, à sa fin ou dans son développement, si elle se répète ou non. C'est ce que l'on appelle l'aspect verbal. On distingue par exemple :

– l'aspect **accompli**, qui présente l'action comme achevée ;

*Ce soir-là, il **avait préparé** le repas.*

– l'aspect **non accompli**, qui présente l'action comme étant en cours d'accomplissement ;

*Quand elle rentra, il **préparait** le repas.*

– l'aspect **itératif**, qui présente l'action comme étant répétée.

*Le soir, après le travail, il **préparait** le repas.*

Pour aller plus loin

L'aspect peut aussi s'exprimer par des périphrases verbales.

Celles-ci expriment le début de l'action *(se mettre à, commencer à...),* le déroulement de l'action *(être en train de, continuer de...),* la fin de l'action *(finir de, achever de, cesser de...).*

L'aspect peut également s'exprimer par le sens du verbe.

Les verbes comme *répéter, sautiller* ou les verbes comportant le préfixe *re-,* comme *refaire, redire,* expriment l'aspect itératif.

R é s u m é

● Les temps verbaux permettent de situer dans le temps l'action exprimée par le verbe.

● Ils expriment également l'aspect, qui indique si l'action en est au début, au milieu ou à la fin de son déroulement.

LA VALEUR DES TEMPS

Présent
*À midi, la chaleur **s'étale** autour
des pieds des voyageurs d'autobus.*

Passé simple
*Ce **fut** midi. Les voyageurs
montèrent dans l'autobus.*

Imparfait
*C'**était** midi. Les voyageurs
montaient dans l'autobus.*

■ RAYMOND QUENEAU,
Exercices de style.

Dans ses *Exercices de style*, Raymond Queneau raconte plusieurs fois
la même histoire en jouant avec la valeur des temps verbaux.

199 Qu'est-ce que la valeur d'un temps ?

■ Les temps de la conjugaison ont une valeur, c'est-à-dire une
signification qui s'ajoute au sens du verbe. Chaque temps peut
avoir plusieurs valeurs.

> *Tu **fermeras** la fenêtre avant de partir.*
> Ici, le futur exprime l'avenir, mais il a aussi la valeur d'un ordre.

Ce sont les temps verbaux de l'**indicatif** qui ont les valeurs les
plus variées.

200 Les valeurs du présent

■ Le présent, situé à la frontière entre le passé et le futur, s'emploie le plus souvent pour exprimer une action qui se déroule au
moment où parle le locuteur. On l'appelle alors **présent d'énonciation** ou **présent actuel**.

> *Qu'**est**-ce, seigneur Octave ? qu'**avez**-vous ? qu'y a-t-il ?
> quel désordre **est**-ce là ? Je vous **vois** tout troublé.*

■ MOLIÈRE, *Les Fourberies de Scapin.*

■ Grâce à sa position intermédiaire, le présent peut prendre d'autres valeurs. On distingue :

– le **présent à valeur de passé proche** ou **de futur proche**, pour une action qui vient de se produire ou qui va se produire ;

*Elle **sort** d'ici. On **part** dans une semaine.*

– le **présent d'habitude**, pour une action répétée ;

*Il se **lève** tous les matins à cinq heures.*

– le **présent de vérité générale**, pour une action intemporelle ou de portée générale exprimée dans des proverbes, des maximes, des définitions scientifiques ;

*Qui **aime** bien **châtie** bien.*
*La Terre **tourne** autour du Soleil.*

– le **présent de narration**, pour une action passée que l'on veut rendre plus vivante. Il s'emploie à la place du passé simple dans un récit au passé.

*Les enfants écoutaient attentivement le maître, quand soudain **entre** le directeur.*

201 Les valeurs de l'imparfait

■ L'imparfait s'emploie pour exprimer une action passée **en cours de réalisation** : déjà commencée, elle n'est pas encore terminée. On parle d'imparfait duratif.

*Dans la plaine rase, sous la nuit sans étoiles, d'une obscurité et d'une épaisseur d'encre, un homme **suivait** seul la grande route de Marchiennes à Montsou.* ■ ÉMILE ZOLA, Germinal.

■ L'imparfait, puisqu'il exprime un état continu, est par excellence le **temps de la description** au passé ; il s'oppose en cela au passé simple, temps du récit.

*Rien ne **bougeait**. Hormis le chant de la brise, tout **était** silencieux. Je m'arrêtai, très étonné, et peut-être un peu angoissé.* ■ ROBERT LOUIS STEVENSON, L'Île au trésor.

Les verbes *bougeait* et *était* sont des imparfaits de description ; le récit reprend avec le passé simple *arrêtai*.

■ Parmi les emplois de l'imparfait, on retiendra également :

– l'**imparfait d'arrière-plan**, pour une action qui sert de toile de fond à une action au passé simple dans un récit ;

*Nous **allions** nous mettre à table, lorsqu'il arriva.*

– l'**imparfait d'habitude**, pour une action répétée dans le passé ;

*Tous les mois il **rapportait** sa paie à la maison.*

– l'**imparfait de narration**, pour un récit qui donne au lecteur l'impression d'être plongé au cœur de chaque action.

*À la 90ᵉ minute du match, l'ailier **débordait**, **tirait** du droit et c'**était** le but libérateur.*

202 Les valeurs du passé simple

■ Le passé simple est un temps du passé qui présente l'action comme totalement coupée du moment où l'on parle. Il s'emploie pour une succession d'actions ponctuelles, dont on ne considère pas la durée. C'est le **temps du récit**. Mais son emploi est littéraire et réservé à la langue écrite.

*Aussitôt que le petit Poucet **entendit** ronfler l'Ogre, il **réveilla** ses frères, et leur **dit** de s'habiller promptement et de le suivre. Ils **descendirent** doucement dans le jardin et **sautèrent** par-dessus les murailles. Ils **coururent** presque toute la nuit, toujours en tremblant et sans savoir où ils allaient.* ■ CHARLES PERRAULT, *Le Petit Poucet.*

■ Associé à l'imparfait d'arrière-plan, le passé simple crée un effet de **mise en relief** en faisant ressortir une action de premier plan dans le récit. Il prend alors souvent une valeur de **soudaineté**.

*Le petit village dormait paisiblement, lorsqu'un bruit violent **se fit** entendre.*

203 Les valeurs du passé composé

■ Le passé composé s'emploie pour exprimer une action effectuée dans le passé, mais qui s'achève ou qui a des conséquences dans le présent.

*Ah ! Quel bon repas nous **avons fait** !*

■ Il s'emploie également dans le **récit** à la place du passé simple. On l'utilise toujours dans le récit oral, mais on peut également le rencontrer dans un récit littéraire qui cherche à imiter la langue parlée.

*Et là, Eudes **a visé** Clotaire, qui **s'est jeté** par terre avec les mains sur la tête ; la balle **est passée** au-dessus de lui, et bing ! elle **est venue** taper dans le dos d'Alceste qui **a lâché** sa tartine, qui **est tombée** du côté de la confiture.*

■ Jean-Jacques Sempé et René Goscinny, *Les Récrés du Petit Nicolas*.
Ici, le passé composé contribue à donner l'impression d'un récit oral d'enfant.

204 Les valeurs du futur

■ Le futur simple s'emploie pour exprimer une action à venir par rapport au présent.

*Demain, je vous **finirai** les nouveaux costumes d'Indiens, pendant que tu **fabriqueras** les flèches.*

■ Marcel Pagnol, *La Gloire de mon père*.

■ Le futur simple peut également prendre d'autres valeurs, parmi lesquelles on retiendra :
– le **futur d'ordre** ;

*Tu **feras** tes devoirs en rentrant.*

– le **futur d'atténuation polie** ;

*Nous vous **demanderons** de bien vouloir éteindre vos portables.*

– le **futur de supposition**. (Cette valeur se retrouve au futur antérieur).

*J'ai entendu du bruit au grenier : ce **sera** une souris.*
(futur simple)

*Il est bien tard ; il **se sera perdu** en chemin !* (futur antérieur)

205 La valeur temporelle du conditionnel

■ Le conditionnel, en plus de ses valeurs modales, a une valeur temporelle : il exprime le **futur du passé**, c'est-à-dire qu'il indique une action à venir par rapport à un moment passé.

*Robinson s'était longtemps demandé comment il **appellerait** l'Indien.* ■ MICHEL TOURNIER, *Vendredi ou la Vie sauvage.*

Au présent, on aurait : *Robinson se demande comment il appellera l'Indien.*

206 Les valeurs des temps composés

■ Lorsqu'ils sont employés avec les temps simples qui leur correspondent, les temps composés expriment une **antériorité**, c'est-à-dire qu'ils indiquent que l'action s'est produite avant l'action exprimée aux temps simples. On peut rencontrer les associations de temps suivantes :

– passé composé et présent ;

*Quand il **a achevé** son travail, il se repose.*

– plus-que-parfait et imparfait ;

*Quand il **avait achevé** son travail, il se reposait.*

– passé antérieur et passé simple ;

*Quand il **eut achevé** son travail, il se reposa.*

– futur antérieur et futur simple ;

*Quand il **aura achevé** son travail, il se reposera.*

– conditionnel passé et conditionnel présent.

*Quand **il aurait achevé** son travail, il se reposerait.*

■ Lorsqu'ils sont employés seuls, les temps composés expriment l'aspect **accompli**, c'est-à-dire que l'action est présentée comme achevée.

Dans deux heures, il nous ***aura rejoints***.

R é s u m é

● On emploie le présent pour exprimer une action qui se déroule au moment où l'on parle.

● On emploie l'imparfait pour exprimer une action passée en cours de réalisation : c'est le temps de la description au passé.

● On emploie le passé simple pour présenter une action passée totalement coupée du moment où l'on parle : c'est le temps du récit.

● On emploie le passé composé pour exprimer une action passée qui garde un lien avec le présent. On l'utilise dans le récit oral.

● On emploie le futur simple pour exprimer une action à venir.

● On emploie le conditionnel pour exprimer un futur dans le passé.

● On emploie les temps composés pour une action qui s'est produite avant l'action exprimée aux temps simples.

LA PONCTUATION

— Ce n'est pas pour me vanter,
    Disait la virgule,
Mais, sans mon jeu de pendule,
Les mots, tels des somnambules,
Ne feraient que se heurter.
■ MAURICE CARÊME, « Ponctuation »,
    Au clair de la lune.

Ainsi que l'affirme ici la virgule, elle est indispensable, comme les autres signes de ponctuation.

207 À quoi servent les signes de ponctuation ?

■ Les signes de ponctuation jouent plusieurs rôles : ils participent à l'organisation des phrases et des textes ; ils aident à comprendre le sens des phrases et des textes ; ils permettent de traduire des pauses à l'écrit et des intonations perceptibles à l'oral.

Regardez bien, **mon ami***.   Regardez bien* **mon ami***.*

Dans la première phrase, *mon ami* est mis en apostrophe : c'est à *mon ami* que le propos s'adresse. Dans la deuxième phrase, avec la suppression de la virgule, le sens est différent ; *mon ami* devient COD de *regardez* : c'est *mon ami* qu'il faut bien regarder.

208 Le point, le point d'exclamation, le point d'interrogation

■ Le **point** se place à la fin d'une phrase déclarative. Il est suivi d'une majuscule. Il marque une pause forte à l'écrit. L'intonation est descendante à l'oral.

■ Le **point d'exclamation** se place à la fin d'une phrase exclamative. L'intonation est liée à l'émotion ou au sentiment exprimé : colère, joie, admiration…

■ Le **point d'interrogation** se place à la fin d'une phrase interrogative directe. L'intonation est montante.

Encore des chaussures ? a crié papa. Mais ce n'est pas possible ! Il les mange !

■ JEAN-JACQUES SEMPÉ et RENÉ GOSCINNY, *Histoires inédites du Petit Nicolas.*
Le point d'interrogation marque l'étonnement, les points d'exclamation expriment la colère.

209 La virgule, le point-virgule, les deux points

■ La **virgule** permet de séparer les mots et les groupes de mots d'une énumération ou placés en apposition. Elle permet également de détacher un élément de la phrase pour le mettre en relief.

Lorsqu'elle sépare des propositions juxtaposées, la virgule indique souvent de manière sous-entendue qu'il existe une relation logique ou chronologique entre ces propositions ; elle remplace ainsi un mot de liaison (ou connecteur).

Je le vis, je rougis, je pâlis à sa vue. ■ JEAN RACINE, *Phèdre.*
La virgule pourrait être remplacée par *puis* mais l'absence du connecteur donne l'impression que les réactions évoquées sont presque simultanées.

La virgule marque une faible pause mais la voix ne descend pas.

■ Le **point-virgule** sépare deux propositions juxtaposées mais dont l'enchaînement n'est que faiblement interrompu. Il est suivi d'une minuscule.

Il arriva un jour vers trois heures ; tout le monde était aux champs ; il entra dans la cuisine.

■ GUSTAVE FLAUBERT, *Madame Bovary.*

Il marque une pause plus importante que la virgule, mais moins importante que le point ; la voix ne descend pas.

■ Les **deux points** permettent d'introduire des paroles : dans ce cas seulement, ils sont suivis d'une majuscule. Ils permettent aussi d'introduire une explication ou une énumération.

Avec Geoffroy, il faut pas croire ce qu'il raconte : il est drôlement menteur et il dit n'importe quoi.

■ JEAN-JACQUES SEMPÉ et RENÉ GOSCINNY, *Les Récrés du Petit Nicolas.*
La première proposition est expliquée après les deux points.

> *Les quatre singes prisonniers formaient une famille :*
> *Bob l'Acrobate, sa femme et ses deux enfants.*
>
> ■ ROALD DAHL, *Les Deux Gredins.*

Les membres de la famille sont énumérés après les deux points.

Ils expriment souvent une relation logique qui est sous-entendue.

> *Il commença le récit d'une autre grève : il en avait tant vu !*
>
> ■ ÉMILE ZOLA, *Germinal.*

Les deux points pourraient être remplacés par *car.*

Les deux points marquent une pause comparable à celle du point-virgule.

210 Les points de suspension

■ Au nombre de trois, les **points de suspension** marquent une interruption de la phrase : lorsqu'une énumération n'est pas terminée (dans ce cas ils signifient *etc.*) ; lorsque celui qui parle hésite, lorsqu'il est ému ou interrompu.

> *Le Gau… les Gau… les Gaulois !*
>
> ■ RENÉ GOSCINNY et ALBERT UDERZO, *Astérix et le chaudron.*

Le chef des pirates, paralysé par la peur, s'exprime difficilement !

211 Les parenthèses, le tiret, les guillemets

■ Les **parenthèses** isolent un ou plusieurs mots, souvent jugés secondaires par rapport au reste de la phrase.
Elles peuvent également être employées pour insérer les commentaires de celui qui parle ou qui écrit.

> *Compère Gredin ne songeait pas un seul instant qu'on construit des fenêtres pour regarder à l'extérieur (et pas pour que les voisins viennent nous épier !).*
>
> ■ ROALD DAHL, *Les Deux Gredins.*

Attention

La parenthèse ne remplace pas le point.

Si la parenthèse est en fin de phrase, elle est obligatoirement suivie d'un point.

■ Dans un dialogue, le **tiret** marque le changement d'interlocuteur. Lorsque des tirets encadrent des mots, ils les isolent, soit comme le feraient les parenthèses soit pour les mettre en relief.

En deux enjambées, Mlle Legourdin le rejoignit et, par un habile tour de gymnastique – judo ou karaté –, elle faucha net du pied les deux jambes de Guillaume.

■ ROALD DAHL, *Matilda.*

Les tirets jouent ici le rôle de parenthèses.

■ Les **guillemets** encadrent des paroles rapportées au discours direct ou une citation. Dans un long dialogue, ils sont placés seulement au début et à la fin du dialogue ; le changement d'interlocuteur est alors marqué par un tiret.

Ils sont parfois employés pour isoler des mots, les mettant ainsi en relief, de façon positive ou négative.

Il la prit par la douceur, par le raisonnement, par les sentiments. Il sut rester « monsieur le comte », tout en se montrant galant quand il le fallut, complimenteur, aimable enfin.

■ GUY DE MAUPASSANT, *Boule-de-Suif.*

L'emploi des guillemets permet de donner de l'importance au statut social élevé de ce personnage et de sous-entendre sa dignité liée à son rang.

R é s u m é

● Les signes de ponctuation permettent d'organiser les phrases et les textes.

● Ils aident à comprendre le sens des phrases ou des textes.

● Ils indiquent l'intonation.

GRAMMAIRE

LA REPRISE NOMINALE ET PRONOMINALE

Elle vit que, dans sa précipitation,
*elle avait remis **le Lézard** la tête en bas,*
*et que **la pauvre bête**, incapable de*
se tirer d'affaire toute seule, agitait
mélancoliquement sa queue dans
*tous les sens. Elle eut vite fait de **le***
replacer dans une position normale.

■ LEWIS CARROLL,
Alice au pays des merveilles.

Dans ce texte, il est question d'un lézard :
grâce aux procédés de reprise,
l'auteur peut le désigner de diverses manières.

212 À quoi servent les procédés de reprise ?

■ Dans un texte, des personnes, des choses ou des idées peuvent être évoquées plusieurs fois. Les **procédés de reprise** servent à désigner ce dont on a déjà parlé, soit en le répétant soit en l'exprimant d'une autre façon, pour éviter une répétition.

*À la fin, **Robinson** n'en pouvait plus d'attendre*
*en surveillant l'horizon vide. **Il** décida d'entreprendre*
la construction d'un bateau assez important pour rejoindre
la côte du Chili. ■ MICHEL TOURNIER, *Vendredi ou la Vie sauvage.*

Le pronom *il* reprend le nom propre *Robinson*.

■ Les procédés de reprise assurent la **cohérence du texte** ; grâce à eux, les phrases s'enchaînent en reprenant des informations déjà données.

Dans les premiers jours du mois d'octobre 1815, une heure
*environ avant le coucher du soleil, **un homme** qui voyageait*
à pied entrait dans la petite ville de Digne. Les rares
habitants qui se trouvaient en ce moment à leurs fenêtres
*ou sur le seuil de leurs maisons regardaient **ce voyageur***

avec une sorte d'inquiétude. Il était difficile de rencontrer **un passant** *d'un aspect plus misérable. C'était* **un homme** *de taille moyenne, trapu et robuste, dans la force de l'âge.*

■ VICTOR HUGO, *Les Misérables.*

Le lien entre la première et la seconde phrase est assuré par la reprise de *un homme* par *ce voyageur* : les deux phrases s'enchaînent en parlant du même personnage dont on a appris qu'il voyageait.

■ Il existe deux procédés de reprise : la reprise par un pronom, appelée **reprise pronominale**, et la reprise par un nom, appelée **reprise nominale** (ou **lexicale**).

213 # La reprise pronominale

■ Tous les pronoms sont des outils grammaticaux de reprise ; ils jouent un rôle de **substitut**, c'est-à-dire qu'ils remplacent un nom ou un groupe nominal déjà apparu dans le texte ; ils peuvent aussi remplacer une phrase entière.

J'ai beaucoup vécu chez **les grandes personnes**. *Je* **les** *ai vues de très près.* **Ça** *n'a pas trop amélioré mon opinion.*

■ ANTOINE DE SAINT-EXUPÉRY, *Le Petit Prince.*

Le pronom personnel *les* reprend le groupe nominal *les grandes personnes* ; le pronom démonstratif *ça* reprend l'idée de la deuxième phrase.

■ Un pronom personnel ou démonstratif effectue une **reprise totale** de ce dont on a déjà parlé.

S'il existait sur la terre d'autres êtres que nous, comment ne **les** *connaîtrions-nous point depuis longtemps ; comment ne* **les** *auriez-vous pas vus, vous ? comment ne* **les** *aurais-je pas vus, moi ?*

■ GUY DE MAUPASSANT, *Le Horla.*

Le pronom *les* reprend le groupe nominal *d'autres êtres*.

■ En revanche, un pronom indéfini effectue une **reprise partielle** de ce dont on a déjà parlé.

Edmond remua à poignée les diamants, les perles, les rubis, qui, cascade étincelante, faisaient, en retombant **les uns** *sur* **les autres**, *le bruit de la grêle sur les vitres.*

■ ALEXANDRE DUMAS, *Le Comte de Monte-Cristo.*

Les pronoms indéfinis *les uns* et *les autres* renvoient au groupe nominal *les diamants, les perles, les rubis,* mais chacun de ces pronoms n'en désigne qu'une partie.

GRAMMAIRE

La reprise nominale

■ On parle de **reprise fidèle** lorsqu'un nom ou un groupe nominal est répété ; seul le déterminant, dans ce cas, est modifié.

> *Il était une fois **un homme** qui avait de belles maisons à la Ville et à la Campagne, de la vaisselle d'or et d'argent, des meubles en broderie, et des carrosses tout dorés, mais par malheur **cet homme** avait la barbe bleue.*
>
> ■ CHARLES PERRAULT, *La Barbe bleue.*

■ On parle de **reprise infidèle** lorsqu'un nom ou un groupe nominal est remplacé par un autre nom ou un autre groupe nominal. On peut avoir :

– un synonyme ;

> *Leur **maison** était au coin de la rue. C'était une vieille **demeure** du siècle dernier.*

– un terme générique ;

> *Les **chiens**, les **chats**, les **oiseaux** seront maintenus en quarantaine ; ces **animaux** devront être vaccinés.*

– un nom commun à la place d'un nom propre ;

> ***Antoine** avait cinq ans ; mais **l'enfant** en paraissait huit.*

– une périphrase ;

> ***Michael Schumacher** a mis un terme à sa brillante carrière. **Le septuple champion du monde automobile** verra-t-il son record égalé ?*

– la nominalisation d'un verbe ;

*Tout le pays **fut informé** de la situation. Mais **l'information** ne calma pas les esprits.*

– une expression qui résume l'information.

*François songeait à partir faire fortune en Amérique. **Ce rêve** était devenu une obsession.*

■■ La reprise nominale permet souvent d'apporter une information supplémentaire qui caractérise ce dont on parle ou qui exprime un jugement du locuteur.

*Dans la caverne, Hermès ne trouva pas **Ulysse** : il pleurait sur le cap, **le héros magnanime**, assis en cette place où chaque jour les larmes, les sanglots, le chagrin lui secouaient le cœur.* ■ HOMÈRE, *Odyssée.*

La périphrase *le héros magnanime*, qui reprend *Ulysse*, a une valeur méliorative.

R é s u m é

● Les procédés de reprise permettent d'assurer la cohérence du texte et d'éviter les répétitions.

● La reprise pronominale consiste à remplacer un nom ou un groupe nominal par un pronom.

● La reprise nominale consiste à remplacer un nom ou un groupe nominal par un nom ou une expression de même sens.

LES CONNECTEURS SPATIAUX, TEMPORELS ET LOGIQUES

Le mot connecteur vient du latin *connectere,* qui signifie « lier ensemble ».

215 Qu'est-ce qu'un connecteur ?

■ Un connecteur est un mot de **liaison**. Il permet de **relier** des **propositions**, des **phrases**, des **paragraphes**, des **chapitres**. Il sert à organiser un texte et à assurer sa cohérence.

> ***Enfin, le dimanche matin,*** *au sortir de la messe, sa belle-mère lui demanda ce qu'il avait obtenu de sa bonne amie depuis la conversation dans le verger.*
>
> ■ George Sand, *La Mare au diable.*

Cette phrase commence un nouveau chapitre du roman *La Mare au diable.* Elle assure la cohérence temporelle et logique entre les chapitres 16 et 17 grâce à deux connecteurs : *enfin* et *le dimanche matin*.

■ Un connecteur se place souvent au **début** de la phrase ou de la proposition.

> *Ma mère m'a abandonné à la porte de l'hospice.* ***Mais*** *elle a agité la cloche.*
>
> ■ Évelyne Brisou-Pellen, *Le Fantôme de maître Guillemin.*

? **Pourquoi**

Pourquoi les connecteurs se trouvent-ils souvent en début de phrase ?

En grec et en latin, il n'y avait pas de signes de ponctuation. Les connecteurs étaient donc les seuls signes qui permettaient de délimiter les phrases. C'est pourquoi on les trouvait en première ou en deuxième position. Cet usage nous est resté.

216 Les connecteurs temporels

■ Les connecteurs temporels situent les actions **dans le temps,** les unes par rapport aux autres.

■ Les principaux connecteurs temporels sont :
– des adverbes ou des locutions adverbiales : *hier, aujourd'hui, demain, ensuite, après, enfin, d'abord…*
– des groupes nominaux : *le lendemain, la veille, ce jour-là…*
– des conjonctions de subordination : *quand, dès que, tandis que…*
– la conjonction de coordination *et.*

> **Après** *s'être reposés quelque temps, ils mangèrent à leur déjeuner deux montagnes, que leurs gens leur apprêtèrent assez proprement.* **Ensuite** *ils voulurent reconnaître le petit pays où ils étaient. Ils allèrent* **d'abord** *du nord au sud. Les pas ordinaires du Sirien et de ses gens étaient d'environ trente mille pieds de roi ; le nain de Saturne suivait de loin en haletant.* ■ VOLTAIRE, *Micromégas.*

La préposition *après* suivie d'un infinitif, l'adverbe *ensuite* et la locution adverbiale *d'abord* sont des connecteurs temporels. Ils indiquent dans quel ordre les personnages ont accompli leurs différentes actions.

217 Les connecteurs spatiaux

■ Les connecteurs spatiaux situent les actions, les êtres et les objets **dans l'espace,** les uns par rapport aux autres.

■ Les principaux connecteurs spatiaux sont :
– des adverbes ou des locutions adverbiales : *ici, là, devant, au loin…*
– des groupes nominaux : *sur la droite, sur la gauche, d'un côté, de l'autre côté…*

> *Car, tournant le dos au rivage, je ne voyais plus* **devant moi** *que la rivière. Elle glissait.* **Plus loin, en aval,** *l'île, prise dans les premiers rayons du jour, commençait à sortir des brumes matinales.* ■ HENRI BOSCO, *L'Enfant et la Rivière.*

Les groupes nominaux *devant moi* et *en aval*, le groupe adverbial *plus loin* sont des connecteurs spatiaux. Ils organisent la description du paysage dans l'espace.

218 Les connecteurs logiques

■ Les connecteurs logiques assurent la **progression logique** d'un texte. Selon le cas, ils expriment une relation logique :
– de cause : *car, parce que, puisque…*
– de conséquence ou de conclusion : *donc, ainsi, c'est pourquoi, si bien que…*
– d'addition ou d'alternative : *et, ni, ou, puis, premièrement, deuxièmement, enfin…*
– d'opposition ou de concession : *mais, or, pourtant, cependant, certes, alors que…*
– d'explication : *en effet, c'est-à-dire, par exemple…*

> *Ma mère la chercha longtemps, **et** la retrouva plusieurs fois.*
> ***Mais** elle ne la reconnut jamais, **car** nous l'avions aplatie à coups de marteau pour en faire une truelle.*
> ■ MARCEL PAGNOL, *La Gloire de mon père.*

(Le narrateur parle d'une cuillère.)
Et exprime une addition d'actions, *chercher* et *retrouver*. *Mais* exprime une opposition entre le fait de trouver et le fait de ne pas reconnaître.
Car exprime l'explication du fait de ne pas reconnaître la cuillère.

Pour aller plus loin

Quel est le rôle des connecteurs dans un raisonnement logique ?

Les connecteurs sont très importants. ***Or*** et ***Donc*** introduisent les étapes de ce **syllogisme** (raisonnement qui fonde une conclusion sur deux propositions posées comme vraies).

> *Tous les hommes sont mortels. **Or** Socrate est un homme.*
> ***Donc** Socrate est mortel.*

219 L'absence de connecteurs : les liens implicites

■ Quand la relation logique entre deux phrases ou deux paragraphes n'est pas exprimée explicitement par un connecteur, on parle de **lien implicite**.

Cette blessure n'est peut-être que superficielle. Il faut l'ignorer, ne pas en retenir l'image. ■ ANDRÉE CHÉDID, *Le Message*.

Le lien implicite entre les deux phrases est un lien de conséquence. On pourrait dire : *Cette blessure n'est peut-être que superficielle.* Il faut *donc* l'ignorer, ne pas en retenir l'image.

Résumé

● Les connecteurs sont des mots de liaison qui relient des propositions, des phrases, des paragraphes ou des chapitres.

● Ils organisent le texte selon un point de vue temporel, spatial et/ou logique.

● On distingue :
– les connecteurs temporels, qui situent les actions dans le temps ;
– les connecteurs spatiaux, qui situent les actions, les êtres et les objets dans l'espace ;
– les connecteurs logiques, qui assurent la progression logique du texte.

● Quand il n'y a pas de connecteurs, les liens sont implicites.

ORTHOGRAPHE

LE PLURIEL DES NOMS

*Il y avait aussi une rivière de
fromages, de yaourts, un mur
de gâteaux secs, une montagne
d'ananas, un fleuve de pommes de terre*
■ **PIERRE GAMARRA**, « **Un enfant dans
une grande surface** », *L'Almanach de la poésie.*

Comme dans cet exemple, la plupart
des noms prennent un *s* au pluriel.
Cependant, il existe de nombreux
cas particuliers.

220 Le pluriel des noms communs

■ Le pluriel des **noms communs** se forme généralement en ajoutant un *s* à la fin du nom singulier : *un fromage – des fromages.*
Les noms propres ne prennent pas la marque du pluriel.

■ Les noms déjà terminés par **-s**, **-x** ou **-z** au singulier ne changent
pas de forme au pluriel.

un palais – des palais	*une croix – des croix*
un nez – des nez	*une noix – des noix*

■ Les noms terminés par **-au**, **-eau** ou **-eu** au singulier prennent
un **x** au pluriel, sauf *bleu, pneu* et *landau* qui prennent un **s**.

un tuyau – des tuyaux	*un bateau – des bateaux*
un feu – des feux	*un pneu – des pneus*

■ Les noms terminés par **-ou** au singulier prennent un **s** au pluriel,
sauf sept noms : *bijou, caillou, chou, genou, hibou, joujou* et *pou,*
qui prennent un **x**.

un trou – des trous	*un chou – des choux*

■ Les noms terminés par **-al** au singulier s'écrivent **-aux** au pluriel,
sauf six noms : *bal, carnaval, chacal, festival, récital* et *régal.*

un journal – des journaux	*un bal – des bals*

■ Certains noms terminés par **-ail** au singulier s'écrivent **-aux** au pluriel : *bail, corail, émail, soupirail, travail, vantail, vitrail...* Les autres noms prennent un **s**.

un travail – des travaux   un chandail – des chandails

■ Il existe quelques noms dont le pluriel n'obéit à aucune des règles citées ci-dessus.

*un œil – des **yeux**   un   ail – des **aulx**   un ciel – des **cieux** un monsieur – des **messieurs**   un aïeul – des **aïeux***

221 Le pluriel des noms composés

■ Dans les noms composés **sans trait d'union**, seul le premier nom se met au pluriel : *des pommes de terre.*

■ Dans les noms composés **avec un trait d'union**, la règle à appliquer dépend de la nature des mots qui les composent :
– le verbe, l'adverbe, la préposition sont invariables : *des tire-bouchons* (verbe + nom), *des **avant**-scènes* (adverbe + nom), *des arcs-**en**-ciel* (nom + préposition + nom) **;**
– l'adjectif prend la marque du pluriel : *des **belles**-sœurs* (adjectif + nom) **;**
– le nom commun prend en général la marque du pluriel *(des taille-**haies** :* verbe + nom*)* sauf si le sens impose le singulier *(des gratte-**ciel** :* il ne s'agit que d'un seul et même ciel*).*

■ Lorsque le nom est composé du groupe **nom + préposition + nom**, seul le premier nom se met au pluriel : *des **chefs**-d'œuvre.*

Résumé

● En général, le pluriel des noms communs se forme en ajoutant un *s* au nom singulier. Mais il existe des règles particulières pour les noms en *-s, -x, -z, -au, -eau, -eu, -ou, -al, -ail.*

● Dans un nom composé, seuls l'adjectif et le nom peuvent prendre la marque du pluriel.

LE PLURIEL DES ADJECTIFS

J'ai vu des continents
Des îles lointaines
De fabuleux océans
Des rives incertaines
  Dans le regard d'un enfant

■ CLAUDE HALLER, « Dans le regard d'un enfant », *Poèmes du petit matin.*

Comme le montre cet exemple, la plupart des adjectifs prennent un *s* au pluriel. Cependant, il existe des exceptions.

222 Le pluriel des adjectifs qualificatifs

■ Le pluriel des adjectifs qualificatifs se forme généralement en ajoutant un **s** à la fin de l'adjectif masculin ou féminin singulier.

  *petit − petit**s***   *grande − grande**s***

■ Les adjectifs masculins terminés par **-s** ou **-x** au singulier ne changent pas de forme au masculin pluriel.

  gros − gros   *vieux − vieux*

■ Les adjectifs masculins terminés par **-eau** au singulier prennent un **-x** au pluriel.

  *beau − beau**x***   *nouveau − nouveau**x***

■ Les adjectifs masculins terminés par **-al** au singulier s'écrivent **-aux** au pluriel, sauf quelques mots : *banal, bancal, fatal, glacial, natal, naval...* qui prennent un **s** au pluriel.

  *spécial − spéci**aux***   *marginal − marginau**x***

223 Le pluriel des adjectifs de couleur

■ La plupart des adjectifs de couleur prennent un **s** au pluriel.

  *Je te promets qu'il n'y aura pas d'i vert**s** /*
  *Il y aura des i bleu**s** / Des i blanc**s** / Des i rouge**s**.*

■ LUC BÉRIMONT, « Les points sur les i », *La Poésie comme elle s'écrit.*

■ Mais lorsqu'il s'agit d'un **adjectif composé** de deux mots (adjectif + adjectif ou adjectif + nom), il est **invariable**.

*des pantalons **bleu marine** — des tennis **jaune citron***

■ Lorsque l'adjectif de couleur est tiré d'un **nom**, il est généralement **invariable** : *orange, marron, noisette, argent...*

des chevaux marron — des yeux noisette

Il existe deux exceptions : *rose* et *mauve* prennent un **s** au pluriel : *des joues roses*.

■ Lorsqu'une même réalité est de plusieurs couleurs, les adjectifs juxtaposés ou coordonnés sont invariables.

des murs blanc, noir et bleu.

224 Le pluriel des adjectifs numéraux cardinaux

■ Les adjectifs numéraux cardinaux sont **invariables** : *trente élèves.*

■ Mais **vingt** et **cent** prennent un **s quand ils sont multipliés sans être suivis d'un autre nombre** : on écrit *deux cents* ou *quatre-vingts* mais *deux cent un* et *quatre-vingt-deux.*

*À l'heure où je vous parle, il y a **cent mille** fous de notre espèce, couverts de chapeaux, qui tuent **cent mille** autres animaux couverts d'un turban.* ■ VOLTAIRE, *Micromégas.*

R é s u m é

● En général, le pluriel des adjectifs qualificatifs se forme en ajoutant un *s* à l'adjectif singulier.

● Mais il existe des règles particulières pour les adjectifs en *-s*, *-x*, *-eau* et *-al*.

● Les adjectifs de couleur prennent un *s* au pluriel, sauf s'ils proviennent d'un nom.

● Les adjectifs numéraux cardinaux sont invariables, sauf *vingt* et *cent*.

LE FÉMININ DES ADJECTIFS QUALIFICATIFS

— Eh bien, voilà, Apolon, dit Mlle Legourdin, et de nouveau sa voix était sucrée, persuasive, presque onctueuse.

■ ROALD DAHL, *Matilda.*

Comme le montre cet exemple, le féminin des adjectifs qualificatifs ne se forme pas toujours de la même façon.

225 La règle générale

■ Le féminin de l'adjectif qualificatif se forme généralement en ajoutant un **e** à la fin de l'adjectif masculin.

gourmand — gourmande

■ Quand l'adjectif se termine par une voyelle au masculin, le passage au féminin ne s'entend généralement pas à l'oral.

pointu — pointue

226 Les cas particuliers

■ Quand l'adjectif se termine par **-on**, **-ien**, **-s** ou **-el** au masculin, la consonne finale est doublée au féminin.

*breton — breton**ne***   *ancien — ancien**ne***
*gros — gro**sse***   *mortel — mortel**le***

■ La consonne finale est aussi doublée pour quelques adjectifs en **-et**.

*net — net**te***   *fluet — fluet**te***

■ Pour certains adjectifs terminés par **-f**, **-c**, **-s** ou **-x** au masculin, ces consonnes sont modifiées au féminin ; parfois, un accent est ajouté sur la voyelle précédant la consonne modifiée.

*neuf — neu**ve***   *sec — sè**che***
*frais — fraî**che***   *heureux — heureu**se***

■ Certains adjectifs changent de suffixe au féminin :
– **-eau** devient **-elle** ;

    beau − *b**elle***

– **-eur** devient **-euse**, **-rice** ou **-eresse** ;

    moqueur − *moqu**euse***
    dominateur − *dominat**rice***
    enchanteur − *enchant**eresse***

– **-er** devient **-ère** ;

    cher − *ch**ère***

– **-ou** devient **-olle**.

    mou − *m**olle***

■ L'ajout d'une consonne avant le **e** est parfois nécessaire pour certains adjectifs qui se terminent par une voyelle au masculin.

    favori − *favori**te***   *rigolo* − *rigolo**te***

■ Les adjectifs terminés par **-e** au masculin ne changent pas au féminin.

    héroïque − *héroïque*   *salutaire* − *salutaire*

■ Il existe quelques cas particuliers.

    vieux − ***vieille***   *malin* − ***maligne***

Résumé

● En général, le féminin des adjectifs qualificatifs se forme en ajoutant un *e* à l'adjectif masculin.

● Pour certains adjectifs, il faut modifier la consonne finale ou le suffixe.

L'ACCORD DE L'ADJECTIF AVEC LE NOM

Le **monde** est **pointu**
La **terre** est **pointue**
L'**espace** est **carré**.
■ ROBERT DESNOS, « Le carré pointu »,
Destinée arbitraire.

Ces vers comportent trois noms,
trois adjectifs, mais une même règle
d'accord.

227 La règle générale

■ L'adjectif, quelle que soit sa fonction, s'accorde en **genre** et en **nombre** avec le nom auquel il se rapporte :

– adjectif épithète ;

> N'importe ! tel qu'il est, avec ses <u>yeux</u> **clignotants** et sa <u>mine</u> **renfrognée**, ce <u>locataire</u> **silencieux** me plaît encore mieux qu'un autre, et je me suis empressé de lui renouveler son bail. ■ ALPHONSE DAUDET, *Lettres de mon moulin.*

Cette phrase comporte trois adjectifs épithètes : *clignotants* s'accorde avec le nom *yeux* (au masculin pluriel), *renfrognée* s'accorde avec le nom *mine* (au féminin singulier), *silencieux* s'accorde avec le nom *locataire* (au masculin singulier).

– adjectif apposé ou épithète détachée ;

> La <u>tête</u>, **petite** comme celle de presque toutes les statues grecques, était légèrement inclinée en avant.
> ■ PROSPER MÉRIMÉE, *La Vénus d'Ille.*

L'adjectif apposé *petite* s'accorde avec le nom *tête* au féminin singulier.

– adjectif attribut.

> La <u>terre</u> est **bleue** comme une orange
> Jamais une erreur les mots ne mentent pas
> ■ PAUL ELUARD, *L'Amour la poésie.*

L'adjectif attribut *bleue* s'accorde avec le nom *terre* au féminin singulier.

228 Les cas particuliers

L'accord de l'adjectif qui se rapporte à plusieurs noms

■ L'adjectif qui se rapporte à plusieurs noms se met au pluriel. Si ces noms sont de genre identique, l'adjectif prend ce genre (féminin ou masculin).

*Ma jupe et ma chemise sont **froissées**.*

Si ces noms sont de genres différents, l'adjectif prend le genre masculin.

*Ma jupe et mon pantalon sont **froissés**.*

L'accord des formes se terminant par -*ant*

■ Il existe deux formes verbales terminées par le suffixe **-ant** : l'une a un emploi d'adjectif, on l'appelle l'**adjectif verbal** ; l'autre a un emploi de verbe, on l'appelle le **participe présent**.

■ L'**adjectif verbal s'accorde** en genre et en nombre avec le nom auquel il se rapporte.

Je trouve les caprices de la mode, chez les Français,
***étonnants**.* ■ MONTESQUIEU, *Lettres persanes*.

La forme verbale *étonnants* s'accorde en genre et en nombre avec *caprices*, car il s'agit d'un adjectif verbal.

OCTAVE. − Si tu l'avais vue, Scapin, en l'état que je dis, tu l'aurais trouvée admirable.
*SCAPIN. − Oh ! je n'en doute point ; et, sans l'avoir vue, je vois bien qu'elle était tout à fait **charmante**.*

■ MOLIÈRE, *Les Fourberies de Scapin*.

La forme verbale *charmante* s'accorde en genre et en nombre avec le pronom *elle*, car il s'agit d'un adjectif verbal.

■ L'adjectif verbal se distingue du **participe présent**, qui reste **invariable**.

Pour confirmation, le jeune Martin ira demander à notre bien-aimé recteur, maître Hervé Péro, une attestation écrite, ***confirmant** qu'il possède vraiment, malgré son jeune âge, le grade de bachelier…*

■ ÉVELYNE BRISOU-PELLEN, *Le Fantôme de maître Guillemin*.

Confirmant est un participe présent. Il reste invariable.

■ L'adjectif verbal se distingue du **gérondif** (préposition **en** suivie du participe présent), qui est toujours invariable.

> *Et maintenant, le losange s'aplatissait, s'aplatissait avec une rapidité qui ne me laissait pas le temps de la réflexion. Son centre, placé sur la ligne de sa plus grande largeur, coïncidait juste avec le gouffre béant. J'essayai de reculer, — mais les murs, **en se resserrant**, me pressaient irrésistiblement.*
>
> ■ EDGAR ALLAN POE, « Le Puits et le Pendule », *Histoires extraordinaires*.

La forme verbale *en se resserrant* est un complément circonstanciel se rapportant au groupe nominal *les murs*. Pourtant elle ne s'accorde pas avec ce groupe nominal. Il s'agit d'un gérondif, elle reste donc invariable.

 Astuce

**Comment distinguer l'adjectif verbal
et le participe présent ?**

Il suffit de remplacer le nom par un nom féminin, de façon à rendre l'accord audible et visible.

> *Les enfants, **énervant** leur mère, sont punis.*
> On peut dire : *Les filles, énervant (et non ⊘ énervantes) leur mère, sont punies.*
> *Énervant* est un participe présent.

> *Les enfants, **énervants**, sont punis par leur mère.*
> On peut dire : *Les filles, énervantes, sont punies par leur mère.*
> *Énervantes* est un adjectif verbal.

■ Certains adjectifs verbaux ont des particularités orthographiques qui les distinguent des participes présents. Les participes présents des verbes en **-quer** et **-guer** gardent la forme du radical des verbes *(-quant, -guant)* alors que les adjectifs verbaux de ces verbes ont une forme spécifique *(-cant, -gant)*.
Le verbe *provoquer*, dont le participe présent est *provoquant*, a comme adjectif verbal *provocant*.
Le verbe *fatiguer*, dont le participe présent est *fatiguant*, a comme adjectif verbal *fatigant*.

Participe présent	Adjectif verbal
communiquant	communicant
convainquant	convaincant
extravaguant	extravagant
naviguant	navigant
suffoquant	suffocant
vaquant	vacant

R é s u m é

● L'adjectif et l'adjectif verbal s'accordent en genre et en nombre avec le nom auquel ils se rapportent.

● Quand il y a plusieurs noms de genres différents, l'accord se fait au masculin pluriel.

L'ACCORD DU VERBE AVEC LE SUJET

MARTINE. — *Mon Dieu ! je n'**avons** pas étugué comme vous,*
Et je parlons tout droit comme on parle cheux nous.
BÉLISE. — *Ton esprit, je l'avoue, est bien matériel.*
***Je** n'est qu'un singulier, **avons** est pluriel.*
Veux-tu toute ta vie offenser la grammaire ?
■ MOLIÈRE, *Les Femmes savantes.*

Au grand désespoir de sa maîtresse Bélise, la servante Martine ne
sait pas accorder le verbe avec le sujet.

229 La règle générale

■ Un verbe s'accorde en **nombre** et en **personne** avec son sujet.

*En tout cas, monsieur, je vous l'**ai dit**, j'**ignorais***
*complètement le contenu de la dépêche dont j'**étais** porteur.*
■ ALEXANDRE DUMAS, *Le Comte de Monte-Cristo.*

Les verbes *ai dit*, *ignorais* et *étais* s'accordent avec le sujet *je*, première
personne du singulier.

■ Seules les formes passives s'accordent aussi en **genre** avec le
sujet.

*La tarte **a été mangée** par l'ensemble de la famille.*

La tarte est féminin singulier ; *mangée* s'accorde au féminin singulier.

*Au cours de cette partie, **les filles sont attrapées** les premières.*

Les filles est féminin pluriel ; *attrapées* s'accorde au féminin pluriel.

■ Lorsque le sujet est un groupe nominal, c'est le **nom noyau** qui
commande l'accord du verbe.

*Puis un **vol** de plumes mouillées **froissa** les touffes de*
*roseaux et tout autour de notre barque le **murmure** confus*
*des bêtes d'eau, encore invisibles, **monta**.*
■ HENRI BOSCO, *L'Enfant et la Rivière.*

Un vol de plumes mouillées est le GN sujet du verbe *froissa* ; l'accord se
fait avec le nom noyau du groupe, *vol* ; *le murmure confus des bêtes d'eau,*
encore invisibles, est le GN sujet du verbe *monta* ; l'accord se fait avec le
nom noyau du groupe, *murmure*.

Les cas particuliers

L'accord du verbe qui a plusieurs sujets

■ Quand le verbe a plusieurs sujets, il se met au pluriel.

*Le tonnerre et la pluie **ont fait** un tel ravage*
Qu'il reste en mon jardin bien peu de fruits vermeils.
■ CHARLES BAUDELAIRE, « L'ennemi », *Les Fleurs du mal.*

Le verbe a deux sujets : *le tonnerre et la pluie* ; il se met au pluriel : *ont fait.*

■ Quand le verbe a des sujets de personnes différentes, il y a deux accords possibles :

– deuxième personne + troisième personne : le verbe se met à la deuxième personne du pluriel ;

*Elle et toi **êtes** de grandes amies.*
*Eux et vous **parlez** d'une seule voix.*

– première personne + deuxième ou troisième personne : le verbe se met à la première personne du pluriel.

*Hugo et moi **faisons** bande à part.*
*Toi et moi **sommes** les meilleurs de la classe.*

L'accord du verbe avec les pronoms indéfinis *aucun, chacun, on*

■ Quand le sujet est **chacun** ou **aucun**, le verbe se met toujours au singulier : *Chacun **fait** ce qui lui plaît. Quand je leur ai demandé leur accord, aucun **n'a refusé**.*

*Mais le matin, il ne s'y trouvait que sept locataires dont la réunion offrait pendant le déjeuner l'aspect d'un repas de famille. Chacun **descendait** en pantoufles.*
■ HONORÉ DE BALZAC, *Le Père Goriot.*

Chacun reprend un par un les sept locataires de la pension de famille. Mais l'accord du verbe se fait au singulier.

■ Quand le sujet est **on**, le verbe se met au **singulier**.

MAÎTRE JACQUES. — **On** ne **saurait** aller nulle part où *l'on* ne vous **entende** accommoder de toutes pièces ; vous êtes la risée de tout le monde ; et jamais *on* ne **parle** de vous, que sous les noms d'avare, de ladre, de vilain et de fesse-mathieu.

(Un fesse-mathieu est un usurier.) ■ MOLIÈRE, *L'Avare.*

■ Mais l'**adjectif attribut** ou le **participe de la forme passive** peuvent varier en genre et en nombre selon le sens du pronom indéfini.

> _On_ est **content**.
> _On_ signifie _tout le monde, n'importe qui_ : l'accord se fait au singulier et au masculin.

> _On_ est **contents**. _On_ est **contentes**.
> _On_ est l'équivalent de _nous_ : l'accord se fait au masculin pluriel ou au féminin pluriel, selon ce que _on_ représente.

L'accord du verbe avec les groupes nominaux comportant un adverbe de quantité

■ Quand le groupe nominal sujet comprend un adverbe de quantité comme _beaucoup de, peu de, combien de, que de…_ le verbe se met au pluriel.

> _Ô <u>combien de marins, combien de capitaines</u>_
> _Qui sont partis joyeux pour des courses lointaines_
> _Dans ce morne horizon **se sont évanouis** !_
>
> ■ VICTOR HUGO, « Oceano Nox », _Les Rayons et les Ombres_.
>
> _Combien de marins, combien de capitaines_ sont sujets du verbe _se sont évanouis_. Ce verbe est au pluriel.

L'accord du verbe avec les noms collectifs

■ Quand le mot noyau du groupe nominal sujet est une expression représentant un ensemble d'éléments, c'est-à-dire un nom collectif _(la plupart, une foule, l'ensemble…)_, le verbe se met soit au singulier, soit au pluriel. On peut dire : _la plupart pense_ ou _la plupart pensent_.

> _Le peuple hors des murs était déjà posté._
> _<u>La plupart</u> **s'en allaient** chercher une autre terre._
>
> ■ JEAN DE LA FONTAINE, _Les Membres et l'Estomac_.
>
> Dans cet exemple, l'accord se fait au pluriel.

L'accord du verbe avec le pronom relatif sujet *qui*

■ Lorsque l'antécédent du pronom relatif sujet est un pronom personnel, le verbe s'accorde en nombre et en personne avec ce pronom personnel.

*C'est moi qui **vais** dans la salle de bains en premier !*

Qui reprend *moi* et impose au verbe *vais* l'accord à la première personne du singulier.

*C'est toi qui **vas** ranger la vaisselle !*

Qui reprend *toi* et impose au verbe *vas* l'accord à la deuxième personne du singulier.

*Nous qui **sommes** des adultes pouvons regarder la télévision le soir.*

Qui reprend *nous* et impose au verbe *sommes* l'accord à la première personne du pluriel.

*Vous qui **êtes** des enfants devez aller vous coucher.*

Qui reprend *vous* et impose au verbe *êtes* l'accord à la deuxième personne du pluriel.

*Un soir, ma mère m'annonça que dorénavant ce serait moi qui **ferais** les commissions.*   ■ RICHARD WRIGHT, *Black Boy*.

Qui reprend *moi* et impose au verbe *ferais* l'accord à la première personne du singulier.

Résumé

● Le verbe s'accorde en nombre et en personne avec son sujet.

● Lorsqu'il y a plusieurs sujets, le verbe se met au pluriel.

● Dans un groupe nominal, le mot noyau commande l'accord du verbe.

L'ACCORD DU PARTICIPE PASSÉ

Pour accorder le participé passé, il faut se poser quatre questions.
– Le participe est-il employé **seul** ?
– Le participe est-il employé avec l'auxiliaire **être** ou **avoir** ?
– Le participe a-t-il un **COD** ?
– Où est placé ce **COD** ?

231 Le participe passé employé seul, sans auxiliaire

■ Le participe passé employé **seul** s'accorde en **genre** et en **nombre** avec le **nom** auquel il se rapporte.

■ Il a les mêmes fonctions qu'un adjectif :
– épithète ;

> « Vois cette <u>île</u> **composée** de volcans », dit le professeur.
>
> ■ JULES VERNE, *Voyage au centre de la Terre.*

– apposé ;

> **Bercées** par le grondement des vagues, <u>elles</u> dormaient d'un profond sommeil.
>
> ■ NATHANIEL HAWTHORNE, *Les Héros de la mythologie grecque.*

– attribut.

> Les deux <u>crabes</u> ne parurent pas du tout **gênés** par l'arrivée de Robinson, et ils poursuivirent tranquillement leur bruyant travail.
>
> ■ MICHEL TOURNIER, *Vendredi ou la Vie sauvage.*

232 Le participe passé employé avec l'auxiliaire *être*

■ Le participe passé employé avec l'auxiliaire **être** s'accorde en **genre** et en **nombre** avec le **sujet**.

*Grand-mère et moi, nous **fûmes convoqués** dans son bureau.* ■ ROALD DAHL, *Sacrées Sorcières.*

Le narrateur de l'histoire est un petit garçon. *Nous* représente donc un masculin et un féminin. Le masculin l'emporte. L'accord du participe passé se fait au masculin pluriel.

Pour aller plus loin

Dans quels cas emploie-t-on l'auxiliaire *être* ?

■ Le participe passé est employé avec l'auxiliaire **être** pour former la **tournure passive**.

*Les êtres vivants **sont emportés** par l'onde.* ■ OVIDE, *Les Métamorphoses.*

■ Le participe passé est employé avec l'auxiliaire **être** pour former les **temps composés** des **verbes intransitifs** : *aller, arriver, venir, sortir, naître…*

*Jeudi après-midi, toute la classe **est allée** au cirque.*

■ JEAN-JACQUES SEMPÉ et RENÉ GOSCINNY, *Histoires inédites du Petit Nicolas.*

233 Le participe passé employé avec l'auxiliaire *avoir*

■ Le participe passé employé avec l'auxiliaire **avoir ne s'accorde jamais avec le sujet**.

*Les femmes, **ayant posé** à leurs pieds leurs grands paniers, en **avaient tiré** leurs volailles qui gisaient par terre, liées par les pattes, l'œil effaré, la crête écarlate.*

■ GUY DE MAUPASSANT, *La Ficelle.*

Les participes passés *posé* et *tiré* ne s'accordent pas avec le sujet *les femmes*.

■ Il s'accorde en **genre** et en **nombre** avec le **COD** si celui-ci est placé avant le verbe, c'est-à-dire **antéposé**. Le COD antéposé peut être :

– un pronom relatif ;

*Les statues que cet artiste a **sculptées** sont superbes.*

Que, pronom relatif qui a pour antécédent *statues* (féminin pluriel), est COD du verbe *a sculptées* et il est antéposé. L'accord du participe passé se fait au féminin pluriel.

– un pronom personnel ;

*Avant d'entrer dans le cirque, la maîtresse nous a **comptés**, et elle a vu qu'il en manquait un, c'était Alceste, qui était allé acheter de la barbe à papa.*

■ Jean-Jacques Sempé et René Goscinny, *Histoires inédites du Petit Nicolas.*

Nous, pronom personnel représentant *les élèves*, est COD du verbe *a comptés* et il est antéposé. L'accord se fait au masculin pluriel.

– un groupe nominal avec un déterminant interrogatif ou exclamatif.

*Quelles couleurs as-tu **choisies** pour ton dessin ?*
*Quelle belle robe tu as **portée** ce soir-là !*

Attention

Le pronom relatif *que* ne représente pas toujours un COD.
Il existe des formes trompeuses ! Le pronom relatif **que** peut représenter un complément circonstanciel. Dans ce cas, il n'y a pas d'accord du participe passé.

*Les heures que j'**ai passé** à t'attendre ont été interminables.*
Les heures est un complément circonstanciel de temps marquant la durée et non un COD.

? Pourquoi

D'où vient la règle d'accord du participe passé avec le COD ?

La règle d'accord du participe passé lorsque le COD est placé avant lui nous vient de Clément Marot, poète français du XVIe siècle, qui s'inspirait d'un phénomène de la langue italienne. Merci Monsieur Marot !

(234) Le participe passé des verbes pronominaux

■ Le participe passé des verbes pronominaux s'accorde avec le **pronom réfléchi** *(me, te, se, nous, vous, se)* lorsque celui-ci est un **COD**.

> *Elle s'est regardée dans le miroir.*
> S'est un COD placé avant le participe, il y a donc accord.

> *Les deux soldats se sont entretués.*
> Se est un COD placé avant le participe, il y a donc accord.

■ Il reste **invariable** lorsque le **pronom réfléchi** est un **COI**.

> *Tu t'es lavé les pieds ? Tu t'es coupé les ongles ?*
> ■ MARCEL PAGNOL, *La Gloire de mon père.*
> T' correspond à *à toi*, COI des verbes *es lavé* et *es coupé* : il n'y a pas d'accord.

■ Il **s'accorde avec le sujet** quand le **pronom réfléchi** est employé avec des **verbes essentiellement pronominaux** (qui n'existent qu'à la forme pronominale) ou avec les verbes **pronominaux à sens passif**.

> *Elles se sont souvenues de leur leçon.*
> Se souvenir est un verbe essentiellement pronominal. Il y a donc accord du participe passé avec le sujet *elles.*

> *Les baguettes se sont bien vendues.*
> Se vendre est un verbe pronominal à sens passif. Il y a donc accord du participe passé avec le sujet *les baguettes.*

💡 Astuce

Pour trouver le COD des verbes pronominaux, on peut essayer de les transformer en employant l'auxiliaire *avoir*.

> *Ils se sont regardés.*
> ➲ Ils ont regardé eux-mêmes. *Eux-mêmes* est COD, il y a donc accord du participe passé.

> *Ils se sont succédé.*
> ➲ Ils ont succédé à eux-mêmes. *À eux-mêmes* est COI, il n'y a donc pas d'accord du participe passé.

> *Elles se sont donné une heure.*
> ➲ Elles ont donné une heure à elles-mêmes. *À elles-mêmes* est COS et le COD, *heure*, est placé après le verbe, il n'y a donc pas d'accord du participe passé.

> *Elles se sont évanouies.*
> La tournure avec l'auxiliaire *avoir* est impossible. *Se* ne représente rien car il s'agit d'un verbe essentiellement pronominal. Il y a donc accord du participe passé.

235 Le participe passé suivi d'un infinitif

■ Lorsque le participe passé est suivi d'un infinitif, il n'y a pas d'accord si c'est l'infinitif qui a un COD.

> *Les arbres qu'il **a vu** couper étaient immenses.*
> Arbres est COD du verbe *couper* et non du verbe *a vu*, il n'y a donc pas d'accord du participe passé.

■ Lorsque le participe passé est suivi d'un infinitif, si c'est le **participe** qui a un COD et que ce COD est placé avant, le participe s'accorde avec ce COD.

> *Les musiciens que j'**ai entendus** jouer hier au concert étaient formidables.*
> Les musiciens est COD du verbe *ai entendus*. Ce GN est antéposé au verbe, il y a donc accord du participe passé.

236 Le participe passé des verbes *faire, laisser, devoir, pouvoir, vouloir* suivi d'un infinitif

■ Lorsque le participe passé des verbes **faire**, **laisser**, **devoir**, **pouvoir**, **vouloir** est suivi d'un infinitif, il n'y a jamais d'accord, quelle que soit la place du COD.

> *Il **a pu** commettre des fautes.*
> *Les fautes qu'il **a pu** commettre ne sont pas graves.*
> *Il **a laissé** pourrir des pommes.*
> *Les pommes qu'il **a laissé** pourrir ne sont pas bonnes.*
> *Il **a fait** rentrer des personnes chez lui.*
> *Les personnes qu'il **a fait** rentrer chez lui sont ses invités.*

237 Le participe passé précédé du pronom *en*

■ Le participe passé ne s'accorde pas quand le COD antéposé est le pronom **en**.

J'en ai connu beaucoup de ces maîtres d'autrefois.

■ MARCEL PAGNOL, *La Gloire de mon père.*

En représente *ces maîtres*, mot au masculin pluriel ; pourtant, il n'y a pas d'accord du participe passé.

Pour aller plus loin

Pourquoi n'y a-t-il pas d'accord avec le pronom *en* ?

En est un pronom invariable à valeur neutre ; il ne contient donc pas de marque de genre ni de nombre. Il est logique qu'il n'y ait pas d'accord grammatical.

---

238 Le participe passé précédé du pronom *le*

■ Le participe passé est au masculin singulier quand le COD antéposé est le pronom **le** mis pour une proposition.

Sa réussite n'était pas aussi brillante que nous l'avions imaginé.

L' représente la proposition sous-entendue *que sa réussite était brillante* ; le participe passé se met au masculin singulier, comme *le*.

R é s u m é

● Le participe passé employé comme adjectif s'accorde avec le nom auquel il se rapporte.

● Le participe passé employé avec l'auxiliaire *être* s'accorde avec le sujet.

● Le participe passé employé avec l'auxiliaire *avoir* ne s'accorde jamais avec le sujet, mais s'accorde avec le COD quand celui-ci est placé avant le verbe.

L'ACCORD DE *TOUT* ET DE *MÊME*

Tout le monde a les *mêmes* problèmes pour accorder *tout* et *même* !

239 Comment s'accorde le mot *tout* ?

■ Les règles d'accord du mot **tout** varient selon la nature de ce mot. **Tout** est à la fois un déterminant, un pronom indéfini et un adverbe.

■ Comme **déterminant** :
– **tout** peut être utilisé seul au singulier ; il est l'équivalent de **chaque** ; il s'accorde alors en genre : *tout homme*, **toute** *chose* ;
– il peut être utilisé avec un autre déterminant, au singulier ou au pluriel ; il signifie **tout entier** ; il s'accorde alors en genre et en nombre avec le nom auquel il se rapporte : *tout le monde*, **toute** *la foule*, **tous** *ces gens*, **toutes** *ces statues*.

> **Tous les mots** *que j'avais à dire se sont changés en étoiles*
> ■ GUILLAUME APOLLINAIRE, « Je n'ai plus même pitié de moi », *Alcools*.

■ Comme **pronom indéfini** :
– **tout** peut être l'équivalent de **toute chose** ; il reste invariable ;
> *Tout* est clair.
– il peut être un pronom représentant un élément pluriel du contexte. Il s'accorde en genre et en nombre avec ce qu'il représente.

> *Ils ne mouraient pas* **tous**, *mais* **tous** *étaient frappés.*
> ■ JEAN DE LA FONTAINE, *Les Animaux malades de la peste*.

■ Comme **adverbe**, **tout** est l'équivalent de **tout à fait**, **entièrement**.
Il est invariable devant un adjectif ou un participe au masculin pluriel.

> *des arbres* **tout** *verts*

Il s'accorde en genre et en nombre devant un adjectif ou un participe au féminin.

> *des feuilles* **toutes** *vertes*

Devant un nom féminin commençant par une voyelle, **tout** reste invariable, mais on tolère aujourd'hui l'accord : on peut dire *tout entière* ou *toute entière*.

> *C'est Vénus **tout entière** à sa proie attachée.*
>
> ■ JEAN RACINE, *Phèdre.*

240 Comment s'accorde le mot *même* ?

■ Les règles d'accord du mot **même** varient selon la nature de ce mot. **Même** est à la fois un déterminant indéfini et un adverbe.

■ Comme **déterminant**, **même** s'accorde en nombre avec le nom ou le pronom auquel il se rapporte : *les mêmes fleurs, nous-mêmes.*

> *Ils battent **au même rythme** pour **la même besogne** tous ces cœurs*
>
> ■ ROBERT DESNOS, « Ce cœur qui haïssait la guerre », *Destinée arbitraire.*

■ Comme **adverbe**, **même** est invariable. Il signifie **aussi, de plus, encore plus**. On peut le déplacer dans la phrase.

> *__Même__ les arbres ont perdu leurs couleurs.*
> *Les arbres __même__ (aussi) ont perdu leurs couleurs.*

R é s u m é

● Les règles d'accord des mots *tout* et *même* varient selon leur nature : déterminant, pronom indéfini ou adverbe.

LES PRINCIPAUX HOMOPHONES GRAMMATICAUX

*J'ai mieux mangé que toi, **ce** soir.*
*Comment ça **se** fait ?*
D'habitude, c'est toi qui manges
*le plus. **Ce** n'est pas l'appétit*
qui te manque.
■ EUGÈNE IONESCO, *La Cantatrice chauve.*

Pour savoir s'il faut écrire *ce* ou *se*,
il faut apprendre à distinguer
les homophones grammaticaux.

241 a / à

■ On écrit **a** quand il s'agit du verbe ou de l'auxiliaire **avoir**. Pour le reconnaître, on peut le remplacer par l'imparfait **avait**.

Il a treize ans. Il *avait* treize ans.
Il a rencontré des amis. Il *avait* rencontré des amis.

■ On écrit **à** quand il s'agit de la préposition. On ne peut pas la remplacer par **avait**.

*Il habite **à** Paris.*

⊘ Il habitait *avait* Paris.

*Nous avons rendez-vous **à** deux heures.*

⊘ Nous avons rendez-vous *avait* deux heures.

242 ce / se

■ On écrit **ce** :
– lorsqu'il s'agit du déterminant démonstratif employé devant un nom masculin singulier. Pour le reconnaître, on peut remplacer le nom masculin par un nom féminin ; **ce** devient alors **cette** ;

Ce chien est fort beau.
Cette chienne est fort belle.

– lorsqu'il s'agit du pronom démonstratif employé devant le verbe **être** ou devant un pronom relatif. Dans ces deux cas, pour le reconnaître, on peut remplacer **ce** par **cela**.

> *Ce n'est pas très aimable de votre part.*
> Cela n'est pas très aimable de votre part.

> *Ce qui me plaît chez lui, c'est son humour.*
> Cela qui me plaît chez lui, c'est son humour.

■ On écrit **se** uniquement devant un verbe pronominal ; il s'agit alors du pronom personnel réfléchi de la troisième personne. Pour le reconnaître, on peut conjuguer le verbe pronominal à une autre personne ; **se** devient alors **me, te**…

> *Il **se** promène souvent par ici.* Je me promène, tu te promènes…

243 ces / ses

■ On écrit **ces** quand il s'agit du déterminant démonstratif au pluriel. Pour le reconnaître, on peut mettre le nom auquel il se rapporte au singulier ; **ces** devient alors **ce, cet** ou **cette**.

> *Ces pommes me font envie.* Cette pomme me fait envie.

■ On écrit **ses** quand il s'agit du déterminant possessif au pluriel ; il indique à qui appartient quelque chose (*ses* signifie *les siens, les siennes*). Pour le reconnaître, on peut mettre le nom auquel il se rapporte au singulier ; **ses** devient alors **son** ou **sa**.

> *Elle mit **ses** plus beaux vêtements.* Elle mit sa plus belle robe.

244 c'est / s'est

■ On écrit **c'est** devant un nom ou un groupe nominal, un adjectif ou un pronom (*c'* est la forme élidée du démonstratif *ce*). Pour le reconnaître, on peut le remplacer par **cela**. La forme négative est : **ce n'est pas.**

> *C'est une affaire sérieuse.*
> Cela est une affaire sérieuse.

> *C'est triste.*
> Cela est triste.

> *C'est lui que tu as vu.*
> Ce n'est pas lui que tu as vu.

■ On écrit **s'est** seulement devant un participe passé ; il s'agit alors d'un verbe pronominal (*s'* est la forme élidée du pronom réfléchi *se*). Pour le reconnaître, on peut conjuguer le verbe à une autre personne ; **s'** devient alors **me, t'**... La forme négative est : **ne s'est pas**.

> *Il s'est amusé.*
> Je *me* suis amusé, tu *t'*es amusé...
> *Elle ne s'est pas entendue avec lui.*
> Je ne *me* suis pas entendue avec lui.

245 est / et

■ On écrit **est** quand il s'agit du verbe ou de l'auxiliaire **être**. Pour le reconnaître, on peut le remplacer par l'imparfait **était**.

> *Il est très surpris.* Il *était* très surpris.
> *Elle est arrivée.* Elle *était* arrivée.

■ On écrit **et** quand il s'agit de la conjonction de coordination. On ne peut pas la remplacer par **était**.

> *C'est un homme riche et puissant.*
> ⊖ C'est un homme riche *était* puissant.

246 la / l'a / là

■ On écrit **la** :
– quand il s'agit du déterminant défini employé devant un nom féminin. Pour le reconnaître, on peut remplacer le nom féminin par un nom masculin ; **la** devient alors **le** ;

> *La chatte dormait au soleil.*
> *Le* chat dormait au soleil.

– quand il s'agit du pronom personnel féminin employé devant un verbe. Pour le reconnaître, on peut le remplacer par le pronom masculin **le**.

> *Cette voiture me plaît ;*
> *je la veux.*
> Ce collier me plaît ; je *le* veux.

■ On écrit **l'a** quand il s'agit du verbe ou de l'auxiliaire **avoir** conjugué et précédé d'un pronom personnel. Pour le reconnaître, on peut le remplacer par l'imparfait **l'avait**.

*Cette voiture, il **l'a** depuis deux jours.*
Cette voiture, il *l'avait* depuis deux jours.

*Ce livre, il **l'a** lu plus d'une fois.*
Ce livre, il *l'avait* lu plus d'une fois.

■ On écrit **là** quand il s'agit de l'adverbe de lieu. Pour le reconnaître, on peut le remplacer par **ici** ou un complément de lieu.

*C'est **là** que nous nous sommes rencontrés.*
C'est *ici* (c'est *dans cette ville*) que nous nous sommes rencontrés.

247 leur / leurs

■ **Leur** ne prend jamais de **s** quand il est devant un verbe. Il s'agit du pronom personnel au pluriel. Pour le reconnaître, on peut le remplacer par le pronom singulier **lui**.

*Il **leur** a parlé.* Il *lui* a parlé.

■ On écrit également **leur** quand il s'agit du déterminant possessif employé devant un nom singulier. Pour le reconnaître, on peut le remplacer par **sa** ou **son**.

*****Leur** maison était spacieuse.* Sa maison était spacieuse.
*Ils avaient écourté **leur** voyage.* Il avait écourté *son* voyage.

■ On écrit **leurs** quand il s'agit du déterminant possessif employé devant un nom pluriel. Pour le reconnaître, on peut le remplacer par **ses**.

*****Leurs** amis les avaient aidés.* Ses amis l'avaient aidé.

248 ni / n'y

■ On écrit **ni** quand il s'agit de la conjonction de coordination. Pour la reconnaître, on peut mettre la phrase à la forme affirmative ; **ni** devient alors **et**.

*Il ne riait **ni** ne pleurait.* Il riait *et* il pleurait.
*Il ne voulait **ni** bonbons **ni** chocolat.*
Il voulait des bonbons *et* du chocolat.

■ On écrit **n'y** quand il s'agit du pronom adverbial **y** précédé de la négation **n'**. Pour le reconnaître, on peut le remplacer par **à cela, à ce, dans cela, dans ce**... À la différence de **ni**, **n'y** peut toujours être précédé d'un pronom personnel sujet *(je, tu, il...)*.

> *Sophie **n'y** comprenait rien.*
> *Elle* ne comprenait rien *à cela.*

> *Il **n'y** faisait guère chaud.*
> Il ne faisait guère chaud *dans ce* pays.

249 ou / où

■ On écrit **ou** quand il s'agit de la conjonction de coordination. Pour la reconnaître, on peut la remplacer par **ou bien**.

> *Préfères-tu la mer **ou** la montagne ?*
> Préfères-tu la mer *ou bien* la montagne ?

■ On écrit **où** quand il s'agit d'un adverbe interrogatif de lieu ou d'un pronom relatif qui introduit une subordonnée relative. On ne peut pas le remplacer par **ou bien**.

> *__Où__ irons-nous en vacances ?*
> ⊖ *Ou bien* irons-nous en vacances ?

> *Voici le chalet **où** j'ai passé mon enfance.*
> ⊖ Voici le chalet *ou bien* j'ai passé mon enfance.

250 on / ont

■ On écrit **ont** quand il s'agit du verbe ou de l'auxiliaire **avoir**. Pour le reconnaître, on peut le remplacer par l'imparfait **avaient**.

> *Nos voisins **ont** un nouveau chien.*
> Nos voisins *avaient* un nouveau chien.

> *Les spectateurs **ont** applaudi à tout rompre.*
> Les spectateurs *avaient* applaudi à tout rompre.

■ On écrit **on** quand il s'agit du pronom personnel ou du pronom indéfini. On ne peut pas le remplacer par **avaient**.

> *__On__ a tous eu très peur.* ⊖ *Avaient* tous eu très peur.

251 peux / peut / peu

■ On écrit **peux** ou **peut** quand il s'agit du présent de l'indicatif du verbe **pouvoir** à la deuxième personne *(peux)* ou à la troisième personne *(peut)* du singulier. Pour le reconnaître, on peut le remplacer par l'imparfait **pouvais** ou **pouvait**.

> *Tu **peux** partir quand tu veux.*
> Tu *pouvais* partir quand tu voulais.
>
> *Il ne **peut** rien faire comme tout le monde.*
> Il ne *pouvait* rien faire comme tout le monde.

■ On écrit **peu** quand il s'agit de l'adverbe de quantité ; il est invariable et on ne peut pas le remplacer par **pouvait**.

> *Il y avait fort **peu** de dégâts.*
> ● Il y avait fort *pouvait* de dégâts.

252 peut être / peut-être

■ On écrit **peut être** quand il s'agit du verbe **pouvoir** suivi du verbe **être**. Pour le reconnaître, on peut le remplacer par l'imparfait **pouvait être**.

> *Malgré sa blessure, il **peut être** efficace sur le terrain.*
> Malgré sa blessure, il *pouvait* être efficace sur le terrain.

■ On écrit **peut-être** quand il s'agit de l'adverbe signifiant probablement. On ne peut pas le remplacer par **pouvait être**.

> *Il a **peut-être** oublié.*
> ● Il a *pouvait* être oublié. Il a *probablement* oublié.

253 plus tôt / plutôt

■ On écrit **plus tôt** quand il s'agit du comparatif de l'adverbe **tôt**, le contraire de **tard**.
Pour le reconnaître, on peut le remplacer par **plus tard**.

> *La prochaine fois, arrivez **plus tôt**.*
> La prochaine fois, arrivez *plus tard*.

■ On écrit **plutôt** quand il s'agit de l'adverbe qui exprime une préférence. Pour le reconnaître, on peut le remplacer par **de préférence**.

*Prenez **plutôt** ces pneus ; ils sont de meilleure qualité.*
Prenez *de préférence* ces pneus ; ils sont de meilleure qualité.

254 près / prêt

■ On écrit **près** quand il s'agit de l'adverbe ou de la préposition exprimant la proximité dans le lieu ou le temps. Il est invariable. Employé comme préposition, **près** est suivi de **de**.

*L'homme s'était assis tout **près**.* Près signifie *à côté.*
*Il était **près de** partir, quand elle arriva.*
Près de signifie *sur le point de.*

■ On écrit **prêt** quand il s'agit de l'adjectif qualificatif qui signifie **préparé** ou **disposé à**. Pour le reconnaître, on peut le mettre au féminin : **prête**. **Prêt** s'emploie avec la préposition **à**.

*Nous sommes **prêts** depuis plus d'une heure.*
Nous sommes *prêtes...*

*Je suis **prêt à** vous rendre service.* Je suis *prête à...*

255 quand / quant / qu'en

■ On écrit **quand** lorsqu'il s'agit de l'adverbe interrogatif ou de la conjonction de subordination. Pour le reconnaître, on peut le remplacer par **à quel moment** ou par **lorsque**.

***Quand** rentres-tu ?*
À quel moment rentres-tu ?

*Les oiseaux s'envolèrent, **quand** la détonation retentit.*
Les oiseaux s'envolèrent, *lorsque* la détonation retentit.

■ On écrit **quant** lorsqu'il s'agit de la préposition. Elle est toujours suivie de **à** ou **au(x)**. Pour la reconnaître, on peut la remplacer par **en ce qui concerne**.

***Quant à** moi, je ne crois pas pouvoir venir.*
En ce qui me concerne, je ne crois pas pouvoir venir.

***Quant aux** enfants, ils devront partir chez leur père.*
En ce qui concerne les enfants, ils devront partir chez leur père.

■ On écrit **qu'en** lorsqu'il s'agit de la conjonction de subordination ou du pronom **que** suivi de la préposition ou de l'adverbe **en**. Pour le reconnaître, on peut le remplacer par **que... de cela** ou le décomposer en *que en*.

> *Qu'en a-t-il pensé ?* Qu'a-t-il pensé *de cela ?*
>
> *Rien qu'en le voyant, j'ai compris qu'il était coupable.*
> Rien que en le voyant, j'ai compris qu'il était coupable.

256 qu'elle / quel(s) / quelle(s)

■ On écrit **qu'elle** quand il s'agit de la conjonction de subordination ou du pronom relatif **que** suivi du pronom personnel **elle**. Pour le reconnaître, on peut le remplacer par **qu'il**.

> *Je pense qu'elle viendra.*
> Je pense qu'il viendra.
>
> *C'est une erreur qu'elle commet souvent.*
> C'est une erreur qu'il commet souvent.

■ On écrit **quel(s)** ou **quelle(s)** quand il s'agit du déterminant interrogatif ou exclamatif qui s'accorde avec le nom auquel il se rapporte. On ne peut pas le remplacer par **qu'il**.

> *Quelle belle robe !* ⊘ Qu'il belle robe !
> *Quel temps fait-il ?* ⊘ Qu'il temps fait-il ?

257 quel(s) que / quelle(s) que / quelque(s)

■ On écrit **quel(s) que** ou **quelle(s) que** quand il s'agit de la locution suivie du verbe **être** au subjonctif. Dans ce cas, **quel** s'accorde en genre et en nombre avec le nom qui suit le verbe **être**.

> *Quels que soient <u>les résultats</u>, tu dois poursuivre.*
>
> *Quelle que soit <u>votre intention</u>, nous ne sortirons pas d'ici.*

■ On écrit **quelques** quand il s'agit du déterminant indéfini qui précède un nom au pluriel. Pour le reconnaître, on peut le remplacer par **plusieurs** ou **des**.

> *Quelques personnes attendaient dans le hall.*
> Des (plusieurs) personnes attendaient dans le hall.

■ On écrit **quelque** :
– quand il s'agit du déterminant indéfini qui précède un nom au singulier. Pour le reconnaître, on peut le remplacer par **un, un certain, un quelconque** ;

*Dans cette affaire, j'ai eu **quelque** inquiétude.*
Dans cette affaire, j'ai eu *une certaine* inquiétude.

– quand il s'agit d'un adverbe ; il est alors invariable et on peut le remplacer par **environ** ou **si**.

*Il y avait **quelque** deux cents personnes.*
Il y avait *environ* deux cents personnes.

***Quelque** sympathiques qu'ils soient, ils ne m'inspirent guère confiance.*
Si sympathiques soient-ils, ils ne m'inspirent guère confiance.

258 quoique / quoi que

■ On écrit **quoique** quand il s'agit de la conjonction de subordination. Pour la reconnaître, on peut la remplacer par **bien que**.

***Quoiqu'**il pleuve, Bernard part faire son jogging.*
*Bien qu'*il pleuve, il part faire son jogging.

■ On écrit **quoi que** quand il s'agit du pronom relatif composé qui signifie *quelle que soit la chose que*. On ne peut pas le remplacer par **bien que**.

***Quoi que** tu dises, tu auras raison.*
○ *Bien que* tu dises, tu auras raison.

259 sans / s'en

■ On écrit **sans** quand il s'agit de la préposition qui exprime le manque, la privation ; elle est le contraire de **avec**. On la rencontre devant un nom ou un infinitif.

*Ils sont arrivés **sans** un bruit.*

*Elles sont parties **sans** dire au revoir.*

■ On écrit **s'en** quand il s'agit du pronom personnel réfléchi (*s'* est la forme élidée de *se*) suivi du pronom adverbial **en**. **S'en** ne se rencontre que devant un verbe pronominal. Pour le reconnaître, on peut conjuguer le verbe à une autre personne : **s'en** devient alors **m'en, t'en**…

*De toute façon, il **s'en** moque complètement.*

Je *m'en* moque, tu *t'en* moques…

*Il ne pourra jamais **s'en** servir.*

Tu ne pourras jamais *t'en* servir.

260 son / sont

■ On écrit **son** quand il s'agit du déterminant possessif qui indique à qui appartient quelque chose. Pour le reconnaître, on peut le remplacer par **sa** ou **ses**.

***Son** chien était un superbe animal.*

Sa chienne, *ses* chiens…

■ On écrit **sont** quand il s'agit du verbe ou de l'auxiliaire **être**. On peut le remplacer par l'imparfait **étaient**.

*Ils **sont** en retard.*

Ils *étaient* en retard.

*Elles **sont** venues nous voir.*

Elles *étaient* venues nous voir.

LES TERMINAISONS VERBALES HOMOPHONES

*Cela **fait**, il ét**ait** habillé, peigné, coiffé, préparé et parfumé, pendant quoi on lui répét**ait** les leçons du jour précédent.*

■ FRANÇOIS RABELAIS, *Gargantua.*

Il ne faut pas confondre les terminaisons verbales en *-ait*, comme *fait, était, répétait*, et les terminaisons verbales en *-é*, comme *habillé, peigné, coiffé, préparé, parfumé*, même si elles sont homophones, puisqu'on entend presque le même son à la fin du mot.

261 Les terminaisons en *-ez, -er, -é, -ai, -ais, -ait*

■ Plusieurs terminaisons verbales contiennent le son é [e] ou le son ê [ɛ] : les terminaisons en *-ez, -er, -é, -ai, -ais* et *-ait*.
À l'oral, les deux sons ont tendance à se confondre. Cela crée une **homophonie** entre plusieurs formes du verbe qu'il faut bien distinguer.

■ **-ez** ne peut être que la terminaison de la deuxième personne du pluriel ; cette terminaison est donc toujours associée au pronom personnel **vous** (sauf à l'impératif où le pronom est absent).
Pour reconnaître la deuxième personne du pluriel, on peut la remplacer par la première personne du pluriel.

*<u>Vous</u> vous **flattez** beaucoup, et <u>vous</u> **devez** savoir*
Que qui sert bien son roi ne fait que son devoir.
*<u>Vous</u> vous **perdrez**, Monsieur, sur cette confiance.*

■ PIERRE CORNEILLE, *Le Cid.*

On pourrait dire : *Nous nous flattons beaucoup et nous devons savoir…*
Nous nous perdrons…

■ **-er** est la terminaison de l'infinitif des verbes du premier groupe. On trouve l'infinitif après les prépositions, après un premier verbe (autre qu'un auxiliaire) et comme sujet.

Il refuse de parler. (infinitif après une préposition)
Il faut manger pour vivre. (infinitif après un autre verbe)
Se tromper est humain. (infinitif sujet)

Pour reconnaître le verbe à l'infinitif, on peut le remplacer par un verbe du troisième groupe à l'infinitif.

Mais un jour deux hirondelles ont volé jusqu'à Tintagel pour y porter l'un de tes cheveux d'or. ■ *Le Roman de Tristan et Iseut.*
L'infinitif *porter* est construit après la préposition *pour*. On pourrait dire : *pour y prendre l'un de tes cheveux d'or.*

Pour construire un poème
Il faut briser le temps ■ GEORGES JEAN, *Les Mots du ressac.*
L'infinitif *briser* suit un premier verbe, *faut*. On pourrait dire : *il faut prendre le temps.*

■ **-é** (ou **-ée, -és, -ées**) est la terminaison du participe passé des verbes du premier groupe. On trouve le participe :

– après les auxiliaires **être** ou **avoir** pour les temps composés ;
Elle est tombée. Nous avions oublié.

– après l'auxiliaire **être** pour les formes passives et pronominales ;
Vous serez trompés.

– employé seul (sans auxiliaire) comme épithète ou apposé d'un nom.
Le soldat, assommé, tomba à la renverse.

Pour reconnaître le verbe au participe, on peut le remplacer par un verbe du troisième groupe au participe.

J'ai frappé à ta porte
J'ai frappé à ton cœur
pour avoir bon lit
pour avoir bon feu ■ RENÉ PHILOMBE, « L'homme qui te ressemble », *Petites Gouttes de chant pour créer l'homme.*
Le participe *frappé* suit l'auxiliaire *ai*. On pourrait dire : *J'ai couru à ta porte.*

Deux Coqs vivaient en paix : une Poule survint,
Et voilà la guerre allumée.
■ JEAN DE LA FONTAINE, *Les Deux Coqs.*
Le participe *allumée* est épithète du nom *guerre*. On pourrait dire : *Et voilà la guerre éteinte.*

Pour distinguer les formes **-é,-és, -ée, -ées,** il faut connaître les règles d'accord du participe passé. (→ 231-238)

■ **-ai** est la terminaison de la première personne du singulier du passé simple des verbes du premier groupe.
Pour reconnaître le verbe au passé simple, on peut le conjuguer à la deuxième personne du singulier du passé simple.

> *Je **demeurai** quelques minutes à contempler sa silhouette merveilleuse.*   ■ PROSPER MÉRIMÉE, *La Vénus d'Ille.*
> On pourrait dire : *Tu demeuras quelques minutes...* À la deuxième personne du singulier, il n'y a plus d'homophonie.

■ **-ais** est la terminaison de la première et de la deuxième personne de l'imparfait de l'indicatif pour tous les groupes de verbes.
Pour reconnaître le verbe à l'imparfait, on peut le conjuguer à une autre personne de l'imparfait de l'indicatif (*nous, vous*).

> *J'**étais** moi-même un homme à habitudes régulières, et je n'**aimais** guère être dérangé à des heures indues.*
> ■ CONAN DOYLE, « Le Ruban moucheté », *Trois Aventures de Sherlock Holmes.*
> On pourrait dire : *Nous étions nous-mêmes... nous n'aimions guère...* À la première ou à la deuxième personne du pluriel, il n'y a plus d'homophonie.

■ **-ait** est la terminaison de la troisième personne de l'imparfait de l'indicatif. La terminaison **-t** est toujours une marque de la troisième personne.

> *Chaque jour au retour de sa promenade il **demandait** si aucun marin n'**était** passé sur la route.*
> ■ ROBERT LOUIS STEVENSON, *L'Île au trésor.*

262 Les terminaisons en *-rai* et *-rais*

■ **-rai** est la terminaison de la première personne du singulier de l'indicatif futur pour les trois groupes de verbes : *j'aimerai, je finirai, je prendrai.*

■ **-rais** est la terminaison de la première personne du conditionnel présent pour les trois groupes de verbes : *j'aimerais, je finirais, je prendrais.*

■ Pour distinguer ces deux homophones, on peut les conjuguer à la deuxième personne du singulier car alors les formes du futur et du conditionnel ne sont pas homophones : *je dirai, tu diras* (futur) ; *je dirais, tu dirais* (conditionnel).

*ÉLISE. — Je me **tuerai** plutôt que d'épouser un tel mari.*
*HARPAGON. — Tu ne te **tueras** point, et tu l'épouseras.*
■ MOLIÈRE, *L'Avare.*

La réponse d'Harpagon confirme bien que *tuerai* est un futur et non un conditionnel.

263 Les terminaisons en -*i*, -*is*, -*it*

■ Plusieurs terminaisons verbales contiennent le son i [i].

*Mme Forestier alla vers son armoire à glace, **prit** un large coffret, l'apporta, l'**ouvrit**, et **dit** à Mme Loisel : « **Choisis**, ma chère. »* ■ GUY DE MAUPASSANT, *La Parure.*

■ Ces terminaisons peuvent être :
– des présents de l'indicatif des verbes du deuxième groupe *(finir)* et de certains verbes du troisième groupe *(dire)* aux trois personnes du singulier ;

je finis, tu finis, il finit   je dis, tu dis, il dit

– des impératifs des verbes du deuxième groupe *(finir)* et de certains verbes du troisième groupe *(dire)* à la deuxième personne du singulier ;

finis, dis

– des passés simples de l'indicatif des verbes du deuxième groupe *(finir)* et de certains verbes du troisième groupe *(dire, prendre, faire, etc.)* aux trois personnes du singulier ;

je finis, tu finis, il finit   je dis, tu dis, il dit

je pris, tu pris, il prit   je fis, tu fis, il fit

– des participes passés des verbes du deuxième groupe *(finir)* et de certains verbes du troisième groupe *(dire, prendre, etc.)*. Ils peuvent se terminer par **-i**, par **-is** ou par **-it** : *fini, pris, écrit.*

Astuce

Les participes passés peuvent être distingués des autres formes s'ils sont mis au féminin.

On voit alors s'ils sont terminés par une consonne ou non, et si oui par quelle consonne.

Le livre que j'ai pris à la bibliothèque est passionnant.

Au féminin, on aurait : *La photo que j'ai prise*. Donc, *pris* s'écrit *-is*.

264 Les terminaisons en *-u, -us, -ue, -ut*

■ Plusieurs terminaisons verbales contiennent le son **u** [y].

*Le chat ne l'**eut** pas plus tôt **aperçue** qu'il se jeta dessus, et la mangea.*   ■ CHARLES PERRAULT, *Le Chat botté.*

■ Ces terminaisons peuvent être :

– des présents de l'indicatif des verbes du troisième groupe comme *conclure* aux trois personnes du singulier ;

je conclus, tu conclus, il conclut

– des impératifs des verbes du troisième groupe comme *conclure* à la deuxième personne du singulier ;

conclus

– des passés simples de certains verbes du troisième groupe ;

plaire : je plus ; lire : je lus ; devoir : je dus ; boire : je bus
croire : je crus ; conclure : je conclus ; vivre : je vécus
plaire : je plus, tu plus, il plut
lire : je lus, tu lus, il lut
conclure : je conclus, tu conclus, il conclut

– des participes passés de certains verbes du troisième groupe.

plaire : plu ; lire : lu(e) ; devoir : dû(ue) ; boire : bu(e)
croire : cru(e) ; conclure : conclu(e) ; vivre : vécu(e)

Attention

Il faut faire attention au participe passé en -*u*.
Un participe passé en -**u** ne se termine jamais par -**t** ni par -**s**.
Que marque la terminaison -*t* ?
Au présent comme au passé simple de tous les verbes, la terminaison -**t** est toujours une marque de la troisième personne.
Quelles sont les formes identiques au présent et au passé simple ?
Certains verbes ont exactement les mêmes formes aux trois personnes du singulier du présent de l'indicatif et du passé simple de l'indicatif : *je finis* (présent ou passé simple) ; *je conclus* (présent ou passé simple).

R é s u m é

● Pour ne pas confondre les terminaisons verbales qui contiennent le son *é* [e] ou *ê* [ɛ], il faut :
– leur substituer un verbe du troisième groupe ;
– les conjuguer à d'autres personnes.

● Pour ne pas confondre les terminaisons verbales qui contiennent le son *i* [i] ou le son *u* [y], il faut :
– distinguer les formes personnelles des participes ;
– mettre les participes au féminin.

LES DOUBLES CONSONNES

*Mme Verdebois mastiquait consciencieusement, les yeux rivés sur l'émi**ss**ion de variétés sauci**ss**onnée de publicités. C'était une bo**nne** femme ma**ff**lue.* ■ ROALD DAHL, *Matilda.*

Quand faut-il doubler les consonnes ? Voilà une question difficile, mais quelques règles existent.

265 Les doubles consonnes au début d'un mot

■ On double la consonne dans les mots :

– commençant par **ac-** : *ac*cord, *ac*coudoir... ; parfois, cela s'entend dans la prononciation : *ac*cident, *ac*céder...
Exceptions : *ac*acia, *ac*ompte, *ac*adémie...

– commençant par **af-** : *aff*amé, *aff*luence...
Exceptions : *af*in, *Af*rique, *af*ricain.

– commençant par **ap-** : *app*areil, *app*eler...
Exceptions : *ap*ercevoir, *ap*latir, *ap*ostrophe, *ap*aiser, *ap*eurer, *ap*itoyer, *ap*lomb...

– commençant par **as-** si la consonne est suivie d'une voyelle : *ass*ez, *ass*ocié... (mais *as*pirer).

– commençant par **il-** : *ill*usion, *ill*égal...
Exceptions : *il* et les mots de la famille de *île*.

– commençant par **ir-** : *irr*éel, *irr*espirable...
Exceptions : *ir*onie, *ir*is, *ir*anien...

– commençant par **eff-** ou **off-** : *eff*ort, *off*iciel...

■ On ne double pas la consonne dans les mots :

– commençant par **ab-** : *ab*order, *ab*eille…
Exceptions : quelques termes religieux comme *abbé, abbaye.*

– commençant par **ad-** : *ad*roit, *ad*opter…
Exceptions : les mots de la famille d'*addition.*

– commençant par **ag-** : *ag*ricole, *ag*rafe…
Exceptions : *agglomération, aggraver, agglutiner* et les mots de la même famille.

– commençant par **am-** : *am*itié, *am*ener…

266 Les doubles consonnes au milieu d'un mot

■ Connaître des mots de la même famille permet souvent de savoir s'il faut doubler ou non la consonne à l'intérieur d'un mot :
– les mots de la famille de **terre** prennent deux **r** : *ter*rain, *ter*restre, *ter*rasse, *enter*rer…
– les mots de la famille de **fer** prennent deux **r** : *fer*reux, *fer*railleur, *fer*rure…
– les mots de la famille de **moral** prennent un seul **l** : *moral*ité, *moral*e, *démoral*iser…

■ Mais il existe beaucoup de cas particuliers. La seule solution est d'apprendre les mots ! En voici quelques-uns :
– *hon**n**eur, hon**n**ête, mais hon**o**rer, hon**o**rable ;*
– *no**mm**er, reno**mm**ée, mais no**m**inal, no**m**ination ;*
– *do**nn**er, pardo**nn**er, mais do**n**ation, do**n**ateur ;*
– *nu**ll**e, nu**ll**ement, mais a**nn**uler, a**nn**ulation ;*
– *ho**mm**e, ho**mm**age, mais ho**m**icide, bonho**m**ie ;*
– *co**ll**ier, déco**ll**eté, mais enco**l**ure, acco**l**ade ;*
– *sou**ff**ler, sou**ff**lerie, mais boursou**f**ler, boursou**f**lure ;*
– *cha**rr**ette, cha**rr**ue, mais cha**r**iot…*

> **Attention**
>
> **On peut désormais harmoniser l'orthographe des mots d'une même famille.**
> (JO du 6 décembre 1990)
>
> On peut par exemple, écrire :
> – *charriot* (sur le modèle de *charrette*) ;
> – *combattif* (sur le modèle de *battre*) ;
> – *bonhommie* (sur le modèle de *bonhomme* et *homme*) ;
> – *boursouffler* (sur le modèle de *souffler*).

■ La prononciation indique quelquefois qu'il faut doubler la consonne :

– entre deux voyelles, le **s** doit être doublé s'il se prononce [s] et non [z] : *poisson, poison* ;

– la voyelle **e** se prononce [ɛ] ou [e] devant des consonnes doubles : *échelle, verrou...* ;

– la voyelle **e** se prononce [a] devant le **m** doublé : *prudemment, femme...*

■ Le doublement de la consonne permet parfois de distinguer des homonymes.

canne – cane	*ballade – balade*
salle – sale	*datte – date*

267 Les doubles consonnes à la fin d'un mot

■ Lorsqu'un adjectif passe au féminin, il arrive que la consonne soit doublée :

– adjectifs en **-el** : *réelle* ;

– adjectifs en **-ien** : *ancienne* ;

– adjectifs en **-s** : *grasse* ;

– adjectifs en **-on** : *gloutonne* ;

– quelques adjectifs en **-et** : *muette*.

■ Quelques noms féminins correspondant à certains noms masculins comportent une double consonne :

– noms en **-ien** : *chienne* ;

– noms en **-on** ou **-ion** : *polissonne, lionne*.

■ Les verbes en **-onner** prennent toujours deux **n** : *chantonner, sermonner...*

Exceptions : *détoner, ramoner, s'époumoner, dissoner.*

■ Lorsqu'un adverbe est formé à partir d'adjectifs terminés par **-ant** ou **-ent** au masculin singulier, il prend **toujours deux m** : *abondamment, prudemment...*

268 Les consonnes non doublées

■ On ne double jamais les consonnes **h**, **j**, **q**, **v**, **w**, **x**.

■ On ne double jamais une consonne qui suit une voyelle accentuée : *hérisson, parallèle...*

■ On ne double jamais une consonne qui suit une autre consonne : *insecte, gonflement...* sauf pour les verbes **tenir** et **venir** à l'imparfait du subjonctif : *que je tinsse, que tu vinsses...*

■ On ne double pas une consonne (sauf le **s** prononcé [s] comme dans *aussi*) après les groupes de lettres **ai**, **au**, **oi** : *voiture, auteur...*

■ On ne met jamais de consonnes doubles comme premières ni dernières lettres d'un mot, sauf pour quelques termes empruntés à des langues étrangères : *football, hall...*

LA FIN DES NOMS

*Un écho, un héros, un abri, un tapis, un délai, un relais,
un accord, un drap, un enseignant...*

Que de diversité dans l'écriture de la fin des noms !

269 Les noms terminés par les sons [ɛj], [aj], [œj], [uj], [war]

■ Les noms terminés par les sons [ɛj], [aj], [œj], [uj], [war] prennent un **e** s'ils sont féminins : le **l** est alors doublé.

> *un rév**eil*** − *une ab**eille***
> *un évent**ail*** − *une m**aille***
> *un chevr**euil*** − *une f**euille***
> *un fen**ouil*** − *une gren**ouille***
> *un coul**oir*** − *une baign**oire***

■ Il existe quelques exceptions :
− les composés masculins de *feuille* s'écrivent **-lle** : *un portefeuille,
un millefeuille...*
− quelques noms masculins en [war] prennent un **-e** : *un répert**oire**,
un laborat**oire**, un territ**oire**...*

> **Attention**
>
> Après les consonnes **c** et **g**, on écrit **-ueil** et non **-euil**.
> *l'org**ueil*** − *un acc**ueil*** − *un rec**ueil***

270 Les noms terminés par le son [y]

■ Les noms terminés par le son [y]
prennent un **e** au féminin :
un tissu, une grue, une rue...
Exceptions : *la glu, la tribu, la vertu...*

■ Quelques noms masculins en [y]
prennent une consonne muette :
un talus, un jus, un flux...

271 Les noms terminés par le son [i]

■ Tous les noms féminins terminés par le son [i] prennent un **e** :
la zizanie, la pluie... ;
Exceptions : *la souris, la brebis, la perdrix, la fourmi, la nuit.*

■ Les noms masculins peuvent s'écrire de façons très diverses : *un abri, un nid, un répit, un outil, un rubis...*

272 Les noms terminés par le son [e]

■ Les noms féminins terminés par le son [e] prennent un **e** (sauf *clé* ou *clef*) : *une randonnée, la pensée...*

■ La plupart des noms masculins terminés par le son [e] s'écrivent **-er** : *déjeuner, sorcier, sanglier...*

■ Quelques rares noms masculins en [e] prennent aussi un **e** : *un lycée, un scarabée...*

273 Les noms terminés par le son [ɛ]

■ Les noms féminins terminés par le son [ɛ] s'écrivent **-aie** : *la monnaie, une baie, une hêtraie...*
Exceptions : *la paix* et *la forêt.*

■ Les noms masculins terminés par le son [ɛ] s'écrivent générale-ment **-et** : *un sonnet, le muguet, le ticket...*
Exceptions : *le relais, le quai, le souhait, le poney, l'abcès, le portrait, le marais...*

274 Les noms terminés par les sons [te] et [tje]

■ Les noms féminins terminés par les sons [te] et [tje] ne prennent pas de **e** : *une qualité, une amitié*...
Exceptions : les noms qui désignent un contenu, comme *une pelletée, une charretée*... Six autres noms prennent un **e** : *une butée, une dictée, une jetée, une montée, une pâtée, une portée.*

■ Les noms masculins terminés par le son [tje] prennent tous un **r** : *le charcutier, le quartier*...

275 Les noms terminés par le son [œr]

■ Les noms terminés par le son [œr] s'écrivent toujours sans **e**, quel que soit leur genre : *un vendeur, l'ardeur.*
Exceptions : *le beurre, la demeure, l'heure, le leurre.*

276 Les noms terminés par le son [u]

■ Les noms féminins terminés par le son [u] prennent un **e** : *la boue, la joue, la moue*...
Exception : *la toux.*

■ Les noms masculins peuvent s'écrire de façons très diverses : *le caoutchouc, le loup, le pouls, le poux, le ragoût*...

277 Les noms terminés par les sons [yr] et [yl]

■ Les noms terminés par le son [yr] prennent généralement un **e** : *la voiture, la confiture, la piqûre, le mercure*...
Exceptions : *le mur, l'azur, le futur, le fémur.*

■ Les noms terminés par le son [yl] prennent un **-e** : *la majuscule, la pendule, le monticule, le ventricule...*

Exceptions : *le consul, le recul, le calcul.* Attention : *bulle* et *tulle* prennent deux **l**.

Astuce

Pour savoir comment s'écrit la fin d'un nom, on peut s'aider d'autres mots de la même famille.

■ les mots de la même famille rappellent souvent la présence d'une consonne muette.

le retard – *retarder*   *le repos* – *reposer*
l'exploit – *exploiter*   *le rang* – *ranger*
le sanglot – *sangloter*

■ Rechercher un mot de la même famille permet parfois de ne pas se tromper quand on hésite entre deux homonymes.

le chant – *chanter*   *le champ* – *champêtre*
le coup – *couper*   *le coût* – *coûter*

■ Il existe cependant des irrégularités.

le numéro (de la famille de *numéroter*)
le chaos (de la famille de *chaotique*)
le favori (de la famille de *favoriser*)

LES ADVERBES EN -MENT

*À quatre ans, elle lisait couram**ment** et, tout naturelle**ment**, se mit à rêver de livres.* ■ ROALD DAHL, *Matilda*.

L'orthographe des adverbes en -*ment* obéit à des règles précises.

278 Comment se forment les adverbes en *-ment* ?

■ La plupart des adverbes de manière se terminent par -**ment**. Pour les écrire correctement, il faut savoir comment ils sont formés.
Les adverbes en -**ment** se forment dans la plupart des cas en ajoutant le **suffixe -ment** à l'**adjectif féminin singulier** : *curieuse, curieuse**ment**.*

■ Cependant, quelques particularités sont à signaler :
– lorsque l'adjectif est identique au masculin et au féminin, on ajoute simplement le suffixe : *aimable, aimable**ment** ;*
– lorsque l'adjectif se termine par une voyelle autre que le **e**, on ajoute le suffixe à l'adjectif masculin : *vrai, vrai**ment** ; poli, poli**ment** ; absolu, absolu**ment** ; aisé, aisé**ment** ;*
– lorsque l'adjectif se termine par -**ant** ou -**ent**, une règle particulière s'applique (→ 279).

> ### Attention
>
> **Un accent s'ajoute parfois pour former l'adverbe.**
>
> ■ Dans la formation de quelques adverbes, le **e** de l'adjectif devient **é** : *intens**é**ment, aveugl**é**ment, précis**é**ment...*
>
> ■ Beaucoup d'adverbes issus d'adjectifs en -**u** prennent un accent circonflexe : *contin**û**ment, goul**û**ment, assid**û**ment...* mais son omission est maintenant tolérée. (JO du 6 décembre 1990).

279 **Les adverbes en -*ment* formés sur les adjectifs en -*ant* ou -*ent***

■ Lorsque l'adverbe en -ment est formé à partir d'adjectifs terminés par -ant ou -ent au masculin singulier, il prend **toujours deux m.**

Pour l'écrire correctement, il suffit de conserver la voyelle employée dans l'adjectif :
– l'adjectif terminé par -**ant** donne un adverbe en -**amment** :
*constant, consta**mment** ; puissant, puissa**mment** ;*
– l'adjectif terminé par -**ent** donne un adverbe en -**emment** :
*prudent, prude**mment** ; violent, viole**mment**.*

Dans les deux cas, on prononce [amã]. Mais il existe quelques exceptions : *lentement, présentement, véhémentement*... qui se prononcent [emã].

280 **Quelques adverbes irréguliers**

■ Quelques adverbes en -**ment** n'obéissent pas aux règles générales : *brièvement, grièvement, gentiment, impunément, notamment, sciemment*...

■ L'adverbe issu de l'adjectif *gai* peut s'écrire *gaiement* ou *gaîment*.

R é s u m é

● Pour former la plupart des adverbes de manière, il faut ajouter le suffixe -*ment* à l'adjectif féminin singulier.

● Les adjectifs en -*ant* et -*ent* donnent respectivement des adverbes en -*amment* et -*emment*.

LES ACCENTS

Moi qui suis en ménage
Depuis… ah ! y a bel âge !
De vous goûter, manèges,
Je n'ai plus… que n'ai-je ?…
*   L'âge.*   ■ MAX JACOB, *Avenue du Maine.*

Qu'ils soient graves, aigus ou circonflexes, les accents coiffent souvent les voyelles !

281 Les différents accents

■ Les accents sont des signes graphiques qui se placent sur les voyelles :
– pour indiquer leur prononciation : *la gelée* ne se prononce pas comme *il gèle* ;
– pour permettre de distinguer des homonymes : *sur*, *sûr* ; *ou*, *où*.

■ On distingue :
– l'accent **aigu**, qui ne se place que sur la voyelle e : *été*, *habité* ;
– l'accent **grave**, qui peut se placer sur les voyelles **a, e, u** : *déjà*, *flèche*, *où* ;
– l'accent **circonflexe**, qui peut se placer sur toutes les voyelles : *âne*, *pêche*, *dîner*, *drôle*, *flûte*.

282 Les règles d'emploi des différents accents

■ On ne met jamais d'accent devant une consonne double ni devant un **x** : *couette*, *exil*.

■ Un accent ne peut pas être suivi d'une consonne double : *émission*, *planète*.

■ L'**accent aigu** sur le **e** indique la prononciation fermée [e] : *étage*.

■ On ne met jamais d'accent aigu sur un **e** qui précède les consonnes finales **d, f, r, z**, même si on entend le son [e] : *pied, clef (qui peut s'écrire clé), premier, nez.*

> **Attention**
>
> **Certains mots qui s'écrivaient avec un accent aigu sur le *e* peuvent prendre un accent grave.** (JO du 6 décembre 1990)
>
> *un événement : un évènement   je céderai : je cèderai*

■ **L'accent grave :**
– placé sur le **e**, il indique la prononciation ouverte [ɛ] : *je pèse* ;
– placé sur le **a** ou sur le **u**, il ne change pas la prononciation mais permet de distinguer des homonymes : *la, là ; ou, où.*

■ **L'accent circonflexe :**
– placé sur le **e**, le **a** ou le **o**, il change la prononciation par rapport à la même lettre sans accent : *fête* (son [ɛ] comme pour l'accent grave), *bâton* (son [ɑ]), *rôti* (son [o]) ;
– placé sur le **i** ou le **u**, il ne change pas la prononciation mais permet parfois de distinguer des homonymes : *mur, mûr.*

> **Attention**
>
> **L'accent circonflexe n'est plus obligatoire dans certains cas sur les voyelles *i* et *u*.** (JO du 6 décembre 1990)
>
> ▤ On peut le supprimer dans les noms communs : *boite*, par exemple.
>
> ▤ Mais il faut garder l'accent circonflexe pour les terminaisons verbales au passé simple et à l'imparfait du subjonctif : *nous sentîmes, qu'il crût.*
>
> ▤ Cet accent reste également obligatoire lorsqu'il permet de distinguer des homonymes : *du pain, j'ai dû accepter ; sur le chemin, sûr de lui.*

> **Pour aller plus loin**
>
> **L'accent circonflexe rappelle parfois la présence d'un s qui a disparu.**
>
> Mais on retrouve ce **s** dans certains mots de la même famille.
>
> *forestier - forêt   bastonnade - bâton*

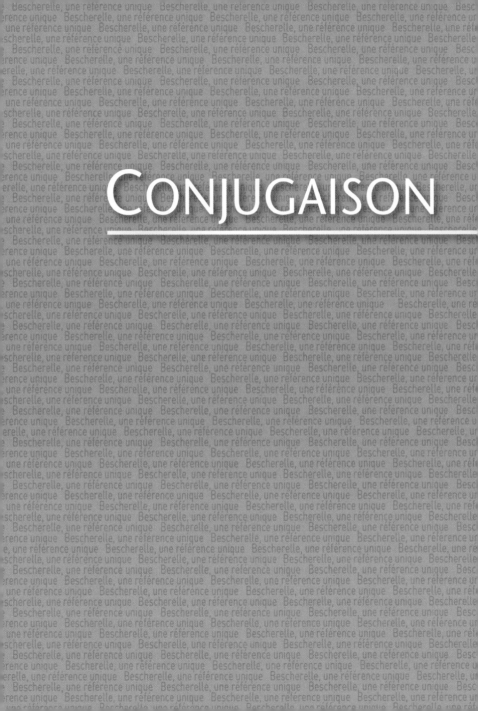

CONJUGAISON

LA CONJUGAISON DU VERBE

*Tout **dormait**, **dorma**, **dormut***
Dans les vieux pays fourbus.
*Et tout **dormirait** encore,*
*Tout **dormirait** à jamais.*

■ GÉO NORGE, « Chant du Merle », *La Belle Saison*.

Voilà une conjugaison bien poétique
du verbe *dormir*... mais pas très
grammaticale !

283 Comment est formé un verbe ?

■ Un verbe comprend un radical et une terminaison :
– le **radical** indique le sens du verbe ; cette partie du verbe **change peu** ;

> **aim**er
> Le radical du verbe *aimer* est *aim-*.

> **pouv**oir
> Les radicaux du verbe *pouvoir* sont *peu-*, *pouv-*, *pu-*.

– la **terminaison change** selon la personne, le temps et le mode
du verbe.

> *Je veux faire **pendre** tout le monde : et si je ne retrouve mon*
> *argent, je me **pendrai** moi-même après.* ■ MOLIÈRE, *L'Avare*.
> *Pend-* est le radical du verbe *pendre*.
> *-re* est la terminaison de l'infinitif ;
> *-rai* est la terminaison du futur de l'indicatif, première personne du singulier.

■ Un verbe peut prendre différentes formes :
– une forme **simple** ne comprenant qu'un seul mot ;
– une forme **composée** comprenant deux ou trois mots dont un
auxiliaire, **être** ou **avoir**.
On appelle ces formes du verbe des formes verbales.

■ Dans une forme verbale composée, l'**auxiliaire** porte les marques de **personne**, de **temps** et de **mode** du verbe.

*Un soir le petit Gavroche n'**avait** point **mangé** ; il se souvint qu'il n'**avait** pas non plus **dîné** la veille.*

■ VICTOR HUGO, *Les Misérables.*

Avait mangé et *avait dîné* sont deux formes verbales composées de l'auxiliaire *avoir* et du participe passé des verbes *manger* et *dîner*. L'auxiliaire comporte la marque de la troisième personne, la marque de temps et de mode : indicatif imparfait.

Les formes verbales composées sont parfois séparées par d'autres mots.

Dans l'exemple ci-dessus, les adverbes de négation *n'... point* et *n'... pas non plus* séparent les formes verbales composées.

Pour aller plus loin

La combinaison des marques de personne, de temps, et de mode produit un système de 97 formes.
On appelle cet ensemble la **conjugaison** du verbe.
Les verbes ne possèdent pas tous ces 97 formes. Certains n'en possèdent que très peu : il s'agit de verbes anciens ou limités dans leurs emplois à cause de leur sens. On les appelle les **verbes défectifs**.

choir : ce verbe ancien n'a plus d'imparfait de l'indicatif ni de présent du subjonctif. C'est un verbe défectif.

pleuvoir : ce verbe n'existe qu'à la troisième personne. C'est un verbe défectif.

---

284 **Comment se conjugue un verbe ?**

Le verbe comprend généralement des marques de personne

■ Les verbes conjugués contiennent des **marques de personne** *(je, tu, il, elle, on, nous, vous, ils, elles).*

Nous sommes passés *devant le magasin de jouets et, dans la vitrine,* **j'ai vu** *des nez en carton qu'**on met** sur la figure pour faire rire les copains.*

■ JEAN-JACQUES SEMPÉ et RENÉ GOSCINNY, *Les Récrés du Petit Nicolas.*
Sommes passés est à la première personne du pluriel ; *ai vu* est à la première personne du singulier ; *met* est à la troisième personne du singulier.

■ Certaines formes verbales ne contiennent pas de marques de personne : l'**infinitif**, le **participe** et le **gérondif**. On dit que ce sont des formes non conjuguées du verbe.

Quitter un appartement. Vider les lieux. Décamper.
Faire place nette. Débarrasser le plancher.

■ GEORGES PEREC, « Déménager », *Espèces d'espaces.*

Quitter, vider, décamper, faire et débarrasser sont des formes
non conjuguées.

Le verbe se conjugue aux temps simples ou aux temps composés

■ Il existe deux types de temps en français : les temps **simples** et les temps **composés**.

■ Les temps simples sont constitués d'un seul mot. On distingue : le **présent**, l'**imparfait**, le **passé simple**, le **futur**.

> La mer **écrit** un poisson bleu,
>   **efface** un poisson gris.
> La mer **écrit** un croiseur qui **prend** feu,
>   **efface** un croiseur mal écrit.

■ ALAIN BOSQUET, « Mer », *Poèmes, un.*

Les verbes *écrit, efface* et *prend* sont des présents, ils ne sont constitués que d'une seule forme verbale.

■ Les temps composés sont constitués de plusieurs mots (un ou deux auxiliaires et le participe passé). On distingue : le **passé composé**, le **plus-que-parfait**, le **passé antérieur** et le **futur antérieur**.

> Elle **avait pris** ce pli dans son âge enfantin
> De venir dans ma chambre un peu chaque matin.

■ VICTOR HUGO, *Les Contemplations.*

Le verbe *avait pris* est un plus-que-parfait.

Aux temps composés, le verbe se conjugue avec les auxiliaires *être* et *avoir*

■ Il existe deux verbes **auxiliaires** en français : le verbe **être** et le verbe **avoir**. L'auxiliaire est imposé par le sens du verbe. On ne peut pas le choisir. Le plus souvent, les verbes **transitifs directs et indirects** forment leurs temps composés avec l'auxiliaire **avoir**. Les verbes **intransitifs** forment leurs temps composés avec l'auxiliaire **être**.

> *raconter* (verbe transitif direct) *: j'ai raconté* (passé composé)
> *obéir* (verbe transitif indirect) *: j'ai obéi* (passé composé)
> *venir* (verbe intransitif) *: je suis venu* (passé composé)

■ Aux temps composés de la voix passive, les deux auxiliaires sont successivement utilisés.

j'ai été aimé (*ai* : auxiliaire avoir ; *été* : auxiliaire être)

> **Attention**
>
> **Il ne faut pas confondre le temps de l'auxiliaire et le temps de la forme composée.**
>
> ■ Dans une forme composée, l'auxiliaire varie en temps, mais le temps de l'auxiliaire ne donne pas le temps de la forme composée.
>
> *j'ai ouvert*
> L'auxiliaire est conjugué au présent, *ai*, mais la forme verbale est le passé composé.
>
> *j'avais ouvert*
> L'auxiliaire est conjugué à l'imparfait, *avais*, mais la forme verbale est le plus-que-parfait.
>
> ■ La forme **été**, participe passé du verbe **être**, est toujours invariable.
> *Le coffre a **été** ouvert. Les coffres ont **été** ouverts.*
> *La porte a **été** ouverte. Les portes ont **été** ouvertes.*

Le verbe se conjugue à un mode personnel ou impersonnel

■ Il existe deux types de modes en français : les modes **personnels** et les modes **impersonnels**.

■ Les **modes personnels** sont appelés ainsi car ils comportent des marques de personne. Ils sont au nombre de quatre : **indicatif, subjonctif, conditionnel, impératif.**

L'impératif ne se conjugue qu'à trois personnes (deuxième personne du singulier, première personne du pluriel, deuxième personne du pluriel).

*Si les fléaux de la guerre **sont** inévitables, ne nous **haïssons** pas, ne nous **déchirons** pas les uns les autres dans le sein de la paix.* ■ VOLTAIRE, *Traité sur la tolérance.*
Sont est à la troisième personne du pluriel de l'indicatif présent, *haïssons* et *déchirons* sont à la première personne du pluriel de l'impératif présent.

*Je **voudrais** être fort pour que tu m'**aimes.***
■ GUILLAUME APOLLINAIRE, *Poèmes à Lou.*
Voudrais est à la première personne du singulier du conditionnel présent, *aimes* est à la deuxième personne du singulier du subjonctif présent.

CONJUGAISON

■ Les **modes impersonnels** ne comportent pas de marques de personne. Ils sont au nombre de trois : l'**infinitif** *(chanter)*, le **participe** *(chantant, chanté)* et le **gérondif**, composé de la préposition **en** et du participe présent *(en chantant)*.

*Nous allons **avoir** l'honneur de vous **charger**, répondit Aramis **en levant** son chapeau d'une main et **tirant** son épée de l'autre.* ■ ALEXANDRE DUMAS, *Les Trois Mousquetaires.*
Avoir et *charger* sont des infinitifs, *en levant* est un gérondif, *tirant* est un participe.

Le verbe est à la voix active ou passive

■ Il existe deux types de voix en français : la **voix active** et la **voix passive**. La voix active concerne tous les verbes. La voix passive ne concerne que les verbes transitifs directs.

■ La voix passive se construit avec l'auxiliaire **être** et le participe passé du verbe. Les verbes à la voix passive sont donc toujours des formes verbales composées.

*On **aime**, on **est aimé**, bonheur qui manque aux rois !*
■ VICTOR HUGO, *Les Contemplations.*
Le verbe *aime* est à la voix active, le verbe *est aimé* est à la voix passive.

■ À la voix passive, le participe passé s'accorde en genre et en nombre avec le sujet du verbe.

Et sur la croix de marbre où tout à l'heure j'avais lu :
*« Elle aima, **fut aimée** et mourut. »*
J'aperçus :
« Étant sortie un jour pour tromper son amant, elle eut froid
sous la pluie, et mourut. » ■ GUY DE MAUPASSANT, *La Morte.*

La forme *fut aimée* est un passé simple de l'indicatif à la voix passive.
Le participe passé s'accorde au féminin singulier avec le sujet du verbe, *elle.*

R é s u m é

● Une forme verbale simple se décompose en un radical et une terminaison.

● Une forme verbale composée comporte un auxiliaire conjugué (*être* ou *avoir*) et le participe passé du verbe.

● Un verbe se conjugue selon :
  – la personne, qui correspond aux pronoms personnels ;
  – le temps, simple (présent, imparfait, passé simple, futur) ou composé (passé composé, plus-que-parfait, passé antérieur, futur antérieur) ;
  – le mode, personnel (indicatif, subjonctif, conditionnel, impératif) ou impersonnel (infinitif, participe, gérondif) ;
  – la voix, active ou passive.

LES VERBES PRONOMINAUX

Qui se ressemble s'assemble.
Qui s'y frotte s'y pique.

Ces célèbres proverbes comportent chacun deux verbes pronominaux.

285 Qu'est-ce qu'un verbe pronominal ?

■ Un verbe pronominal est un verbe dont toutes les formes sont accompagnées d'un **pronom personnel réfléchi**. Il s'agit d'un pronom qui renvoie à la même personne que le sujet, comme un miroir qui **réfléchit** l'image de celui qui se regarde.

> *Il se regarde.*
> Le pronom *se* renvoie au sujet *il*,
> le verbe est donc pronominal.

> *Il le regarde.*
> Le pronom *le* ne renvoie pas au sujet *il*,
> mais désigne quelqu'un d'autre,
> le verbe n'est donc pas pronominal.

■ Les verbes pronominaux se conjuguent avec l'auxiliaire **être** aux temps composés.

> *Il s'est regardé.*
> Il s'agit du passé composé du verbe
> *se regarder.*

■ Il existe différentes catégories de verbes pronominaux. Certains verbes existent tantôt sous une forme simple, non pronominale, tantôt sous la forme pronominale. Il s'agit des verbes **pronominaux réfléchis, réciproques, de sens passif.**

D'autres verbes n'existent que sous la forme pronominale ; on les appelle les verbes **essentiellement pronominaux.**

286 Les verbes pronominaux réfléchis

■ Un verbe pronominal est dit **réfléchi** quand le sujet exerce l'action du verbe sur **lui-même**.

*Elle **se regarde**.*
Cette phrase équivaut à : ➲ *Elle regarde elle-même.*

*Elle **se prépare** un café.*
Cette phrase équivaut à : ➲ *Elle prépare un café à elle-même.*

*Souvent il demeurait assis sur le petit banc de bois où Charles et Eugénie **s'étaient juré** un éternel amour.*

■ HONORÉ DE BALZAC, *Eugénie Grandet*.

S'étaient juré est l'équivalent de ➲ *avaient juré à eux-mêmes* ; il s'agit d'un verbe pronominal réfléchi.

Pour aller plus loin

La forme pronominale du verbe change parfois le sens du verbe simple.

Le verbe *mettre*, par exemple, qui signifie sous sa forme simple « placer quelque chose ou quelqu'un dans un endroit déterminé », peut signifier sous sa forme pronominale « commencer à ».

*C'est étrange, Ô Abraracourcix ! Pourquoi les Romains **se mettent**-ils à enrôler des Gaulois ?*

■ RENÉ GOSCINNY et ALBERT UDERZO, *Astérix légionnaire*.

■ Pour l'accord du participe passé des verbes pronominaux réfléchis, voir « L'accord du participe passé » (→ 234).

287 Les verbes pronominaux réciproques

■ Un verbe pronominal est dit **réciproque** quand il est nécessairement au pluriel et que les sujets exercent une **action réciproque** les uns sur les autres.

*Ils **se dévisagent**.*
Cette phrase équivaut à : *Chacun dévisage le visage de l'autre de façon réciproque.*

*Ils **se sont serré** la main.*
Cette phrase équivaut à : *Chacun a serré la main de l'autre de façon réciproque.*

*Tout à coup, le charme se rompait ; l'accident terrible les désunissait ; leurs bras **s'étaient désenlacés**.*

■ Villiers de L'Isle-Adam, *Véra*.

Le verbe pronominal réciproque *s'étaient désenlacés* signifie que chacun des deux amoureux enlève ses bras du corps de l'autre.

■ Pour l'accord du participe passé des verbes pronominaux réciproques, voir « L'accord du participe passé » (→234).

288 Les verbes pronominaux de sens passif

■ Un verbe pronominal peut avoir le sens d'un verbe à la voix passive. Il a généralement pour sujet un nom inanimé. Contrairement à la forme passive, cette tournure n'a pas de complément d'agent.

*Ce gâteau **s'est coupé** facilement.*

Cette phrase équivaut à : *Ce gâteau a été coupé facilement.*

*Et la fenêtre **s'ouvre** au loin sur la campagne.*

■ Paul Verlaine, « L'Auberge », *Jadis et Naguère*.

La forme *s'ouvre* est une forme pronominale de sens passif.

■ Le participe passé des verbes pronominaux de sens passif s'accorde toujours avec le sujet.

*La fenêtre **s'est ouverte** au loin sur la campagne.*

289 Les verbes essentiellement pronominaux

■ Certains verbes pronominaux n'existent **que** sous la forme pronominale ; on les appelle des verbes **essentiellement** pronominaux. Il s'agit de verbes tels que *s'évanouir, s'absenter, se repentir, se souvenir, s'enfuir.*

*Les jours **se sont enfuis**, d'un vol mystérieux,*
Mais toujours la jeunesse éclatante et vermeille
Fleurit dans ton sourire et brille dans tes yeux.

■ Théodore de Banville, *Roses de Noël.*

La forme *se sont enfuis* vient du verbe *s'enfuir*, qui est un verbe essentiellement pronominal.

■ Le participe passé des verbes essentiellement pronominaux s'accorde toujours avec le sujet.

*Les jours se sont enfui**s**.*

*Les hirondelles se sont enfui**es**.*

Astuce

Comment reconnaître un verbe essentiellement pronominal ?

Dans le dictionnaire, un verbe essentiellement pronominal est présenté ainsi : *évanouir (s')*.
L'indication entre parenthèses du pronom **se** (ou **s'**) signifie que le verbe n'existe pas sans ce pronom.

Résumé

- Les verbes pronominaux se construisent avec un pronom personnel réfléchi.
- Ils se conjuguent avec l'auxiliaire *être*.
- Il existe des verbes pronominaux réfléchis, réciproques, de sens passif et essentiellement pronominaux.

LES TROIS GROUPES DE CONJUGAISON

On classe les verbes français en trois groupes de conjugaison.
Chaque groupe a des caractéristiques communes.

290 Le premier groupe

■ Le premier groupe rassemble tous les verbes terminés par
-er à l'infinitif. Ils se conjuguent selon un seul modèle. Ils ont un
radical unique que l'on obtient en enlevant la terminaison -er de
l'infinitif.

> *aim*er Le radical est *aim-*.

■ Cependant, pour certains verbes, il y a quelques petites modifications orthographiques.

> *plac*er
> Le radical est *plac-* devant les voyelles *i* et *e*, et *plaç-* devant les voyelles *o* et *a*.

Pour aller plus loin

Quand on crée un verbe nouveau, on le construit généralement sur le modèle du premier groupe.

Le premier groupe est en effet le groupe de conjugaison le plus simple.

tchater — scanner

Ces nouveaux verbes ont été créés pour désigner des activités nouvelles : converser sur Internet pour le premier, numériser un document sur ordinateur pour le second.

291 Le deuxième groupe

■ Le deuxième groupe rassemble les verbes terminés par **-ir** à
l'infinitif et qui font leur participe présent en **-issant**. Ils se conjuguent selon un seul modèle. Ils ont un radical tantôt en **-i-** *(je finis,
tu finis…)*, tantôt en **-iss-** *(ils finissent, que je finisse)*.

> *finir — fin**issant***   *blanchir — blanch**issant***

Le troisième groupe

■ Le troisième groupe rassemble tous les autres verbes. Il compte plusieurs modèles de conjugaison. Les verbes de ce groupe changent de radical dans leur conjugaison. Il s'agit donc d'un groupe très hétérogène.

■ Les formes les plus difficiles à connaître pour ces verbes sont le passé simple de l'indicatif et le participe passé.
On distingue cependant quelques grands types :
– les verbes en **-oir** qui ont leur passé simple en **-u-** ;

vouloir : il voulut   *pouvoir : il put*

– les verbes en **-oir** qui ont leur passé simple en **-i-** ;

voir : il vit   *asseoir : il assit*

– les verbes en **-re** qui ont leur passé simple en **-i-** ;

prendre : il prit   *faire : il fit*
dire : il dit   *mettre : il mit*

– les verbes en **-ir** qui ont leur participe présent en **-ant**, et non en **-issant** comme les verbes du deuxième groupe.

dormir : dormant   *tenir : tenant*

CONJUGAISON

R é s u m é

● Les verbes se classent en trois groupes de conjugaison.
● Le premier et le deuxième groupe proposent chacun un modèle unique.
● Le troisième groupe propose plusieurs modèles.

LES TABLEAUX DE CONJUGAISON

Comment se conjugue le verbe *vouloir* à la troisième personne du singulier de l'imparfait du subjonctif à la voix active ? Pour répondre à cette question, il faut savoir lire un tableau de conjugaison.

293 Les modèles de conjugaison

■ Pour conjuguer un verbe, on peut utiliser les **tableaux de conjugaison**. Chaque tableau correspond à un modèle de conjugaison :
– **être** et **avoir** sont des verbes et des auxiliaires ; il faut absolument les connaître ;
– **aimer** est le modèle du premier groupe. On l'utilise aussi pour la conjugaison de la voix passive ;
– **se méfier** est le modèle pour conjuguer les verbes pronominaux ;
– **finir** est le modèle pour conjuguer les verbes du deuxième groupe ;
– **aller, conclure, croire, dire, faire, peindre, pouvoir, prendre, savoir, tenir, voir, vouloir** sont des modèles pour conjuguer les verbes du troisième groupe.

294 Les temps et les modes clés

■ Pour conjuguer un verbe, il faut avant tout connaître certains temps et modes clés qui donnent les différents radicaux du verbe : l'**infinitif**, le **présent**, le **passé simple de l'indicatif** et le **participe passé**.

Infinitif : **dev**oir (radical *dev-* : je devais, tu devais…, je devrai, devant)
Présent : *je* **dois** (radical *doi-* : tu dois, il doit)
Passé simple : *je* **du**s (radical *du-* : tu dus, il dut, que je dusse…)
Participe passé : **dû** (employé pour tous les temps composés)

Infinitif : **croi**re (radical *croi-* : je crois, tu crois..., je croirai...)
Présent : *nous* **croy**ons (radical *croy-* : vous croyez, je croyais...)
Passé simple : *je* **crus** (radical *cru-* : tu crus..., ils crurent, qu'il crût)
Participe passé : **cru** (employé pour tous les temps composés)

295 Comment mémoriser les radicaux des verbes ?

■ Dans les tableaux de conjugaison, toutes les premières personnes du singulier des temps simples sont en rouge.

j'aime, je finis, j'irai, je croyais.

■ La première personne du pluriel de l'indicatif présent et la première personne du pluriel de l'impératif présent sont en rouge.

Il y a souvent une modification du radical entre le singulier et le pluriel de l'indicatif présent et de l'impératif présent.

j'ai, nous avons
je prends, nous prenons
viens, venons.

CONJUGAISON

INDICATIF

Présent	Passé composé
je **suis**	j'ai été
tu es	tu as été
il est	il a été
nous **sommes**	nous avons été
vous **êtes**	vous avez été
ils sont	ils ont été

Imparfait	Plus-que-parfait
j'**étais**	j'avais été
tu étais	tu avais été
il était	il avait été
nous étions	nous avions été
vous étiez	vous aviez été
ils étaient	ils avaient été

Passé simple	Passé antérieur
je **fus**	j'eus été
tu fus	tu eus été
il fut	il eut été
nous fûmes	nous eûmes été
vous fûtes	vous eûtes été
ils furent	ils eurent été

Futur simple	Futur antérieur
je **serai**	j'aurai été
tu seras	tu auras été
il sera	il aura été
nous serons	nous aurons été
vous serez	vous aurez été
ils seront	ils auront été

CONDITIONNEL

Présent	Passé
je **serais**	j'aurais été
tu serais	tu aurais été
il serait	il aurait été
nous serions	nous aurions été
vous seriez	vous auriez été
ils seraient	ils auraient été

SUBJONCTIF

Présent	Passé
que je **sois**	que j'aie été
que tu sois	que tu aies été
qu'il soit	qu'il ait été
que n. **soyons**	que n. ayons été
que v. **soyez**	que v. ayez été
qu'ils soient	qu'ils aient été

Imparfait	Plus-que-parfait
que je **fusse**	que j'eusse été
que tu fusses	que tu eusses été
qu'il fût	qu'il eût été
que n. fussions	que n. eussions été
que v. fussiez	que v. eussiez été
qu'ils fussent	qu'ils eussent été

IMPÉRATIF

Présent	Passé
sois	aie été
soyons	ayons été
soyez	ayez été

INFINITIF

Présent	Passé
être	avoir été

PARTICIPE

Présent	Passé
étant	été
	ayant été

GÉRONDIF

Présent	Passé
en étant	en ayant été

Avoir

INDICATIF

Présent	Passé composé
j'ai	j'ai eu
tu as	tu as eu
il a	il a eu
nous avons	nous avons eu
vous avez	vous avez eu
ils ont	ils ont eu

Imparfait	Plus-que-parfait
j'avais	j'avais eu
tu avais	tu avais eu
il avait	il avait eu
nous avions	nous avions eu
vous aviez	vous aviez eu
ils avaient	ils avaient eu

Passé simple	Passé antérieur
j'eus	j'eus eu
tu eus	tu eus eu
il eut	il eut eu
nous eûmes	nous eûmes eu
vous eûtes	vous eûtes eu
ils eurent	ils eurent eu

Futur simple	Futur antérieur
j'aurai	j'aurai eu
tu auras	tu auras eu
il aura	il aura eu
nous aurons	nous aurons eu
vous aurez	vous aurez eu
ils auront	ils auront eu

CONDITIONNEL

Présent	Passé
j'aurais	j'aurais eu
tu aurais	tu aurais eu
il aurait	il aurait eu
nous aurions	nous aurions eu
vous auriez	vous auriez eu
ils auraient	ils auraient eu

SUBJONCTIF

Présent	Passé
que j'aie	que j'aie eu
que tu aies	que tu aies eu
qu'il ait	qu'il ait eu
que n. ayons	que n. ayons eu
que v. ayez	que v. ayez eu
qu'ils aient	qu'ils aient eu

Imparfait	Plus-que-parfait
que j'eusse	que j'eusse eu
que tu eusses	que tu eusses eu
qu'il eût	qu'il eût eu
que n. eussions	que n. eussions eu
que v. eussiez	que v. eussiez eu
qu'ils eussent	qu'ils eussent eu

IMPÉRATIF

Présent	Passé
aie	aie eu
ayons	ayons eu
ayez	ayez eu

INFINITIF

Présent	Passé
avoir	avoir eu

PARTICIPE

Présent	Passé
ayant	eu
	ayant eu

GÉRONDIF

Présent	Passé
en ayant	en ayant eu

INDICATIF			
Présent	**Passé composé**		
j'aime	j'ai aimé		
tu aimes	tu as aimé		
il aime	il a aimé		
nous **aimons**	nous avons aimé		
vous aimez	vous avez aimé		
ils aiment	ils ont aimé		

Imparfait	**Plus-que-parfait**
j'**aimais**	j'avais aimé
tu aimais	tu avais aimé
il aimait	il avait aimé
nous aimions	nous avions aimé
vous aimiez	vous aviez aimé
ils aimaient	ils avaient aimé

Passé simple	**Passé antérieur**
j'**aimai**	j'eus aimé
tu aimas	tu eus aimé
il aima	il eut aimé
nous aimâmes	nous eûmes aimé
vous aimâtes	vous eûtes aimé
ils aimèrent	ils eurent aimé

Futur simple	**Futur antérieur**
j'**aimerai**	j'aurai aimé
tu aimeras	tu auras aimé
il aimera	il aura aimé
nous aimerons	nous aurons aimé
vous aimerez	vous aurez aimé
ils aimeront	ils auront aimé

CONDITIONNEL	
Présent	**Passé**
j'**aimerais**	j'aurais aimé
tu aimerais	tu aurais aimé
il aimerait	il aurait aimé
nous aimerions	nous aurions aimé
vous aimeriez	vous auriez aimé
ils aimeraient	ils auraient aimé

SUBJONCTIF	
Présent	**Passé**
que j'**aime**	que j'aie aimé
que tu aimes	que tu aies aimé
qu'il aime	qu'il ait aimé
que n. **aimions**	que n. ayons aimé
que vous aimiez	que vous ayez aimé
qu'ils aiment	qu'ils aient aimé

Imparfait	**Plus-que-parfait**
que j'**aimasse**	que j'eusse aimé
que tu aimasses	que tu eusses aimé
qu'il aimât	qu'il eût aimé
que n. aimassions	que n. eussions aimé
que v. aimassiez	que v. eussiez aimé
qu'ils aimassent	qu'ils eussent aimé

IMPÉRATIF	
Présent	**Passé**
aime	aie aimé
aimons	ayons aimé
aimez	ayez aimé

INFINITIF	
Présent	**Passé**
aimer	avoir aimé

PARTICIPE	
Présent	**Passé**
aimant	**aimé**
	ayant aimé

GÉRONDIF	
Présent	**Passé**
en aimant	en ayant aimé

Être aimé Voix passive

INDICATIF

Présent	Passé composé
je **suis aimé**	j'ai été aimé
tu es aimé	tu as été aimé
il est aimé	il a été aimé
nous **sommes aimés**	nous avons été aimés
vous êtes aimés	vous avez été aimés
ils sont aimés	ils ont été aimés

Imparfait	Plus-que-parfait
j'**étais aimé**	j'avais été aimé
tu étais aimé	tu avais été aimé
il était aimé	il avait été aimé
nous étions aimés	nous avions été aimés
vous étiez aimés	vous aviez été aimés
ils étaient aimés	ils avaient été aimés

Passé simple	Passé antérieur
je **fus aimé**	j'eus été aimé
tu fus aimé	tu eus été aimé
il fut aimé	il eut été aimé
nous fûmes aimés	nous eûmes été aimés
vous fûtes aimés	vous eûtes été aimés
ils furent aimés	ils eurent été aimés

Futur simple	Futur antérieur
je **serai aimé**	j'aurai été aimé
tu seras aimé	tu auras été aimé
il sera aimé	il aura été aimé
nous serons aimés	nous aurons été aimés
vous serez aimés	vous aurez été aimés
ils seront aimés	ils auront été aimés

CONDITIONNEL

Présent	Passé
je **serais aimé**	j'aurais été aimé
tu serais aimé	tu aurais été aimé
il serait aimé	il aurait été aimé
nous serions aimés	nous aurions été aimés
vous seriez aimés	vous auriez été aimés
ils seraient aimés	ils auraient été aimés

SUBJONCTIF

Présent	Passé
que je **sois aimé**	que j'aie été aimé
que tu sois aimé	que tu aies été aimé
qu'il soit aimé	qu'il ait été aimé
que n. **soyons aimés**	que n. ayons été aimés
que v. soyez aimés	que v. ayez été aimés
qu'ils soient aimés	qu'ils aient été aimés

Imparfait	Plus-que-parfait
que je **fusse aimé**	que j'eusse été aimé
que tu fusses aimé	que tu eusses été aimé
qu'il fût aimé	qu'il eût été aimé
que n. fussions aimés	que n. eussions été aimés
que v. fussiez aimés	que v. eussiez été aimés
qu'ils fussent aimés	qu'ils eussent été aimés

IMPÉRATIF

Présent	Passé
sois aimé	.
soyons aimés	.
soyez aimés	.

INFINITIF

Présent	Passé
être aimé	avoir été aimé

PARTICIPE

Présent	Passé
étant aimé	**aimé**
	ayant été aimé

GÉRONDIF

Présent	Passé
en étant aimé	en ayant été aimé

300 Se méfier Verbe pronominal

INDICATIF

Présent
je me méfie
tu te méfies
il se méfie
nous nous méfions
vous vous méfiez
ils se méfient

Passé composé
je me suis méfié
tu t'es méfié
il s'est méfié
n. nous sommes méfiés
v. vous êtes méfiés
ils se sont méfiés

Imparfait
je me méfiais
tu te méfiais
il se méfiait
nous nous méfiions
vous vous méfiiez
ils se méfiaient

Plus-que-parfait
je m'étais méfié
tu t'étais méfié
il s'était méfié
n. nous étions méfiés
v. vous étiez méfiés
ils s'étaient méfiés

Passé simple
je me méfiai
tu te méfias
il se méfia
nous nous méfiâmes
vous vous méfiâtes
ils se méfièrent

Passé antérieur
je me fus méfié
tu te fus méfié
il se fut méfié
n. nous fûmes méfiés
v. vous fûtes méfiés
ils se furent méfiés

Futur simple
je me méfierai
tu te méfieras
il se méfiera
nous nous méfierons
vous vous méfierez
ils se méfieront

Futur antérieur
je me serai méfié
tu te seras méfié
il se sera méfié
n. nous serons méfiés
v. vous serez méfiés
ils se seront méfiés

CONDITIONNEL

Présent
je me méfierais
tu te méfierais
il se méfierait
n. nous méfierions
v. vous méfieriez
ils se méfieraient

Passé
je me serais méfié
tu te serais méfié
il se serait méfié
n. nous serions méfiés
v. vous seriez méfiés
ils se seraient méfiés

SUBJONCTIF

Présent
que je me méfie
que tu te méfies
qu' il se méfie
que n. n. méfiions
que v. v. méfiiez
qu'ils se méfient

Passé
que je me sois méfié
que tu te sois méfié
qu'il se soit méfié
que n. n. soyons méfiés
que v. v. soyez méfiés
qu'ils se soient méfiés

Imparfait
que je me méfiasse
que tu te méfiasses
qu'il se méfiât
que n. n. méfiassions
que v. v. méfiassiez
qu'ils se méfiassent

Plus-que-parfait
que je me fusse méfié
que tu te fusses méfié
qu'il se fût méfié
que n. n. fussions méfiés
que v. v. fussiez méfiés
qu'ils se fussent méfiés

IMPÉRATIF

Présent
méfie-toi
méfions-nous
méfiez-vous

Passé
.
.
.

INFINITIF

Présent
se méfier

Passé
s'être méfié

PARTICIPE

Présent
se méfiant

Passé
.
s'étant méfié

GÉRONDIF

Présent
en se méfiant

Passé
en s'étant méfié

301 Finir Deuxième groupe

INDICATIF

Présent	Passé composé
je finis	j'ai fini
tu finis	tu as fini
il finit	il a fini
nous finissons	nous avons fini
vous finissez	vous avez fini
ils finissent	ils ont fini

Imparfait	Plus-que-parfait
je finissais	j'avais fini
tu finissais	tu avais fini
il finissait	il avait fini
nous finissions	nous avions fini
vous finissiez	vous aviez fini
ils finissaient	ils avaient fini

Passé simple	Passé antérieur
je finis	j'eus fini
tu finis	tu eus fini
il finit	il eut fini
nous finîmes	nous eûmes fini
vous finîtes	vous eûtes fini
ils finirent	ils eurent fini

Futur simple	Futur antérieur
je finirai	j'aurai fini
tu finiras	tu auras fini
il finira	il aura fini
nous finirons	nous aurons fini
vous finirez	vous aurez fini
ils finiront	ils auront fini

CONDITIONNEL

Présent	Passé
je finirais	j'aurais fini
tu finirais	tu aurais fini
il finirait	il aurait fini
nous finirions	nous aurions fini
vous finiriez	vous auriez fini
ils finiraient	ils auraient fini

SUBJONCTIF

Présent	Passé
que je finisse	que j'aie fini
que tu finisses	que tu aies fini
qu'il finisse	qu'il ait fini
que n. finissions	que n. ayons fini
que v. finissiez	que v. ayez fini
qu'ils finissent	qu'ils aient fini

Imparfait	Plus-que-parfait
que je finisse	que j'eusse fini
que tu finisses	que tu eusses fini
qu'il finît	qu'il eût fini
que n. finissions	que n. eussions fini
que v. finissiez	que v. eussiez fini
qu'ils finissent	qu'ils eussent fini

IMPÉRATIF

Présent	Passé
finis	aie fini
finissons	ayons fini
finissez	ayez fini

INFINITIF

Présent	Passé
finir	avoir fini

PARTICIPE

Présent	Passé
finissant	fini
	ayant fini

GÉRONDIF

Présent	Passé
en finissant	en ayant fini

CONJUGAISON

INDICATIF

Présent	Passé composé
je **vais**	je suis allé
tu vas	tu es allé
il va	il est allé
nous **allons**	nous sommes allés
vous allez	vous êtes allés
ils vont	ils sont allés

Imparfait	Plus-que-parfait
j'allais	j'étais allé
tu allais	tu étais allé
il allait	il était allé
nous allions	nous étions allés
vous alliez	vous étiez allés
ils allaient	ils étaient allés

Passé simple	Passé antérieur
j'allai	je fus allé
tu allas	tu fus allé
il alla	il fut allé
nous allâmes	nous fûmes allés
vous allâtes	vous fûtes allés
ils allèrent	ils furent allés

Futur simple	Futur antérieur
j'irai	je serai allé
tu iras	tu seras allé
il ira	il sera allé
nous irons	nous serons allés
vous irez	vous serez allés
ils iront	ils seront allés

CONDITIONNEL

Présent	Passé
j'irais	je serais allé
tu irais	tu serais allé
il irait	il serait allé
nous irions	nous serions allés
vous iriez	vous seriez allés
ils iraient	ils seraient allés

SUBJONCTIF

Présent	Passé
que j'**aille**	que je sois allé
que tu ailles	que tu sois allé
qu'il aille	qu'il soit allé
que n. **allions**	que n. soyons allés
que v. alliez	que v. soyez allés
qu'ils aillent	qu'ils soient allés

Imparfait	Plus-que-parfait
que j'**allasse**	que je fusse allé
que tu allasses	que tu fusses allé
qu'il allât	qu'il fût allé
que n. allassions	que n. fussions allés
que v. allassiez	que v. fussiez allés
qu'ils allassent	qu'ils fussent allés

IMPÉRATIF

Présent	Passé
va	sois allé
allons	soyons allés
allez	soyez allés

INFINITIF

Présent	Passé
aller	être allé

PARTICIPE

Présent	Passé
allant	allé
	étant allé

GÉRONDIF

Présent	Passé
en allant	en étant allé

INDICATIF

Présent	Passé composé
je **conclus**	j'ai conclu
tu conclus	tu as conclu
il conclut	il a conclu
nous **concluons**	nous avons conclu
vous concluez	vous avez conclu
ils concluent	ils ont conclu

Imparfait	Plus-que-parfait
je **concluais**	j'avais conclu
tu concluais	tu avais conclu
il concluait	il avait conclu
nous concluions	nous avions conclu
vous concluiez	vous aviez conclu
ils concluaient	ils avaient conclu

Passé simple	Passé antérieur
je **conclus**	j'eus conclu
tu conclus	tu eus conclu
il conclut	il eut conclu
nous conclûmes	nous eûmes conclu
vous conclûtes	vous eûtes conclu
ils conclurent	ils eurent conclu

Futur simple	Futur antérieur
je **conclurai**	j'aurai conclu
tu concluras	tu auras conclu
il conclura	il aura conclu
nous conclurons	nous aurons conclu
vous conclurez	vous aurez conclu
ils concluront	ils auront conclu

CONDITIONNEL

Présent	Passé
je **conclurais**	j'aurais conclu
tu conclurais	tu aurais conclu
il conclurait	il aurait conclu
nous conclurions	nous aurions conclu
vous concluriez	vous auriez conclu
ils concluraient	ils auraient conclu

SUBJONCTIF

Présent	Passé
que je **conclue**	que j'aie conclu
que tu conclues	que tu aies conclu
qu'il conclue	qu'il ait conclu
que n. **concluions**	que n. ayons conclu
que v. concluiez	que v. ayez conclu
qu'ils concluent	qu'ils aient conclu

Imparfait	Plus-que-parfait
que je **conclusse**	que j'eusse conclu
que tu conclusses	que tu eusses conclu
qu'il conclût	qu'il eût conclu
que n. conclussions	que n. eussions conclu
que v. conclussiez	que v. eussiez conclu
qu'ils conclussent	qu'ils eussent conclu

IMPÉRATIF

Présent	Passé
conclus	aie conclu
concluons	ayons conclu
concluez	ayez conclu

INFINITIF

Présent	Passé
conclure	avoir conclu

PARTICIPE

Présent	Passé
concluant	**conclu**
	ayant conclu

GÉRONDIF

Présent	Passé
en concluant	en ayant conclu

CONJUGAISON

INDICATIF

Présent	Passé composé
je **crois**	j'ai cru
tu crois	tu as cru
il croit	il a cru
nous **croyons**	nous avons cru
vous croyez	vous avez cru
ils croient	ils ont cru

Imparfait	Plus-que-parfait
je **croyais**	j'avais cru
tu croyais	tu avais cru
il croyait	il avait cru
nous croyions	nous avions cru
vous croyiez	vous aviez cru
ils croyaient	ils avaient cru

Passé simple	Passé antérieur
je **crus**	j'eus cru
tu crus	tu eus cru
il crut	il eut cru
nous crûmes	nous eûmes cru
vous crûtes	vous eûtes cru
ils crurent	ils eurent cru

Futur simple	Futur antérieur
je **croirai**	j'aurai cru
tu croiras	tu auras cru
il croira	il aura cru
nous croirons	nous aurons cru
vous croirez	vous aurez cru
ils croiront	ils auront cru

CONDITIONNEL

Présent	Passé
je **croirais**	j'aurais cru
tu croirais	tu aurais cru
il croirait	il aurait cru
nous croirions	nous aurions cru
vous croiriez	vous auriez cru
ils croiraient	ils auraient cru

SUBJONCTIF

Présent	Passé
que je **croie**	que j'aie cru
que tu croies	que tu aies cru
qu'il croie	qu'il ait cru
que n. **croyions**	que n. ayons cru
que v. **croyiez**	que v. ayez cru
qu'ils croient	qu'ils aient cru

Imparfait	Plus-que-parfait
que je **crusse**	que j'eusse cru
que tu crusses	que tu eusses cru
qu'il crût	qu'il eût cru
que n. crussions	que n. eussions cru
que v. crussiez	que v. eussiez cru
qu'ils crussent	qu'ils eussent cru

IMPÉRATIF

Présent	Passé
crois	aie cru
croyons	ayons cru
croyez	ayez cru

INFINITIF

Présent	Passé
croire	avoir cru

PARTICIPE

Présent	Passé
croyant	cru
	ayant cru

GÉRONDIF

Présent	Passé
en croyant	en ayant cru

INDICATIF

Présent	Passé composé
je **dis**	j'ai dit
tu dis	tu as dit
il dit	il a dit
nous **disons**	nous avons dit
vous **dites**	vous avez dit
ils disent	ils ont dit

Imparfait	Plus-que-parfait
je **disais**	j'avais dit
tu disais	tu avais dit
il disait	il avait dit
nous disions	nous avions dit
vous disiez	vous aviez dit
ils disaient	ils avaient dit

Passé simple	Passé antérieur
je **dis**	j'eus dit
tu dis	tu eus dit
il dit	il eut dit
nous dîmes	nous eûmes dit
vous dîtes	vous eûtes dit
ils dirent	ils eurent dit

Futur simple	Futur antérieur
je **dirai**	j'aurai dit
tu diras	tu auras dit
il dira	il aura dit
nous dirons	nous aurons dit
vous direz	vous aurez dit
ils diront	ils auront dit

CONDITIONNEL

Présent	Passé
je **dirais**	j'aurais dit
tu dirais	tu aurais dit
il dirait	il aurait dit
nous dirions	nous aurions dit
vous diriez	vous auriez dit
ils diraient	ils auraient dit

SUBJONCTIF

Présent	Passé
que je **dise**	que j'aie dit
que tu dises	que tu aies dit
qu'il dise	qu'il ait dit
que n. **disions**	que n. ayons dit
que v. disiez	que v. ayez dit
qu'ils disent	qu'ils aient dit

Imparfait	Plus-que-parfait
que je **disse**	que j'eusse dit
que tu disses	que tu eusses dit
qu'il dît	qu'il eût dit
que n. dissions	que n. eussions dit
que v. dissiez	que v. eussiez dit
qu'ils dissent	qu'ils eussent dit

IMPÉRATIF

Présent	Passé
dis	aie dit
disons	ayons dit
dites	ayez dit

INFINITIF

Présent	Passé
dire	avoir dit

PARTICIPE

Présent	Passé
disant	**dit**
	ayant dit

GÉRONDIF

Présent	Passé
en disant	en ayant dit

CONJUGAISON

INDICATIF

Présent	Passé composé
je **fais**	j'ai fait
tu fais	tu as fait
il fait	il a fait
nous **faisons**	nous avons fait
vous **faites**	vous avez fait
ils font	ils ont fait

Imparfait	Plus-que-parfait
je faisais	j'avais fait
tu faisais	tu avais fait
il faisait	il avait fait
nous faisions	nous avions fait
vous faisiez	vous aviez fait
ils faisaient	ils avaient fait

Passé simple	Passé antérieur
je **fis**	j'eus fait
tu fis	tu eus fait
il fit	il eut fait
nous fîmes	nous eûmes fait
vous fîtes	vous eûtes fait
ils firent	ils eurent fait

Futur simple	Futur antérieur
je **ferai**	j'aurai fait
tu feras	tu auras fait
il fera	il aura fait
nous ferons	nous aurons fait
vous ferez	vous aurez fait
ils feront	ils auront fait

CONDITIONNEL

Présent	Passé
je **ferais**	j'aurais fait
tu ferais	tu aurais fait
il ferait	il aurait fait
nous ferions	nous aurions fait
vous feriez	vous auriez fait
ils feraient	ils auraient fait

SUBJONCTIF

Présent	Passé
que je **fasse**	que j'aie fait
que tu fasses	que tu aies fait
qu'il fasse	qu'il ait fait
que n. **fassions**	que n. ayons fait
que v. fassiez	que v. ayez fait
qu'ils fassent	qu'ils aient fait

Imparfait	Plus-que-parfait
que je **fisse**	que j'eusse fait
que tu fisses	que tu eusses fait
qu'il fît	qu'il eût fait
que n. fissions	que n. eussions fait
que v. fissiez	que v. eussiez fait
qu'ils fissent	qu'ils eussent fait

IMPÉRATIF

Présent	Passé
fais	aie fait
faisons	ayons fait
faites	ayez fait

INFINITIF

Présent	Passé
faire	avoir fait

PARTICIPE

Présent	Passé
faisant	fait
	ayant fait

GÉRONDIF

Présent	Passé
en faisant	en ayant fait

CONJUGAISON

INDICATIF

Présent
je **peins**
tu peins
il peint
nous **peignons**
vous peignez
ils peignent

Passé composé
j'ai peint
tu as peint
il a peint
nous avons peint
vous avez peint
ils ont peint

Imparfait
je **peignais**
tu peignais
il peignait
nous peignions
vous peigniez
ils peignaient

Plus-que-parfait
j'avais peint
tu avais peint
il avait peint
nous avions peint
vous aviez peint
ils avaient peint

Passé simple
je **peignis**
tu peignis
il peignit
nous peignîmes
vous peignîtes
ils peignirent

Passé antérieur
j'eus peint
tu eus peint
il eut peint
nous eûmes peint
vous eûtes peint
ils eurent peint

Futur simple
je **peindrai**
tu peindras
il peindra
nous peindrons
vous peindrez
ils peindront

Futur antérieur
j'aurai peint
tu auras peint
il aura peint
nous aurons peint
vous aurez peint
ils auront peint

CONDITIONNEL

Présent
je **peindrais**
tu peindrais
il peindrait
nous peindrions
vous peindriez
ils peindraient

Passé
j'aurais peint
tu aurais peint
il aurait peint
nous aurions peint
vous auriez peint
ils auraient peint

SUBJONCTIF

Présent
que je **peigne**
que tu peignes
qu'il peigne
que n. **peignions**
que v. peigniez
qu'ils peignent

Passé
que j'aie peint
que tu aies peint
qu'il ait peint
que n. ayons peint
que v. ayez peint
qu'ils aient peint

Imparfait
que je **peignisse**
que tu peignisses
qu'il peignît
que n. peignissions
que v. peignissiez
qu'ils peignissent

Plus-que-parfait
que j'eusse peint
que tu eusses peint
qu'il eût peint
que n. eussions peint
que v. eussiez peint
qu'ils eussent peint

IMPÉRATIF

Présent
peins
peignons
peignez

Passé
aie peint
ayons peint
ayez peint

INFINITIF

Présent
peindre

Passé
avoir peint

PARTICIPE

Présent
peignant

Passé
peint
ayant peint

GÉRONDIF

Présent
en peignant

Passé
en ayant peint

Pouvoir Troisième groupe

CONJUGAISON

INDICATIF

Présent	Passé composé
je **peux/puis**	j'ai pu
tu peux	tu as pu
il peut	il a pu
nous **pouvons**	nous avons pu
vous pouvez	vous avez pu
ils peuvent	ils ont pu

Imparfait	Plus-que-parfait
je **pouvais**	j'avais pu
tu pouvais	tu avais pu
il pouvait	il avait pu
nous pouvions	nous avions pu
vous pouviez	vous aviez pu
ils pouvaient	ils avaient pu

Passé simple	Passé antérieur
je **pus**	j'eus pu
tu pus	tu eus pu
il put	il eut pu
nous pûmes	nous eûmes pu
vous pûtes	vous eûtes pu
ils purent	ils eurent pu

Futur simple	Futur antérieur
je **pourrai**	j'aurai pu
tu pourras	tu auras pu
il pourra	il aura pu
nous pourrons	nous aurons pu
vous pourrez	vous aurez pu
ils pourront	ils auront pu

CONDITIONNEL

Présent	Passé
je **pourrais**	j'aurais pu
tu pourrais	tu aurais pu
il pourrait	il aurait pu
nous pourrions	nous aurions pu
vous pourriez	vous auriez pu
ils pourraient	ils auraient pu

SUBJONCTIF

Présent	Passé
que je **puisse**	que j'aie pu
que tu puisses	que tu aies pu
qu'il puisse	qu'il ait pu
que n. **puissions**	que n. ayons pu
que v. puissiez	que v. ayez pu
qu'ils puissent	qu'ils aient pu

Imparfait	Plus-que-parfait
que je **pusse**	que j'eusse pu
que tu pusses	que tu eusses pu
qu'il pût	qu'il eût pu
que n. pussions	que n. eussions pu
que v. pussiez	que v. eussiez pu
qu'ils pussent	qu'ils eussent pu

IMPÉRATIF

Présent	Passé
.	.
.	.
.	.

INFINITIF

Présent	Passé
pouvoir	avoir pu

PARTICIPE

Présent	Passé
pouvant	**pu**
	ayant pu

GÉRONDIF

Présent	Passé
en pouvant	en ayant pu

CONJUGAISON

INDICATIF

Présent
je **prends**
tu prends
il prend
nous **prenons**
vous prenez
ils prennent

Passé composé
j'ai pris
tu as pris
il a pris
nous avons pris
vous avez pris
ils ont pris

Imparfait
je **prenais**
tu prenais
il prenait
nous prenions
vous preniez
ils prenaient

Plus-que-parfait
j'avais pris
tu avais pris
il avait pris
nous avions pris
vous aviez pris
ils avaient pris

Passé simple
je **pris**
tu pris
il prit
nous prîmes
vous prîtes
ils prirent

Passé antérieur
j'eus pris
tu eus pris
il eut pris
nous eûmes pris
vous eûtes pris
ils eurent pris

Futur simple
je **prendrai**
tu prendras
il prendra
nous prendrons
vous prendrez
ils prendront

Futur antérieur
j'aurai pris
tu auras pris
il aura pris
nous aurons pris
vous aurez pris
ils auront pris

CONDITIONNEL

Présent
je **prendrais**
tu prendrais
il prendrait
nous prendrions
vous prendriez
ils prendraient

Passé
j'aurais pris
tu aurais pris
il aurait pris
nous aurions pris
vous auriez pris
ils auraient pris

SUBJONCTIF

Présent
que je **prenne**
que tu prennes
qu'il prenne
que n. **prenions**
que v. preniez
qu'ils prennent

Passé
que j'aie pris
que tu aies pris
qu'il ait pris
que n. ayons pris
que v. ayez pris
qu'ils aient pris

Imparfait
que je **prisse**
que tu prisses
qu'il prît
que n. prissions
que v. prissiez
qu'ils prissent

Plus-que-parfait
que j'eusse pris
que tu eusses pris
qu'il eût pris
que n. eussions pris
que v. eussiez pris
qu'ils eussent pris

IMPÉRATIF

Présent
prends
prenons
prenez

Passé
aie pris
ayons pris
ayez pris

INFINITIF

Présent
prendre

passé
avoir pris

PARTICIPE

Présent
prenant

Passé
pris
ayant pris

GÉRONDIF

Présent
en prenant

Passé
en ayant pris

310 Savoir Troisième groupe

INDICATIF

Présent	Passé composé
je **sais**	j'ai su
tu sais	tu as su
il sait	il a su
nous **savons**	nous avons su
vous savez	vous avez su
ils savent	ils ont su

Imparfait	Plus-que-parfait
je **savais**	j'avais su
tu savais	tu avais su
il savait	il avait su
nous savions	nous avions su
vous saviez	vous aviez su
ils savaient	ils avaient su

Passé simple	Passé antérieur
je **sus**	j'eus su
tu sus	tu eus su
il sut	il eut su
nous sûmes	nous eûmes su
vous sûtes	vous eûtes su
ils surent	ils eurent su

Futur simple	Futur antérieur
je **saurai**	j'aurai su
tu sauras	tu auras su
il saura	il aura su
nous saurons	nous aurons su
vous saurez	vous aurez su
ils sauront	ils auront su

CONDITIONNEL

Présent	Passé
je **saurais**	j'aurais su
tu saurais	tu aurais su
il saurait	il aurait su
nous saurions	nous aurions su
vous sauriez	vous auriez su
ils sauraient	ils auraient su

SUBJONCTIF

Présent	Passé
que je **sache**	que j'aie su
que tu saches	que tu aies su
qu'il sache	qu'il ait su
que n. **sachions**	que n. ayons su
que v. sachiez	que v. ayez su
qu'ils sachent	qu'ils aient su

Imparfait	Plus-que-parfait
que je **susse**	que j'eusse su
que tu susses	que tu eusses su
qu'il sût	qu'il eût su
que n. sussions	que n. eussions su
que v. sussiez	que v. eussiez su
qu'ils sussent	qu'ils eussent su

IMPÉRATIF

Présent	Passé
sache	aie su
sachons	ayons su
sachez	ayez su

INFINITIF

Présent	Passé
savoir	avoir su

PARTICIPE

Présent	Passé
sachant	su
	ayant su

GÉRONDIF

Présent	Passé
en sachant	en ayant su

CONJUGAISON

INDICATIF

Présent
je **tiens**
tu tiens
il tient
nous **tenons**
vous tenez
ils tiennent

Imparfait
je **tenais**
tu tenais
il tenait
nous tenions
vous teniez
ils tenaient

Passé simple
je **tins**
tu tins
il tint
nous tînmes
vous tîntes
ils tinrent

Futur simple
je **tiendrai**
tu tiendras
il tiendra
nous tiendrons
vous tiendrez
ils tiendront

Passé composé
j'ai tenu
tu as tenu
il a tenu
nous avons tenu
vous avez tenu
ils ont tenu

Plus-que-parfait
j'avais tenu
tu avais tenu
il avait tenu
nous avions tenu
vous aviez tenu
ils avaient tenu

Passé antérieur
j'eus tenu
tu eus tenu
il eut tenu
nous eûmes tenu
vous eûtes tenu
ils eurent tenu

Futur antérieur
j'aurai tenu
tu auras tenu
il aura tenu
nous aurons tenu
vous aurez tenu
ils auront tenu

SUBJONCTIF

Présent
que je **tienne**
que tu tiennes
qu'il tienne
que n. **tenions**
que v. teniez
qu'ils tiennent

Passé
que j'aie tenu
que tu aies tenu
qu'il ait tenu
que n. ayons tenu
que v. ayez tenu
qu'ils aient tenu

Imparfait
que je **tinsse**
que tu tinsses
qu'il tînt
que n. tinssions
que v. tinssiez
qu'ils tinssent

Plus-que-parfait
que j'eusse tenu
que tu eusses tenu
qu'il eût tenu
que n. eussions tenu
que v. eussiez tenu
qu'ils eussent tenu

IMPÉRATIF

Présent
tiens
tenons
tenez

Passé
aie tenu
ayons tenu
ayez tenu

INFINITIF

Présent
tenir

Passé
avoir tenu

PARTICIPE

Présent
tenant

Passé
tenu
ayant tenu

CONDITIONNEL

Présent
je **tiendrais**
tu tiendrais
il tiendrait
nous tiendrions
vous tiendriez
ils tiendraient

Passé
j'aurais tenu
tu aurais tenu
il aurait tenu
nous aurions tenu
vous auriez tenu
ils auraient tenu

GÉRONDIF

Présent
en tenant

Passé
en ayant tenu

CONJUGAISON

INDICATIF

Présent	Passé composé
je **vois**	j'ai vu
tu vois	tu as vu
il voit	il a vu
nous **voyons**	nous avons vu
vous voyez	vous avez vu
ils voient	ils ont vu

Imparfait	Plus-que-parfait
je **voyais**	j'avais vu
tu voyais	tu avais vu
il voyait	il avait vu
nous voyions	nous avions vu
vous voyiez	vous aviez vu
ils voyaient	ils avaient vu

Passé simple	Passé antérieur
je **vis**	j'eus vu
tu vis	tu eus vu
il vit	il eut vu
nous vîmes	nous eûmes vu
vous vîtes	vous eûtes vu
ils virent	ils eurent vu

Futur simple	Futur antérieur
je **verrai**	j'aurai vu
tu verras	tu auras vu
il verra	il aura vu
nous verrons	nous aurons vu
vous verrez	vous aurez vu
ils verront	ils auront vu

CONDITIONNEL

Présent	Passé
je **verrais**	j'aurais vu
tu verrais	tu aurais vu
il verrait	il aurait vu
nous verrions	nous aurions vu
vous verriez	vous auriez vu
ils verraient	ils auraient vu

SUBJONCTIF

Présent	Passé
que je **voie**	que j'aie vu
que tu voies	que tu aies vu
qu'il voie	qu'il ait vu
que n. **voyions**	que n. ayons vu
que v. **voyiez**	que v. ayez vu
qu'ils voient	qu'ils aient vu

Imparfait	Plus-que-parfait
que je **visse**	que j'eusse vu
que tu visses	que tu eusses vu
qu'il vît	qu'il eût vu
que n. vissions	que n. eussions vu
que v. vissiez	que v. eussiez vu
qu'ils vissent	qu'ils eussent vu

IMPÉRATIF

Présent	Passé
vois	aie vu
voyons	ayons vu
voyez	ayez vu

INFINITIF

Présent	Passé
voir	avoir vu

PARTICIPE

Présent	Passé
voyant	**vu**
	ayant vu

GÉRONDIF

Présent	Passé
en voyant	en ayant vu

INDICATIF

Présent	Passé composé
je **veux**	j'ai voulu
tu veux	tu as voulu
il veut	il a voulu
nous **voulons**	nous avons voulu
vous voulez	vous avez voulu
ils veulent	ils ont voulu

Imparfait	Plus-que-parfait
je **voulais**	j'avais voulu
tu voulais	tu avais voulu
il voulait	il avait voulu
nous voulions	nous avions voulu
vous vouliez	vous aviez voulu
ils voulaient	ils avaient voulu

Passé simple	Passé antérieur
je **voulus**	j'eus voulu
tu voulus	tu eus voulu
il voulut	il eut voulu
nous voulûmes	nous eûmes voulu
vous voulûtes	vous eûtes voulu
ils voulurent	ils eurent voulu

Futur simple	Futur antérieur
je **voudrai**	j'aurai voulu
tu voudras	tu auras voulu
il voudra	il aura voulu
nous voudrons	nous aurons voulu
vous voudrez	vous aurez voulu
ils voudront	ils auront voulu

CONDITIONNEL

Présent	Passé
je **voudrais**	j'aurais voulu
tu voudrais	tu aurais voulu
il voudrait	il aurait voulu
nous voudrions	nous aurions voulu
vous voudrriez	vous auriez voulu
ils voudraient	ils auraient voulu

SUBJONCTIF

Présent	Passé
que je **veuille**	que j'aie voulu
que tu veuilles	que tu aies voulu
qu'il veuille	qu'il ait voulu
que n. **voulions**	que n. ayons voulu
que v. vouliez	que v. ayez voulu
qu'ils veuillent	qu'ils aient voulu

Imparfait	Plus-que-parfait
que je **voulusse**	que j'eusse voulu
que tu voulusses	que tu eusses voulu
qu'il voulût	qu'il eût voulu
que n. voulussions	que n. eussions voulu
que v. voulussiez	que v. eussiez voulu
qu'ils voulussent	qu'ils eussent voulu

IMPÉRATIF

Présent	Passé
veux (veuille)	aie voulu
voulons	ayons voulu
voulez (veuillez)	ayez voulu

INFINITIF

Présent	Passé
vouloir	avoir voulu

PARTICIPE

Présent	Passé
voulant	voulu
	ayant voulu

GÉRONDIF

Présent	Passé
en voulant	en ayant voulu

VOCABULAIRE

L'ORIGINE DES MOTS

Ysolt en sa chambre suspire
Pur Tristran qu'ele tant desire
Ne puet en sun cuer el penser
Fors ço sul que Tristran amer

■ « Le lai de Guiron », *Le Roman de Tristan et Iseut.*

Iseut dans sa chambre soupire pour Tristan qu'elle désire si fort.
En son cœur, elle ne peut penser à autre chose qu'à son amour
pour Tristan.

Les poèmes de la légende de Tristan et Iseut ont été écrits en
ancien français ; on voit ainsi que les mots ont une histoire.

314 Qu'est-ce que l'étymologie d'un mot ?

■ L'étymologie est la science qui permet de connaître l'**histoire des
mots** en remontant à leur forme et à leur sens premier. Rechercher
l'étymologie d'un mot consiste à rechercher l'**origine du mot**. Le
dictionnaire indique, pour chaque mot, son étymologie et sa date
d'apparition.

Enfant : n. ; XIe ; lat. infans *« qui ne parle pas ».*
Le dictionnaire nous apprend que le nom *enfant* est apparu dans la langue
française au XIe siècle et qu'il vient d'un mot latin qui signifiait : *qui ne parle
pas.*

■ Les mots français ont des origines variées. On distingue les mots
hérités, les mots **empruntés à d'autres langues** et les mots **formés
par le français** (mots dérivés → 318 ; mots composés → 322).

315 Les mots hérités ou le fonds primitif

■ La langue française s'est formée à partir d'un **fonds primitif**
constitué par les mots hérités du latin, du gaulois et des langues
germaniques. Ces différents héritages ont donné naissance, au
IXe siècle, au **roman** ou **ancien français** qui, en évoluant, devien-
dra le français moderne à partir du XVIe siècle.

férenc
e, une
lesche
le Be
férenc
herelle
le Be
férenc
e, une
lesche
le Be
férenc
e,...
le...
le...
fé...
he...
le...
fé...
e,...
le...
le...
le...
fé...
e, une
lesche
le Be

Un jour, Renart qui, comme d'habitude, était toujours prêt à jouer quelque tour de sa façon et à s'amuser aux dépens d'autrui, se dirigeait vers un hameau situé dans un bois et bien pourvu en poules, coqs, canes, canards, jars et oies.

■ *Le Roman de Renart.*

Cette phrase est une transcription en français moderne d'un extrait du *Roman de Renart*, composé entre le XIIe et le XIIIe siècle et écrit en ancien français :

Il avint chose que Renars,
Qui tant par fu de males ars
Et qui tant sot toz jors de guile,
S'en vint traiant a une vile.
La vile seoit en un bos.
Molt i ot gelines et cos,
Anes et malarz, jars et oës.

■ La plupart des mots français viennent du **latin** : comme l'italien, l'espagnol ou le portugais, le français est une **langue romane**, c'est-à-dire issue du latin populaire. Introduit en Gaule avec la conquête romaine, le latin était transmis oralement par les soldats et les marchands romains ; les Gaulois, en le parlant, lui ont fait subir diverses transformations. Ainsi, au fil du temps, les mots latins ont évolué.

Caballum a donné *cheval*.

Pavorem a donné *peur*.

Aquam a donné *ewe*, qui a donné *eau*.

■ Seuls quelques **mots gaulois** ont subsisté ; ils appartiennent le plus souvent au vocabulaire de la nature et de la vie agricole : *alouette, charrue, chemin, chêne*… En revanche, de nombreux **mots germaniques** ont été introduits par les Francs, lorsque ceux-ci se sont installés dans la Gaule romaine : *bourg, guerre, honte, riche, robe*…

316 Les emprunts au latin et au grec

■ Au Moyen Âge et à la Renaissance, les savants et les écrivains ont emprunté des mots au **latin littéraire** et au **grec classique** de manière à enrichir le français. Ces mots, qui ont été francisés simplement par changement de terminaison, sont très proches du mot d'origine.

> *Liberté* vient du latin *libertas*.
>
> *Automate* vient du grec *automatos*.

■ Les mots empruntés au latin littéraire sont des **formations savantes**. Ils se distinguent des mots d'origine latine du fonds primitif, qui sont des **formations populaires**. Il arrive parfois que deux mots français soient issus d'un même mot latin : l'un étant une formation populaire, l'autre une formation savante. On parle alors de **doublets**.

> *Hospitalem* a donné :   *hôtel* (formation populaire) ;
>
>   *hôpital* (formation savante).
>
> *Navigare* a donné :   *nager* (formation populaire) ;
>
>   *naviguer* (formation savante).
>
> *Strictum* a donné :   *étroit* (formation populaire) ;
>
>   *strict* (formation savante).
>
> *Potionem* a donné :   *poison* (formation populaire) ;
>
>   *potion* (formation savante).

■ Depuis la Renaissance jusqu'à nos jours, le grec et le latin ont continué à enrichir le français, que ce soit par l'emprunt direct ou par l'utilisation de radicaux, de préfixes ou de suffixes issus de ces langues.

> *album – agenda – memento*
> Ces mots latins sont passés sans modification en français.

> **biograph***ie*
> Ce mot est constitué à partir des radicaux grecs *bio-* (vie) et *-graph-* (écriture).

> **hyper***sensible*
> Le préfixe grec *hyper* signifie *au-delà*.

> **post***opératoire*
> Le préfixe latin *post* signifie *après*.

317 **Les emprunts aux langues vivantes**

■ Au cours de l'histoire, le français a également emprunté des mots aux différentes langues vivantes. Ces emprunts ont été favorisés par les relations politiques, commerciales, culturelles ou touristiques. Ainsi, de nombreux mots viennent de :
– l'arabe : *alcool, algèbre, chiffre, hasard, zéro…*
– l'italien : *balcon, banque, carnaval, pantalon, soldat…*
– l'allemand : *képi, trinquer, sabre, valse…*
– l'espagnol : *camarade, cigare, sieste, vanille…*
– l'anglais : *bifteck, match, sport, tee-shirt…*

■ Les mots empruntés aux langues étrangères peuvent être francisés, mais ils peuvent également conserver leur orthographe d'origine, et même leur prononciation lorsqu'ils sont d'importation récente.

paquebot
Ce mot vient de l'anglais *packet-boat* (bateau qui transporte les paquets, c'est-à-dire le courrier).

week-end
Ce mot anglais a conservé son orthographe et sa prononciation d'origine.

R é s u m é

● L'étymologie indique l'origine des mots.

● Le français s'est principalement constitué à partir de mots hérités du latin populaire ; c'est une langue romane.

● Au cours de son histoire, le français a également emprunté des mots à d'autres langues mortes ou vivantes.

FOLLAVOINE. – « Z'Hébrides... Z'Hébrides... » (Au public.)
C'est extraordinaire ! je trouve zèbre, zébré, zébrure, zébu !
Mais de Zhébrides, pas plus que dans mon œil ! Si ça y était,
ce serait entre zébré et zébrure. On ne trouve rien dans ce
dictionnaire ! ■ GEORGES FEYDEAU, *On purge Bébé.*

Si *zèbre*, *zébré* et *zébrure* appartiennent à la même famille de mots, ce n'est pas le cas de *zébu*. Quant à *Zhébrides*, Follavoine n'est pas près de le trouver dans le dictionnaire.

318 Les mots dérivés

■ On appelle mots dérivés les **mots créés** par la langue française par dérivation, c'est-à-dire en ajoutant des préfixes ou des suffixes à un radical :
– le **radical** est l'élément de base qui exprime le sens principal du mot et qui ne peut être décomposé en unités plus petites *(at-**terr**-ir)* ;
– le **préfixe** est un élément qui se place devant le radical *(**ex**-porter)* ;
– le **suffixe** est un élément qui se place après le radical *(respect-**able**)*.

■ Un mot dérivé peut être formé d'un seul préfixe ou d'un seul suffixe *(sembl-**able**)*, des deux à la fois *(**dis**-sembl-**able**)*, ou de la combinaison de plusieurs suffixes et préfixes *(sembl-**able**-**ment**)*.

319 Les familles de mots

■ On appelle famille de mots l'ensemble des **mots formés sur le même radical**. La plupart des mots d'une même famille ont été formés par dérivation : ce sont les **mots dérivés**. Certains sont formés par composition : on les appelle des **mots composés** (→322).

passage, passer, passable, dépasser, dépassement, insurpassable, passeport, passe-partout...

Tous ces mots appartiennent à la famille de *pas* ; ils ont été formés par dérivation, à l'exception de *passeport* et de *passe-partout* qui sont des mots composés.

■ Il arrive que le radical d'une famille de mots prenne des formes différentes. Ainsi, les mots **sal**er, **sal**in, **sau**poudrer, **sau**mure appartiennent tous à la famille du mot **sel**. On parle alors de **famille à radicaux multiples**. Ces différences s'expliquent par l'origine des mots : certains sont hérités du latin populaire, alors que d'autres sont des formations savantes.

famille du mot **mer** *:* **amer**rir, **mar**ée, **mar**in, **mar**itime...

Mer- et **mar-** viennent du latin *mare : la mer* ; le premier est une formation populaire qui a évolué, le second est une formation savante directement empruntée au mot latin.

> **Attention**
>
> **Il ne faut pas confondre les radicaux homophones.**
>
> Certains mots ont un radical qui peut paraître identique, alors qu'ils n'appartiennent pas à la même famille. Pour appartenir à une même famille, les mots doivent avoir non seulement une ressemblance de forme, mais aussi une ressemblance de sens.
>
> **terr**ible − **terr**estre
>
> Ces mots sont tous deux formés sur le radical *-terr-*, mais le premier appartient à la famille de *terreur* (du latin *terror*) et le second à la famille de *terre* (du latin *terra*).

320 Les préfixes

■ Les préfixes peuvent s'ajouter à des noms *(méconnaissance)*, à des verbes *(refaire)*, à des adjectifs *(inégal)*, mais ils ne modifient pas la classe grammaticale du mot auquel ils s'ajoutent : un préfixe ajouté à un nom crée un autre nom.

■ Les préfixes ont une signification qui modifie le sens des mots auxquels ils s'ajoutent. Différents préfixes peuvent avoir une même signification et un même préfixe peut avoir des sens différents :

– **in-** et **a-** sont des préfixes privatifs qui ont le même sens négatif : **in**poli, **a**normal ;

– re- et **in-** peuvent avoir des sens différents.

*re*faire   *re* : à nouveau   **re***tirer*   *re* : en arrière
*im*porter   *in* : à l'intérieur   **in***audible*   *in* : négation

■ La plupart des préfixes utilisés par le français sont d'origine grecque *(anti-, hyper-...)* ou latine *(post-, pré-...)* (→325-327). Ils sont invariables, mais la dernière consonne d'un préfixe s'assimile souvent à la première consonne du mot auquel il s'adjoint.

*in*distinct, *il*lisible, *im*mature, *ir*réalisable
*ad*joindre, *ac*cueillir, *af*faiblir, *al*léger

Les préfixes d'origine latine *in* et *ad* prennent différentes formes en s'assimilant au radical.

 Les suffixes

■ À la différence des préfixes, les suffixes peuvent modifier la classe grammaticale des mots auxquels ils s'ajoutent. On peut former un nom à partir d'un autre nom *(ferme, fermier)*, mais on peut également former un nom à partir d'un verbe *(entasser, entassement)*, un adjectif à partir d'un nom *(orage, orageux)*, un adverbe à partir d'un adjectif *(incroyable, incroyablement)*, etc.

Suffixes de noms	**-age** : *réglage* **-esse** : *étroitesse* **-isme** : *capitalisme* **-(a)tion** : *augmentation*	**-ement** : *redressement* **-ier** : *pâtissier* **-té** : *sureté*
Suffixes de verbes	**-er** : *filmer* **-iser** : *nationaliser* **-oter** : *siffloter*	**-ifier** : *clarifier* **-onner** : *chantonner*
Suffixes d'adjectifs	**-able** : *passable* **-ais** : *anglais* **-ible** : *possible* **-ien** : *italien*	**-aire** : *planétaire* **-al** : *amical* **-eux** : *heureux*
Suffixes d'adverbes	**-ment** : *froidement*	**-ons** : *à reculons*

■ Les suffixes ont des significations très variées. Un même suffixe peut avoir plusieurs significations : ainsi, le suffixe -**eur** peut former des noms de qualité *(blancheur, chaleur...)* comme des noms d'agent *(vendeur, assureur...)*. Certains ont une signification précise :

– suffixes de possibilité : -**able** *(potable)* ; -**ible** *(crédible)* ;

– suffixes péjoratifs : -**ard** *(faiblard)* ; -**asse** *(paperasse)* ; -**ace** *(populace)* ; -**âtre** *(verdâtre)* ;

– suffixes de diminutifs : -**et**, -**ette** *(jardinet, poulette)* ; -**on** *(chaton)* ; -**oter** *(vivoter)*.

■ Des radicaux d'origine grecque ou latine sont souvent utilisés comme suffixes. (→325-327)

*carni**vore**, herbi**vore***
Le radical latin -*vore* signifie *qui mange.*

*photo**graphe**, géo**graphe***
Le radical grec -*graphe* signifie *qui écrit.*

R é s u m é

● Le français peut former des mots nouveaux par dérivation, en ajoutant à un radical des préfixes et des suffixes.

● Les mots dérivés à partir d'un même radical appartiennent à la même famille de mots.

● Le préfixe est un élément qui précède le radical ; il ne modifie pas la classe grammaticale du mot auquel il s'ajoute.

● Le suffixe est un élément qui suit le radical ; il peut modifier la classe grammaticale du mot auquel il s'ajoute.

Dans ses *Exercices de style*, Raymond Queneau s'amuse à raconter une même histoire avec des mots composés : *Je plate-d'autobus-formais co-foultitudinairement dans un espace-temps lutécio-méridiennal…* ; ou encore avec des mots abrégés : *Je mon dans un aut plein de voya.* ■ RAYMOND QUENEAU, *Exercices de style.*

322 Les mots composés

■ On appelle mots composés les mots créés par la langue française en **réunissant plusieurs mots** ou **radicaux**. La composition s'opère par différents moyens et les mots ou radicaux qui forment les mots composés peuvent être :
– soudés : *télévision, portemanteau* ;
– reliés par un trait d'union : *timbre-poste, chef-d'œuvre* ;
– reliés par une préposition : *chemin de fer, machine à laver* ;
– juxtaposés : *chaise longue, compte rendu.*

■ Les mots composés peuvent associer des radicaux d'origine grecque ou latine (→325-327). Ces **mots composés savants** sont très nombreux dans le vocabulaire technique et scientifique.

ethnologie
Ethno- (peuple) et *-logie (étude)* sont des radicaux d'origine grecque.

omnivore
Omni- (tout) et *-vore (qui mange)* sont des radicaux d'origine latine.

■ Les mots composés sont de natures variées :
– il s'agit le plus souvent de **noms** : *chien-loup, cache-cache, beau-père, pomme de terre* ;
– d'**adjectifs** : *aigre-doux, bleu marine, avant-dernier* ;
– de **locutions** : locutions verbales *(avoir l'air)*, locutions adverbiales *(tout à coup)*, locutions prépositionnelles *(hors de)*, locutions conjonctives *(après que)*.

Pour aller plus loin

Les noms composés peuvent associer des mots de différentes natures.

On distingue des noms composés :
– de deux noms : *un portrait-robot, un chien-loup…*
– d'un nom et d'un infinitif : *un fer à repasser, une machine à laver…*
– d'un nom et d'un adjectif : *un beau-père, un court-circuit…*
– d'un verbe et d'un nom : *un gratte-ciel, un tire-bouchon…*
– d'une préposition et d'un nom : *un contretemps, une avant-garde…*
Tout groupe de mots peut se figer pour devenir un nom composé :
le qu'en-dira-t-on, le va-et-vient…

---

323 Les mots abrégés et les sigles

■ Les mots abrégés sont créés par la langue française en abrégeant, c'est-à-dire en **raccourcissant des mots**. Cette abréviation concerne surtout des mots composés savants et se produit dans la langue parlée. C'est généralement la fin du mot qui est supprimée, plus rarement le début.

cinématographe : cinéma	*photographie : photo*
vélocipède : vélo	*stylographe : stylo*
automobile : auto	*télévision : télé*
professeur : prof	*sympathique : sympa*
autobus : bus	*autocar : car*

■ Dans la langue familière, il arrive que les mots abrégés aient leur radical modifié et se terminent par **-o**.

directeur : dirlo   *dictionnaire : dico*

■ Les **sigles** sont une forme d'abréviation. Ils sont constitués par les **initiales** de mots composés désignant le plus souvent des organisations administratives, politiques ou internationales. Les initiales sont en lettres capitales.

SNCF — Société nationale des chemins de fer français

HLM — Habitation à loyer modéré

ONU — Organisation des Nations unies

Certains sigles peuvent donner naissance à des dérivés.

ENA — École nationale d'administration

énarque — élève de cette école

RMI — Revenu minimum d'insertion

RMiste — Personne qui touche le RMI

324 Les mots qui changent de classe grammaticale

■ Des mots nouveaux peuvent être créés par simple changement de classe grammaticale. On peut ainsi transformer :

– un nom en adjectif ;

> *une noisette : des yeux* **noisette**
>
> *une rose : une robe* **rose**

– un adjectif en nom ou en adverbe ;

> *vrai, faux : distinguer le* **vrai** *du* **faux** (noms)
>
> *fort : parler* **fort** (adverbe)

– un infinitif en nom ;

> *dîner, se coucher : Le* **dîner** *lui était servi juste avant son* **coucher**.

– un participe en nom ou en adjectif ;

*reçu, étudiant : Il y a dix **reçus** parmi les **étudiants**.* (noms)

*étincelant : une bague **étincelante*** (adjectif)

– un adverbe en nom.

*ensemble : Cette chorale forme un **ensemble** harmonieux.*

*dessous : On ne connaît pas les **dessous** de l'affaire.*

■ On peut rattacher à ce procédé la formation de noms communs à partir de noms propres.

le brie (fromage de la Brie, région française)

une poubelle (de M. Poubelle, préfet de Paris qui en imposa l'usage)

un hercule (du héros Hercule, dans la mythologie gréco-romaine)

R é s u m é

● En plus des mots dérivés, le français peut former :
– des mots composés ;
– des mots abrégés et des sigles.

● Il peut également créer des mots nouveaux par changement de classe grammaticale.

PRÉFIXES ET RADICAUX D'ORIGINE GRECQUE ET LATINE

Il se trouve que le poumon, que nous appelons en latin armyan, *ayant communication avec le cerveau, que nous nommons en grec* nasmus, *par le moyen de la veine cave, que nous appelons en hébreu* cubile, *rencontre en son chemin lesdites vapeurs qui remplissent les ventricules de l'omoplate ; et parce que lesdites vapeurs... comprenez bien ce raisonnement, je vous prie.*

■ MOLIÈRE, *Le Médecin malgré lui.*

Il n'est pas nécessaire d'inventer des mots grecs et latins comme le fait Sganarelle pour se donner l'air savant : la langue française en est remplie.

325 Les mots savants

■ Le français a emprunté et continue d'emprunter au grec et au latin des préfixes et des radicaux qui lui servent à former des mots savants du vocabulaire scientifique, technique, politique...

télescope (XVIIe siècle)   *cosmonaute* (XXe siècle)

■ Il peut arriver qu'un élément grec soit associé à un élément latin.

automobile (XIXe siècle)
Auto- est un élément grec signifiant *de soi-même* ; *-mobile* est un élément latin signifiant *qui se meut.*

326 Les préfixes et les radicaux d'origine grecque

Les préfixes

a-, an- : négation — *anormal* (qui n'est pas normal)

anti- : opposition — *antidérapant* (contre le dérapage)

dys- : mal — *dysfonctionnement* (mauvais fonctionnement)

eu- : bien — *euthanasie* (mort qui se déroule bien)

hémi- : demi — *hémisphère* (demi-globe)

hyper- : au-delà — *hypertension* (tension au-delà de la normale)

hypo- : en dessous — *hypothermie* (chaleur en dessous de la normale)

mono- : seul — *monotone* (d'un seul ton)

para- : à côté de / contre — *paranormal* (à côté du normal)
parapluie (contre la pluie)

péri- : autour — *périscope* (qui regarde autour)

sym-, syn- : avec, en union — *symphonie* (sons en union)

Les radicaux

aéro- : air — *aéronautique* (navigation dans l'air)

-algie : douleur — *névralgie* (douleur du nerf)

anthropo- : homme — *anthropologue* (qui étudie l'homme)

archéo- : ancien — *archéologie* (étude de ce qui est ancien)

-archie : commandement — *monarchie* (commandement d'un seul)

auto- : de soi-même — *autographe* (écrit par soi-même)

biblio- : livre — *bibliothèque* (coffre à livres)

bio- : vie — *biographe* (qui écrit la vie)

chrono- : temps — *chronomètre* (mesure du temps)

cosmo- : univers, monde — *cosmopolite* (citoyen du monde)

-cratie : puissance — *démocratie* (puissance du peuple)

géo- : terre — *géologie* (étude de la terre)

grapho- : écriture — *graphologie* (étude de l'écriture)

hétéro- : autre — *hétérogène* (qui a une origine différente)

hippo- : cheval — *hippopotame* (cheval de fleuve)

homo- : semblable — *homogène* (qui a une origine semblable)

hydr- : eau — *déshydraté* (privé d'eau)

-logie : science, étude — *cardiologie* (étude du cœur)

méga-, mégalo- : grand — *mégalomanie* (folie des grandes choses)

micro- : petit — *microscope* (qui regarde le petit)

-morphe : forme — *amorphe* (qui n'a pas de forme)

-nome : loi — *autonome* (qui se donne sa propre loi)
-onyme : nom — *homonyme* (nom semblable)
ortho- : droit — *orthogonal* (à angle droit)
péd- : enfant — *pédagogue* (qui conduit un enfant)
-phage : qui mange — *anthropophage* (qui mange un homme)
philo- : qui aime — *philosophe* (qui aime la sagesse)
-phobe : qui craint — *claustrophobe* (qui craint l'enfermement)
-pole : ville — *mégalopole* (grande ville)
poly- : plusieurs — *polythéiste* (qui a plusieurs dieux)
psycho- : âme — *psychologie* (étude de l'âme)
télé- : loin — *téléphone* (voix au loin)
-thérapie : soin — *thalassothérapie* (soin par la mer)
théo- : dieu — *athée* (qui est sans dieu)
zoo- : animal — *zoologie* (étude des animaux)

327 Les préfixes et les radicaux d'origine latine

Les préfixes

ad- : vers — *attirer* (tirer vers)
ante- : avant — *antécédent* (qui va avant)
co-, com-, con-... : avec — *cohabiter* (habiter avec)
circon- : autour — *circonstance* (qui se tient autour)
e-, ex- : hors de — *expatrié* (hors de la patrie)
in-, im-... : en, dans — *importer* (porter dans)
in-, im-... : négation — *infidèle* (qui n'est pas fidèle)
post- : après — *post-scriptum* (écrit après)
pré- : devant, en avant — *préhistoire* (avant l'histoire)

r-, re- : en arrière / de nouveau − *recourber* (courber en arrière) / *refaire* (faire à nouveau)

rétro- : en arrière − *rétrospectif* (qui regarde en arrière)

sub- : sous − *submerger* (plonger sous)

super- : au-dessus de, sur − *superposer* (poser au-dessus)

trans- : par-delà, à travers − *transatlantique* (qui traverse l'Atlantique)

Les radicaux

-ambule : qui marche − *somnambule* (qui marche dans le sommeil)

aqua- : eau − *aqueduc* (conduite d'eau)

bi- : deux − *bicéphale* (qui a deux têtes)

calor- : chaleur − *calorifère* (qui porte la chaleur)

-cide : qui tue − *insecticide* (qui tue les insectes)

-fère : qui porte − *somnifère* (qui porte le sommeil)

-fier : faire, rendre − *purifier* (rendre pur)

-fique : qui fait − *bénéfique* (qui fait du bien)

-fuge : qui fuit, qui fait fuir − *ignifuge* (qui fait fuir le feu)

-grade : qui marche − *rétrograde* (qui marche en arrière)

multi- : nombreux − *multicolore* (qui a de nombreuses couleurs)

omni- : tout − *omniscient* (qui sait tout)

péd- : pied − *pédicure* (soin des pieds)

quadr- : quatre − *quadrupède* (qui a quatre pieds)

quinqu- : cinq − *quinquennat* (cinq années)

radio- : rayon − *radiothérapie* (traitement par les rayons)

-vore : qui mange − *omnivore* (qui mange de tout)

ARCHAÏSMES ET NÉOLOGISMES

*viens ici que je **t'enpapouète***
*et que je **t'enrime***
*et que je **t'enrythme***
*et que je **t'enlyre***

■ RAYMOND QUENEAU, *L'Instant fatal.*

Certains mots changent de sens, d'autres disparaissent, de nouveaux mots apparaissent. Parfois les mots n'existent que le temps d'un poème.

328 L'évolution du sens des mots

■ Le sens des mots évolue avec le temps. Un mot peut prendre un nouveau sens parce que son sens premier s'est affaibli, ou parce qu'il s'est restreint, ou encore parce qu'il s'est étendu.

*Faut-il qu'un si grand **cœur** montre tant de faiblesse ?*
Voulez-vous qu'un dessein si beau, si généreux,
*Passe pour le **transport** d'un esprit amoureux ?*
Captive, toujours triste, importune à moi-même,
Pouvez-vous souhaiter qu'Andromaque vous aime ?
*Quels **charmes** ont pour vous des yeux infortunés*
Qu'à des pleurs éternels vous avez condamnés ?

■ JEAN RACINE, *Andromaque.*

Au XVIIᵉ siècle, *cœur* a le sens de *courage*, *transport* a le sens *d'impulsion*, *charmes* a le sens *d'envoûtement*.

■ Le sens d'un mot peut évoluer par **affaiblissement**. Ainsi, certains mots avaient un sens très fort qui s'est affaibli.

Enfin, quand Ménélas disposa de sa fille
En faveur de Pyrrhus, vengeur de sa famille,
Tu vis mon désespoir ; et tu m'as vu depuis
*Traîner de mers en mers ma chaîne et mes **ennuis**.*

■ JEAN RACINE, *Andromaque.*

Au XVIIᵉ siècle, *ennui* avait le sens fort de *tourment*, de *peine* ; il a maintenant le sens affaibli de *désagrément*.

*En ce moment Vallombreuse, malgré sa beauté, avait une
tête plus horrible et **formidable** que celle de Méduse.*

■ THÉOPHILE GAUTIER, *Le Capitaine Fracasse.*

Formidable a ici le sens ancien d'*effrayant, terrible.*

■ Le sens d'un mot peut également évoluer par **restriction**. Ainsi, certains mots peuvent prendre un sens plus limité que celui qu'ils avaient dans le passé.

ARISTE. — *Quel est le **succès** ? Aurons-nous Henriette ?
A-t-elle consenti ? L'affaire est-elle faite ?*

■ MOLIÈRE, *Les Femmes savantes.*

Au XVIIe siècle, *succès* avait le sens large de *résultat* (bon ou mauvais).

*C'est peu de dire aimer, Elvire : je l'adore ;
Ma passion s'oppose à mon ressentiment ;
Dedans mon ennemi je trouve mon **amant**.*

■ CORNEILLE, *Le Cid.*

Au XVIIe siècle, *amant* désigne celui qui aime et est aimé en retour.
Il a maintenant le sens plus limité d'homme qui a une relation adultère.

■ Enfin, le sens d'un mot peut évoluer par **extension**. Dans ce cas, le mot prend des significations nouvelles qui s'ajoutent au sens premier.

Un **cadre** désigne la bordure entourant une glace ou un tableau ; mais par métaphore (relation de ressemblance), il désigne aussi un salarié qui encadre et dirige d'autres salariés dans une entreprise.

Le **bronze** désigne un alliage de cuivre et d'étain ; mais par métonymie (relation de proximité), un bronze désigne aussi une sculpture réalisée dans ce matériau.

329 Les archaïsmes

■ Un archaïsme est un **mot**, une **forme** ou une **expression vieillis** qu'on emploie alors qu'ils ne sont plus en usage.

*Il nous a raconté son aventure avec **moult** détails.*

Moult est un mot vieilli qui signifie *beaucoup.*

■ L'emploi de l'archaïsme constitue un **procédé de style** qui permet de donner une tournure ancienne à l'énoncé. Il peut également s'agir d'un emploi humoristique.

*Et quand il les eut tous **occis**, d'autres chevreuils se présen-
tèrent, d'autres daims, d'autres blaireaux, d'autres paons,
et des merles, des geais, des putois, des renards, des hérissons,
des lynx, une infinité de bêtes, à chaque pas plus nombreuses.*

■ GUSTAVE FLAUBERT, *La Légende de saint Julien l'Hospitalier.*

L'auteur, qui a voulu reconstituer l'univers du Moyen Âge dans son récit,
a employé le vieux verbe *occire*, signifiant *tuer*.

*Il s'arma donc à la hâte, roula sur son dos la tente-abri dont
le gros manche montait d'un bon pied au-dessus de sa tête,
et, **roide** comme un pieu, descendit dans la rue.*

■ ALPHONSE DAUDET, *Tartarin de Tarascon.*

Pour décrire avec humour un personnage qui s'apprête à partir à la chasse
au lion, l'auteur utilise l'archaïsme *roide* à la place de *raide*.

330 Les néologismes

■ Un néologisme est un **mot nouveau** créé pour :
– désigner une réalité nouvelle ;

> *un blog* (journal personnel sur Internet)

– s'exprimer de manière poétique, originale ou humoristique.

*Regarde donc la canne, vieille bique, et tu verras bien que tu
as rapetissé. Tu as attrapé la **ratatinette**, l'épouvantable
ratatinette !*

■ ROALD DAHL, *Les Deux Gredins.*

L'auteur invente le terme *ratatinette*, pour exprimer le rapetissement.

■ Les néologismes peuvent s'installer dans la langue et entrer dans le dictionnaire. Ainsi, le mot *surréalisme*, qui fut inventé par le poète Guillaume Apollinaire, est désormais entré dans l'usage.

■ Les néologismes peuvent se créer par :

– emprunt : *web* (emprunt à l'anglais signifiant *toile*) ;

– dérivation : *vidéaste* (suffixe *-aste* ajouté au radical de *vidéo*, sur le modèle de *cinéaste*) ;

– composition : *abribus* ;

– raccourcissement : *techno* (raccourcissement du mot *technique* désignant la musique électronique) ;

– sigle : $SIDA$ (syndrome d'immunodéficience acquise) ;

– mot-valise (mot composé d'éléments de plusieurs mots) : *modem* est formé avec le début des mots **mo**dulateur et **dém**odulateur.

Pour aller plus loin

À l'époque actuelle, de nombreux néologismes sont des emprunts à l'anglais.

Aussi, pour éviter un emploi exagéré de ces anglicismes et lutter contre le franglais, des recommandations officielles invitent à employer des termes équivalents français.

> *walkman : baladeur*
> *mail : courriel* (courrier électronique)

R é s u m é

● Le sens des mots évolue, que ce soit par affaiblissement, restriction ou extension.

● Un archaïsme est un mot vieilli qu'on emploie alors qu'il n'est plus en usage.

● Un néologisme est un mot inventé.

LA POLYSÉMIE DES MOTS

Le mot *polysémie* vient du radical grec *poly-*, qui signifie *plusieurs*, et du radical grec *sémie*, qui signifie *sens, signe*.

331 Qu'est-ce qu'un mot polysémique ?

■ On dit qu'un mot est polysémique quand il possède **plusieurs sens**. Le mot *feuille,* par exemple, désigne à la fois la *feuille de l'arbre* et la *feuille de papier*.

> *J'ai **embrassé** l'aube d'été.*
> ■ ARTHUR RIMBAUD, « Aube », *Illuminations*.
> Pour comprendre cette phrase de Rimbaud, il faut connaître les différents sens du verbe *embrasser*, mot polysémique. Ce verbe signifie *entourer de ses bras* et *donner un baiser*. C'est le premier sens qui est utilisé par Rimbaud dans son poème.

■ Certains mots ne possèdent qu'un seul sens, le mot *kilogramme* par exemple.

332 Le sens propre et le sens figuré

■ Un mot peut avoir **un sens propre** et **un ou plusieurs sens figurés**. Le sens propre est le sens **premier** et le plus concret du mot. Le sens figuré est un sens **secondaire**, dérivé du premier, c'est-à-dire qu'il découle du premier mais s'en écarte et va au-delà. Le verbe *bourgeonner* signifie, au sens propre, *pousser*, en parlant des plantes, sous forme de bourgeon. Au sens figuré, il désigne l'apparition de boutons rouges sur le visage d'un être humain, généralement à l'adolescence.

> *Rodrigue, as-tu du **cœur** ?* ■ PIERRE CORNEILLE, *Le Cid*.
> Le mot *cœur* est employé au sens figuré de *courage*, *vaillance*, et non au sens propre d'*organe vital*.

■ Le sens figuré d'un mot est souvent lié à une expression couramment utilisée. Le mot *arc*, au sens propre, désigne une arme munie d'une pièce de bois (ou d'acier) et d'une corde. Dans l'expression *avoir plusieurs cordes à son arc*, le mot *arc* prend un sens figuré. L'expression signifie *disposer de plusieurs moyens pour atteindre un objectif.*

Il ne faut jamais battre la campagne :
on pourrait casser un nid et ses œufs.

■ Claude Roy, *Enfantasques.*

L'expression *battre la campagne* signifie, au sens figuré, *parcourir et fouiller la campagne pour trouver du gibier, inquiéter l'ennemi* ; mais le poète prend l'expression au sens propre et imagine que l'on va donner des coups à la campagne (la battre).

333 Le champ sémantique

■ Le champ sémantique d'un mot regroupe **l'ensemble de ses différents sens.** Il est donné par le dictionnaire. Plus un mot est **polysémique**, plus son champ sémantique est vaste.

■ Les différents sens d'un mot dépendent du **contexte** dans lequel il est employé.
Le champ sémantique du mot *tour* (n. m., famille de *tourner*), par exemple, se répartit en quatre sens principaux. Le tour désigne :
1. une dimension qui forme un cercle ;
2. un mouvement de rotation ;
3. une manière ;
4. une étape, une succession.
Selon le contexte, tel ou tel sens du mot sera utilisé.

*Ce voyageur a accompli le **tour** du monde.* (sens 1)
*La danseuse a fait un **tour** sur elle-même.* (sens 2)
*Cette affaire prend un **tour** inquiétant.* (sens 3)
*C'est au **tour** du maire de parler.* (sens 4)

R é s u m é

● Un mot polysémique est un mot qui possède plusieurs sens.

● Un mot a un sens propre (premier et concret) et un ou plusieurs sens figurés (secondaires et dérivés).

● Le champ sémantique d'un mot désigne l'ensemble de ses significations.

DÉNOTATION ET CONNOTATION

*Comment était ce **Paris** ? Quel nom démesuré !*
Elle se le répétait à demi-voix pour se faire plaisir.

■ GUSTAVE FLAUBERT, *Madame Bovary.*

Le mot *Paris* fait rêver Emma Bovary, car les mots disent plus que leur simple sens. Par-delà leur *dénotation*, ils ont de multiples *connotations*.

334 Qu'est-ce que la dénotation d'un mot ?

■ Tous les mots ont une **dénotation**, c'est-à-dire un **sens qui renvoie à ce que le mot désigne dans la réalité**.

■ La dénotation d'un mot est **précise** et **permanente**. Elle est donnée par le dictionnaire.

un char
Ce mot est défini par le dictionnaire comme une voiture à deux roues, ouverte à l'arrière et fermée sur le devant, pour les combats, les jeux. Il s'agit de la dénotation du mot *char*.

335 Qu'est-ce que la connotation d'un mot ?

■ Tous les mots peuvent aussi avoir une (ou plusieurs) **connotation(s)**, c'est-à-dire un (des) **sens supplémentaire(s)** selon le contexte et le locuteur (celui qui parle).

■ La connotation d'un mot est **secondaire** et **variable**. Elle provient d'une association d'idées.

un char
Associé à la mythologie, le mot *char* peut faire penser par connotation au char d'Apollon, aux courses de chars de l'Antiquité ; associé aux vacances, il peut faire penser au char à voile sur la plage.

*Le soleil, avait achevé plus de la moitié de sa course et son **char**, ayant attrapé le penchant du monde, roulait plus vite qu'il ne voulait.* ■ PAUL SCARRON, *Le Roman comique.*
En associant le mot *char* au mot *soleil*, l'auteur utilise la connotation mythologique du mot *char*.

ference
e, une r
escher
ue Bes
férence
herelle,
ue Bes
ference
e, une r
escher
ue Bes
férence
escher
ue Bes
...

336 Les différentes origines des connotations

Les associations qui donnent à un mot ses connotations ont diverses origines. En voici quelques exemples.

La connotation d'origine sonore

■ Les sons (ou phonèmes) qui composent un mot créent des impressions agréables ou désagréables, douces ou dures.
Des mots comme *sarcastique, cacophonique, triturer* ont des sonorités dures et assez désagréables.
Des mots comme *maman, airelle, doucement* ont des sonorités douces et agréables.
Ces **impressions sonores** apportent une connotation au mot.

> *La dent de ton **Erard, râtelier osanore**,*
> *Et scie et **broie** à **cru**, sous son **tic–tac nerveux**,*
> *La gamme de tes dents, autre **clavier sonore**...*
> *Touches **qui** ne vont pas aux **cordes** des cheveux !*
>
> ■ TRISTAN CORBIÈRE, *Les Amours jaunes.*

Les sonorités [r] de *Erard, ratelier, osanore, broie, cru, nerveux, sonore* et [k] de *cru, tic-tac, clavier, qui, cordes* apportent une connotation négative aux mots employés, car il s'agit ici d'évoquer une demoiselle qui joue très mal du piano (Erard est une marque de piano).

La connotation d'origine historique

■ Les mots ont une histoire. Les noms propres désignent une réalité unique, chargée d'histoire *(Paris, César, Versailles)*, les noms communs peuvent être associés à des événements historiques.
L'expression *Grande Guerre,* par exemple, est associée à la Première Guerre mondiale ; le mot *terreur* est associé à la Révolution française.
Ces **références historiques** apportent une connotation aux mots.

> *Courtisans ! attablés dans la splendide orgie,*
> *La bouche par le rire et la soif élargie,*
> *Vous célébrez **César**, très-bon, très-grand, très-pur.*
>
> ■ VICTOR HUGO, « Chanson », *Les Châtiments.*

Le mot *César* est associé aux empereurs romains ; par connotation, il exprime une idée de grandeur et de pouvoir absolu.

La connotation d'origine culturelle

■ Chaque société associe aux mots des significations symboliques. En Europe occidentale, le *noir* est associé au deuil, le *printemps* est associé au renouveau et à la gaieté, le *renard* est associé à la ruse. Ces **significations symboliques** apportent une connotation aux mots.

> *Carmen est maigre, – un trait de bistre*
> *Cerne son œil de gitana.*
> *Ses cheveux sont d'un **noir** sinistre,*
> *Sa peau, le **diable** la tanna.*
>
> ■ Théophile Gautier, *Émaux et Camées.*

Le *noir*, dans la culture occidentale, est une couleur négative, le *diable* est le symbole du mal.

La connotation d'origine littéraire

■ Les mots ont une histoire littéraire. Chaque écrivain, en employant tel ou tel mot, le charge d'une connotation supplémentaire. L'adjectif *cruel* peut faire penser à l'univers tragique de Racine. Le nom *albatros* fait penser au poème que Baudelaire a consacré à cet animal. Ces **références littéraires** apportent des connotations aux mots.

> *Souvent, pour s'amuser, les hommes d'équipage*
> *Prennent des **albatros**, vastes oiseaux des mers,*
> *Qui suivent, indolents compagnons de voyage,*
> *Le navire glissant sur les gouffres amers.*
>
> ■ Charles Baudelaire, « L'Albatros », *Les Fleurs du mal.*

Le mot *albatros* connote le mal-être des hommes incompris et victimes des autres hommes.

■ Lorsqu'un texte comporte de nombreux mots utilisés pour leurs connotations, on parle de **texte connotatif**.

*Je m'en allais, les **poings** dans mes poches crevées ;*
*Mon paletot aussi devenait **idéal** ;*
*J'allais sous le ciel, **Muse** ! et j'étais ton **féal** ;*
Oh ! là là ! que d'amours splendides j'ai rêvées !

Mon unique culotte avait un large trou.
*— **Petit-Poucet** rêveur, j'égrenais dans ma course*
*Des rimes. Mon auberge était à la **Grande-Ourse**.*
*— Mes étoiles au ciel avaient un doux **frou-frou***

■ Arthur Rimbaud, « Ma Bohème », *Poésies*.

Voici quelques exemples des nombreuses connotations dont est chargé ce texte.

• Les *poings* indiquent les mains serrées par dénotation ; ils évoquent le geste du combattant par connotation.

• L'adjectif *idéal* signifie « qui relève de la pensée et des idées » par dénotation ; il évoque l'immatérialité (ici du tissu très usé) par connotation littéraire et philosophique.

• La *Muse* est la divinité des arts par dénotation ; elle évoque l'inspiration poétique par connotation culturelle et littéraire.

• Le *féal* est un vassal soumis à l'autorité du souverain par dénotation ; ce mot évoque, par connotation, l'univers courtois de la littérature du Moyen Âge.

• Le *Petit-Poucet*, personnage d'un conte de Perrault, évoque, par connotation littéraire et culturelle, le monde de l'enfance, mais aussi celui de l'errance et de la pauvreté.

• La *Grande-Ourse* désigne une constellation par dénotation ; par connotation, elle évoque la nuit à la belle étoile de celui qui n'a pas de toit pour dormir.

• Le *frou-frou* est une onomatopée qui désigne le bruit d'un tissu ; par connotation sonore et culturelle, ce mot évoque le monde féminin des robes et des soirées habillées.

Résumé

● La dénotation est le sens précis et permanent d'un mot.

● La connotation est un sens secondaire et variable d'un mot. Elle dépend du contexte dans lequel le mot est employé et de son histoire culturelle.

*Il y a le **vert** du cerfeuil*
*Et il y a le **ver** de terre.*　　■ MAURICE CARÊME, *Le Mât de cocagne.*

Le *vert* et le *ver* sont deux homonymes.

337 Les homonymes

■ Les homonymes sont des mots qui ont la **même prononciation**, mais qui n'ont **pas le même sens**.

le porc (le cochon)	*le port* (à bateaux)	
le pain (grillé)	*le pin* (l'arbre)	
l'air (qu'on respire)	*l'ère* (tertiaire)	*l'aire* (du triangle)

■ Les homonymes ont parfois la même orthographe mais souvent un genre différent.

le tour, la tour
Le premier mot désigne un mouvement de rotation, le second la tour du château.

le vase, la vase
Le premier mot désigne le récipient pour les fleurs, le second la boue.

*Mignonnes, les petites matrones ! ce sont des **Thraces** qu'on aimerait bien suivre !*
　　　　　　　■ RENÉ GOSCINNY et ALBERT UDERZO, *La Grande Traversée.*
En utilisant l'homonymie entre le nom d'un peuple, les *Thraces*, et le nom commun *trace*, Obélix fait un savoureux jeu de mots.

Attention

L'homonymie est source de fautes d'orthographe.

PERRICHON (lisant avec emphase). – « *Que l'homme est petit quand on le contemple du haut de la **mère** de Glace !* »
DANIEL (à part). – *Il a écrit **mère**, r e re !*
　　　　　　　■ EUGÈNE LABICHE, *Le Voyage de Monsieur Perrichon.*
Monsieur Perrichon a fait une faute d'orthographe en confondant les homonymes *mer* et *mère*.

ference
e, une r
escher
ue Bes
férence
herelle
ue Bes
férence
e, une r
escher
ue Bes
férence
e, une r
escher
ue Bes
férence
e, une r
escher
ue es
férence
he le
ue es
férence
e, e r
escher
ue es
férence
e, une r
escher
ue Bes

VOCABULAIRE

Pour aller plus loin

Parfois, seule l'étymologie permet de distinguer
deux homonymes.

Le mot **mine,** qui désigne une carrière d'où on extrait du minerai, vient
du gallo-roman *mina.* Le mot **mine,** qui signifie aspect extérieur, vient
du breton *min.*

338 Les paronymes

■ Les paronymes sont des mots qui ont une **orthographe** et
une **prononciation proches**, mais qui n'ont **pas le même sens** :
conjecture, conjoncture ; allusion, illusion ; affliction, affection.

> BÉLISE. — *Veux-tu toute ta vie offenser la **grammaire** ?*
> MARTINE. — *Qui parle d'offenser **grand-mère** ni grand-père ?*
>
> ■ MOLIÈRE, *Les Femmes savantes.*

La servante Martine fait ici une confusion amusante entre les paronymes
grammaire et *grand-mère.*

339 Les synonymes

■ Les synonymes sont des **mots de même sens** ou de sens proche.

somptueux − magnifique − splendide − grandiose
inventer − créer − imaginer − trouver
catastrophe − désastre − tragédie − drame

La première liste donne des adjectifs synonymes, la deuxième des verbes
synonymes, la troisième des noms synonymes.

■ Les synonymes appartiennent à la **même classe grammaticale**. Ils peuvent donc, la plupart du temps, se substituer l'un à l'autre dans un même énoncé.

> Des **gens** arrivaient hors d'haleine ; des **barriques**, des câbles, des corbeilles de linge gênaient la circulation ; les **matelots** ne répondaient à personne ; on se heurtait : les colis montaient entre les deux tambours, et le tapage s'absorbait dans le bruissement de la vapeur.

■ GUSTAVE FLAUBERT, *L'Éducation sentimentale.*

On pourrait remplacer *gens* par son synonyme *personnes, barriques* par son synonyme *tonneaux, matelots* par son synonyme *marins* et dire : *Des personnes arrivaient hors d'haleine ; des tonneaux, des câbles, des corbeilles de linge gênaient la circulation ; les marins ne répondaient à personne.*

■ Les synonymes ne sont pas toujours interchangeables parce qu'ils n'ont pas exactement le même sens. Cela dépend du contexte dans lequel ils sont employés :

– certains ont des connotations différentes ;

père – papa

Ces mots sont des synonymes : le premier a une connotation neutre, le second a une connotation affective.

– certains n'appartiennent pas au même niveau de langue ;

livre – bouquin

Ces mots sont des synonymes : le premier est de niveau courant, le second est de niveau familier.

– certains ont des emplois plus ou moins spécialisés.

illustration – enluminure

Ces mots sont des synonymes : le premier s'emploie dans n'importe quel contexte, le second s'utilise à propos des livres du Moyen Âge.

340 Les antonymes

■ Les antonymes sont des mots qui ont des **sens opposés**. Les antonymes sont donc des **contraires**.

beau – laid   grand – petit
bonté – méchanceté   vieillesse – jeunesse
manger – jeûner   crier – chuchoter

■ Les antonymes sont parfois distingués par un **préfixe négatif**.

heureux – **mal**heureux
illusion – **dé**sillusion
symétrie – **a**symétrie

Dans ces exemples, les trois préfixes négatifs sont *mal-*, *dé-*, *a-*.

Tu me **haïssais** *plus, je ne t'***aimais** *pas moins.*

Haïssais et aimais sont deux antonymes.   ■ JEAN RACINE, *Phèdre*.

R é s u m é

● Les homonymes ont une prononciation identique mais des sens différents.

● Les paronymes ont une prononciation proche mais des sens différents.

● Les synonymes ont des sens identiques ou proches.

● Les antonymes ont des sens opposés.

LES NIVEAUX DE LANGUE

Voiture, véhicule automobile, bagnole, caisse…

Tous ces termes désignent la même réalité mais ils appartiennent à des niveaux de langue différents.

341 Qu'est-ce qu'un niveau de langue ?

■ Le niveau de langue (parfois appelé registre de langue) correspond à la **manière de s'exprimer plus ou moins recherchée** à l'oral ou à l'écrit.

Il varie souvent en fonction du niveau culturel et social des interlocuteurs. Il dépend des intentions de celui qui s'exprime et de la situation d'énonciation : qui parle ? à qui ? où ? quand ?

Un ministre prononçant un discours politique n'utilise pas le même niveau de langue qu'un élève discutant dans la cour de récréation.

■ Le niveau de langue choisi doit donc être adapté à la fois au **destinataire** (la personne à laquelle s'adresse celui qui s'exprime), à la **relation** qu'entretiennent les interlocuteurs (amis proches, relations de voisinage…) et au **contexte**.

    – Bonjour ! Comment vas-tu ? (niveau de langue courant)
    – Salut ! Alors ça boume ? (niveau de langue familier)
    – Mes hommages, Madame. Comment vous portez-vous ?
(niveau de langue soutenu)

■ Le niveau de langue se reconnaît à quelques critères :
– le respect ou non des règles grammaticales ;
– le choix d'un vocabulaire particulier ;
– la construction des phrases ;
– la prononciation.

On distingue généralement trois niveaux de langue : **courant**, **familier**, **soutenu**.

342 Le niveau de langue courant

■ Le niveau de langue courant se rencontre dans des **conversations** ou des **écrits de la vie quotidienne**. Il correspond à l'usage le plus commun de la langue.

■ Le niveau de langue courant se caractérise par :
– un vocabulaire usuel, commun ;
– une langue correcte mais sans recherche ;
– des phrases souvent simples et plutôt courtes ;
– l'emploi du présent, du passé composé ou de l'imparfait ;
– une prononciation correcte.

> KNOCK. – *Ça vous fait mal quand j'enfonce mon doigt ?*
> LE TAMBOUR. – *Oui, on dirait que ça me fait mal.*
> KNOCK. – *Ah ! ah !* (Il médite d'un air sombre.) *Est-ce que ça ne vous grattouille pas davantage quand vous avez mangé de la tête de veau à la vinaigrette ?*
> LE TAMBOUR. – *Je n'en mange jamais. Mais il me semble que si j'en mangeais, effectivement, ça me grattouillerait plus.*
> KNOCK. – *Ah ! ah ! très important. Ah ! ah ! Quel âge avez-vous ?*
> LE TAMBOUR. – *Cinquante et un, dans mes cinquante-deux.*
>
> ■ JULES ROMAINS, *Knock.*

Le docteur Knock et son patient s'expriment correctement mais le vocabulaire n'est pas recherché, les verbes sont principalement au présent et à l'imparfait et les phrases sont plutôt courtes.

343 Le niveau de langue familier

■ Le niveau de langue familier se rencontre plus souvent à l'**oral**, dans des conversations entre proches ou amis. Il est parfois utilisé à l'**écrit** pour rendre le **texte plus vivant** ou dans le but de rapporter les paroles telles qu'elles furent prononcées.

■ Le niveau de langue familier se caractérise par :
– un vocabulaire familier (que le dictionnaire signale par l'abréviation *fam.*) ;
– une langue parfois incorrecte ;
– des phrases courtes, parfois incomplètes et mal construites ;
– l'emploi du présent, du passé composé ou de l'imparfait ;
– une prononciation relâchée où certaines lettres sont supprimées *(j'te l'dis).*

> *– Ah çà, continua Gavroche,* **pourquoi donc est-ce que** *vous pleuriez ?*
> *Et montrant le petit à son frère :*
> *– Un* **mioche** *comme ça, je ne dis pas ; mais un grand comme toi, pleurer, c'est* **crétin** *;* **on a l'air** *d'un veau.*
> *– Dame, fit l'enfant, nous n'avions plus du tout de logement où aller.*
> *–* **Moutard** *! reprit Gavroche, on ne dit pas un logement, on dit une* **piolle.** ■ Victor Hugo, *Les Misérables.*

Gavroche, enfant qui vit dans la rue, s'exprime, contrairement à son interlocuteur, dans un niveau de langue familier ; cela se remarque au vocabulaire *(mioche, crétin, moutard, piolle)*, à l'incorrection *(on a l'air* utilisé à la place de *tu as l'air)*, à la construction des phrases *(pourquoi donc est-ce que)*.

344 Le niveau de langue soutenu

■ Le niveau de langue soutenu se rencontre dans les **textes littéraires,** dans les **discours officiels,** dans les milieux sociaux élevés.

■ Le niveau de langue soutenu se caractérise par :
– un vocabulaire recherché et élégant ;
– une langue correcte ;

– des phrases souvent complexes ;
– l'emploi plus fréquent du subjonctif et du passé simple ;
– une prononciation correcte et claire à l'oral, insistant sur les liaisons.

*Et l'on **galopa** encore pendant deux heures, quoique les chevaux **fussent** si fatigués qu'il était à craindre qu'ils ne **refusassent** bientôt le **service**.*

*Les voyageurs avaient pris la **traverse**, espérant de cette façon être moins inquiétés ; mais, à Crèvecœur, Aramis **déclara** qu'il ne pouvait aller plus loin.*

■ ALEXANDRE DUMAS, *Les Trois Mousquetaires*.

Le niveau de langue soutenu se remarque à travers le vocabulaire *(le service, la traverse)*, les temps et modes (passé simple et subjonctif), les phrases complexes.

Résumé

● Il existe trois niveaux de langue : courant, familier, soutenu.

● Le niveau de langue utilisé dépend des interlocuteurs et du contexte.

● Le vocabulaire, la prononciation, la correction de la langue varient selon le niveau de langue.

*En revanche, une personne **bonne** et **généreuse** ne peut en aucun cas être **laide**. Vous pouvez avoir un **nez en pied de marmite**, une **bouche en accordéon**, un **triple menton**, des **dents de lapin**, mais si vous êtes **bon** et **généreux**, votre visage **rayonnera** et tout le monde vous trouvera **beau**.*

■ ROALD DAHL, *Les Deux Gredins*.

Cet extrait mêle le positif et le négatif : du vocabulaire mélioratif et du vocabulaire péjoratif.

345 Le vocabulaire évaluatif

■ Le vocabulaire employé dans un discours oral ou écrit peut être révélateur d'un **jugement personnel** de la part de celui qui parle. On parle alors de **vocabulaire évaluatif**.

Le jugement personnel peut être **positif** ou **négatif** : dans le vocabulaire évaluatif, on distingue le **vocabulaire mélioratif** et le **vocabulaire péjoratif**.

■ Dans le vocabulaire évaluatif, on peut trouver des mots de différentes classes grammaticales.

magnifique – horrible (adjectifs)

beauté – laideur (noms)

admirer – mépriser (verbes)

joyeusement – tristement (adverbes)

■ Le choix d'un suffixe ou d'un niveau de langue permet parfois d'apporter un jugement.

*Auriane **rêve**.*

*Auriane **rêvasse**.*

Dans la deuxième phrase, le suffixe *-asse* apporte un jugement péjoratif.

*As-tu vu comment elle est **vêtue** ?*

*T'as vu comment elle est **ficelée** !*

La deuxième phrase exprime, par le recours à un niveau de langue familier, un jugement péjoratif.

346 ## Le vocabulaire mélioratif

■ Le vocabulaire mélioratif (appelé aussi valorisant) est utilisé pour **valoriser** ce dont on parle, le mettre en valeur, exprimer un avis positif.

> *Je vois un visage pétri de* **grâces**, *de* **beaux** *yeux bleus* **pleins de douceur**, *un teint* **éblouissant**, *le contour d'une gorge* **enchanteresse**. ■ JEAN-JACQUES ROUSSEAU, *Les Confessions*.

Le vocabulaire mélioratif est utilisé pour dresser un portrait très élogieux de la femme décrite, Mme de Warens.

347 ## Le vocabulaire péjoratif

■ Le vocabulaire péjoratif (appelé aussi dévalorisant) est utilisé pour **dévaloriser** ce dont on parle, le critiquer, exprimer un avis négatif.

> *Bientôt la veuve se montre,* **attifée** *de son bonnet de tulle sous lequel* **pend** *un tour de* **faux** *cheveux* **mal mis**, *elle marche en* **traînassant** *ses pantoufles* **grimacées**. ■ HONORÉ DE BALZAC, *Le Père Goriot*.

Le vocabulaire péjoratif est utilisé pour mettre en évidence l'allure peu élégante, voire repoussante, de la femme décrite, Mme Vauquer.

Résumé

● On emploie le vocabulaire mélioratif pour exprimer un jugement positif sur ce dont on parle.

● On emploie le vocabulaire péjoratif pour exprimer un jugement négatif sur ce dont on parle.

LE CHAMP LEXICAL

*C'est gros comme un **rôti** de famille nombreuse, rouge **viande** tout comme, soigneusement **saucissonné** dans l'épaisse **couenne** de ses langes, c'est luisant, c'est replet de partout, c'est un bébé, c'est l'innocence.* ■ DANIEL PENNAC, *La Fée carabine.*

L'auteur a choisi un vocabulaire surprenant pour décrire un nourrisson : le champ lexical de la viande !

348 Qu'est-ce qu'un champ lexical ?

■ Un **champ lexical** désigne un ensemble de mots ou d'expressions qui, dans un texte, se rapportent à un même thème. Il ne faut pas le confondre avec le **champ sémantique** qui regroupe les différents sens d'un seul mot.

ballon – mettre un panier – jouer – courir – athlète – médaillé
Ces mots appartiennent au champ lexical du sport.

peur – effrayé – trembler – angoisse – terrorisé
Ces mots appartiennent au champ lexical de la peur.

pétale – faner – jacinthe – bouquet – parfumée
Ces mots appartiennent au champ lexical de la fleur.

Le champ lexical donne une unité thématique au texte et participe à sa cohérence.

■ Un texte comporte souvent plusieurs champs lexicaux : repérer les relations qu'ils ont entre eux (opposition, association, complémentarité) permet de mieux comprendre le sens du texte et de mettre en évidence les différents thèmes abordés ainsi que les caractéristiques principales d'une situation, d'un personnage, d'un lieu.

Et comme il *ne se lavait jamais*, les restes de ses **repas** *se collaient* à sa barbe. *Soyons justes, il s'agissait de petits restes, car, en mangeant, il s'essuyait la barbe du revers de la manche ou du plat de la main. Mais si l'on y* regardait *de plus près (ce qui n'avait* rien d'agréable *!), on découvrait de petites* taches **d'œufs brouillés, d'épinards, de ketchup, de poisson, de hachis de foie de volaille.** *Bref, de toutes les choses* dégoûtantes *que Compère Gredin aimait* **ingurgiter.** *Si l'on s'approchait encore plus près (attention ! attention ! mesdames et messieurs,* bouchez-vous le nez *!) et si l'on* examinait *bien sa* moustache en bataille, *on* apercevait *des rogatons plus consistants qui avaient échappé au revers de sa manche depuis des mois et des mois : du* fromage vert grouillant de vers, *un* vieux **cornflake** *moisi et même la queue* visqueuse *d'une* **sardine à l'huile.** *Avec cette barbe* dégoûtante, *Compère Gredin n'était jamais mort de* **faim.** *Il lui suffisait d'explorer sa jungle poilue* d'un coup de langue *pour trouver de quoi* **grignoter** *çà et là un morceau de choix.* ■ ROALD DAHL, *Les Deux Gredins.*

• *Repas, en mangeant, d'œufs brouillés, d'épinards, de ketchup, de poisson, de hachis de foie de volaille, ingurgiter, fromage, cornflake, sardine à l'huile, grignoter, faim* constituent le champ lexical du repas.
• *Ne se lavait jamais, se collaient à sa barbe, rien d'agréable, taches, dégoûtantes, moustache en bataille, fromage vert grouillant de vers, vieux, moisi, dégoûtante* constituent le champ lexical de la saleté répugnante.
• *Se collaient, regardait, bouchez-vous le nez, examinait, apercevait, visqueuse, un coup de langue* constituent le champ lexical des perceptions sensorielles (le toucher, la vue, l'odorat).
Ces trois champs lexicaux s'associent pour permettre au lecteur d'imaginer avec précision un personnage répugnant et d'en ressentir du dégoût. Ils mettent également en évidence des thèmes qui reviendront souvent dans la suite du récit : le manque d'hygiène et la nourriture.

349 **Les mots qui composent un champ lexical**

■ Un champ lexical peut comporter des mots appartenant à différentes classes grammaticales. Par exemple, dans l'extrait de Roald Dahl (→ 348), les champs lexicaux contiennent des noms *(fromage, poisson…)*, des verbes *(ingurgiter, examinait…)*, des adjectifs *(dégoûtantes, moisi…)*.

■ Un même mot peut appartenir à des champs lexicaux différents selon qu'il est employé dans son sens dénoté (sens premier) ou dans un sens connoté (sens qui varie selon le contexte).
Le mot *rouge*, par exemple, peut, selon le texte, faire partie du champ lexical des couleurs (sens dénoté), de la chaleur, de la honte, de la colère, de la timidité, de l'amour (sens connotés).

■ Les mots qui appartiennent à un champ lexical peuvent être des noms spécifiques liés à un nom générique.

> *La cargaison des navires consisterait surtout en **produits de pâtisserie** : cannelle, clous de girofle, vanille, gingembre, raisins secs, anis, fleurs d'oranger et jujube. Tout un navire était réservé aux **fruits** − séchés ou confits − mangues, bananes, ananas, mandarines, noix de coco et de cajou, citrons verts, figues et grenades.*
>
> ■ MICHEL TOURNIER, *Les Rois mages*.

Les *produits de pâtisserie* et les *fruits* (noms génériques), ainsi que les deux listes de noms spécifiques qui les suivent, s'associent pour composer le champ lexical de la nourriture.

■ Les mots qui appartiennent à un champ lexical peuvent aussi être :
– des synonymes ;
    épuisé, fourbu, éreinté (champ lexical de la fatigue)
– des antonymes ;
    été, chaleur, hiver, froid (champ lexical des saisons)
– des mots de la même famille.
    joyeux, joyeusement, se réjouir, joie. (champ lexical du bonheur)

R é s u m é

● Un champ lexical est un ensemble de mots ou d'expressions se rapportant à un même thème.

● Le repérage des champs lexicaux dans un texte permet d'en comprendre plus précisément le sens.

LES FIGURES DE STYLE

Il est têtu comme une mule !
Je suis mort de fatigue !
Tu as un appétit d'oiseau !

Toutes ces expressions courantes contiennent une figure de style.

350 Qu'est-ce qu'une figure de style ?

■ Une figure de style, appelée aussi figure de rhétorique, est un procédé qui consiste à utiliser un mot de façon particulière pour créer un effet de style et d'originalité dans un texte.
Certaines figures de style sont entrées dans le langage courant et se sont figées dans des expressions connues de tout le monde, perdant ainsi leur originalité.

> *Je meurs de faim.* (hyperbole)
> *Elle est bavarde comme une pie.* (comparaison)

■ Il existe de nombreuses figures de style, parmi lesquelles on retiendra : l'**accumulation**, l'**allégorie**, l'**anaphore**, l'**antithèse**, la **comparaison**, la **gradation**, l'**hyperbole**, la **métaphore**, la **métonymie**, l'**oxymore**, la **périphrase** et la **personnification**.

351 L'accumulation

■ L'accumulation consiste à énumérer plusieurs termes dans n'importe quel ordre.

> SGANARELLE. — *[…] tu vois en Don Juan, mon maître, le*
> *plus grand scélérat que la terre ait jamais porté, **un enragé,***
> ***un chien, un diable, un Turc, un hérétique**, qui ne croit*
> *ni Ciel, ni Enfer, ni loup-garou, qui passe cette vie en*
> *véritable bête brute, en pourceau d'Épicure.*
>
> ■ MOLIÈRE, Dom Juan.

(Épicure est un moraliste grec (341-270 av. J.-C.)
Sganarelle emploie une accumulation pour montrer à quel point son maître concentre tous les défauts.

352 **L'allégorie**

■ L'allégorie est une image qui consiste à représenter quelque chose d'abstrait (sentiment, idée) de façon concrète, sous l'apparence d'un personnage : la justice, par exemple, est souvent représentée de façon allégorique par une femme aux yeux bandés tenant un glaive dans une main et une balance dans l'autre.

■ Une allégorie est permanente et souvent connue, à la différence de la personnification et de la métaphore qui sont liées à des situations particulières, à des créations d'un auteur à l'occasion d'un texte et sont donc temporaires.

Je vis cette faucheuse. Elle était en son champ.
Elle allait à grands pas moissonnant et fauchant.
■ VICTOR HUGO, « Mors », *Les Contemplations*.

Victor Hugo désigne la mort par l'allégorie bien connue de la faucheuse ; il poursuit l'image sur les deux vers, ce qui crée un effet poétique et atténue l'aspect lugubre de la mort.

353 **L'anaphore**

■ L'anaphore consiste à répéter un même mot ou une même expression en début de proposition, de phrase ou de vers.

Condamné à mort !
*Voilà cinq semaines que j'habite avec cette pensée, **toujours** seul avec elle, **toujours** glacé de sa présence, **toujours** courbé sous son poids !* ■ VICTOR HUGO, *Le Dernier Jour d'un condamné*.

L'anaphore de *toujours* insiste sur le fait que le personnage est obsédé par la même idée ; il ne peut y échapper.

354 **L'antithèse**

■ L'antithèse consiste à employer dans un même énoncé deux mots ou expressions qui s'opposent.

DANIEL. — *Je me suis toujours demandé pourquoi les Français, **si spirituels chez eux**, sont **si bêtes en voyage** !*
■ EUGÈNE LABICHE, *Le Voyage de Monsieur Perrichon*.

La double antithèse (*spirituels / bêtes* et *chez eux / en voyage*) rend la fin de la phrase frappante et permet de mettre en relief avec force une contradiction dans l'attitude des Français.

355 La comparaison

■ **La comparaison** est une image qui consiste à rapprocher deux réalités grâce à un **outil de comparaison**. Ces deux réalités ont donc un ou plusieurs points communs. La comparaison est composée d'un **comparé** (ce qui est comparé) et d'un **comparant** (ce à quoi on compare).

Dans *Elle est bavarde comme une pie*, « elle » est comparée à une pie à cause de ses nombreux bavardages, car la pie est un oiseau qui jacasse beaucoup !

> *Je vais te ratatiner **comme une ratatouille** ! Te tartiner **comme une citrouille** ! Te gratiner **comme une andouille** !*
>
> ■ ROALD DAHL, *Les Deux Gredins.*

Commère Gredin utilise trois comparaisons en s'adressant à son époux : le comparé est à chaque fois l'époux (représenté par le pronom *te*) et les comparants sont respectivement *une ratatouille, une citrouille* et *une andouille*. Commère Gredin trouve un point commun entre son mari et de la nourriture ; elle manifeste ainsi, de façon imagée et drôle, son mépris et son dégoût.

■ L'**outil de comparaison** peut être :
– une conjonction ou une locution conjonctive : *comme, tel que, ainsi que…*
– un adjectif : *semblable à, identique à, pareil à…*
– un verbe ou une locution verbale : *sembler, ressembler à, avoir l'air de…*
– un nom : *ressemblance, similitude…*

> *Les rocs tombés **semblaient** les ruines d'une grande cité disparue qui regardait autrefois l'océan.*
>
> ■ GUY DE MAUPASSANT, *Pierre et Jean.*

L'outil de comparaison est un verbe *(semblaient)* qui rapproche les rocs des ruines d'une cité.

356 La gradation

■ La gradation consiste à énumérer plusieurs termes ou expressions dans un ordre précis, selon une progression croissante ou décroissante.

*C'est un **roc** !... c'est un **pic** !... c'est un **cap** !
Que dis-je, c'est un cap ?... C'est une **péninsule** !*

■ EDMOND ROSTAND, *Cyrano de Bergerac.*

Cyrano utilise une gradation en comparant son nez à des réalités de plus en plus grandes pour insister avec humour sur sa taille exceptionnelle.

357 L'hyperbole

■ L'hyperbole consiste à employer des termes très forts, exagérés, comme lorsqu'on dit : *Je meurs de faim.*

*La bande descendait avec un élan superbe, **irrésistible**.*

***Rien de plus terriblement grandiose** que l'irruption de ces quelques milliers d'hommes dans la paix morte et glacée de l'horizon. La route, **devenue torrent**, roulait des flots vivants qui **semblaient ne pas devoir s'épuiser**.*

■ ÉMILE ZOLA, *La Fortune des Rougon.*

Les hyperboles (en gras) donnent une idée de mouvements de foule ininterrompus et amplifient l'impression de multiplicité de ces groupes humains.

358 La métaphore

■ La métaphore est une image qui consiste à rapprocher deux réalités sans outil de comparaison ; il s'agit donc d'une comparaison implicite. Il arrive que le comparé ne soit pas exprimé, mais sous-entendu.

Ce rat de bibliothèque m'étonnera toujours !

La personne qui est comparée à un rat n'est pas mentionnée.

■ Lorsque la métaphore se poursuit dans le texte à travers plusieurs expressions, on parle de **métaphore filée**.

Au petit jour naît la petite aube, la microaube
*puis c'est le soleil **bien à plat sur sa tartine***
*il finit par s'étaler, on le **bat avec le blanc des nuages***
*et **la farine** des **fumées de la nuit***
*et le soir meurt, **la toute petite crêpe**, la crépuscule*

> ■ RAYMOND QUENEAU, « Le début et la fin », *Le Chien à la mandoline*.

Le soleil est comparé à du beurre, les nuages au blanc des œufs en neige, les fumées de la nuit à de la farine, le crépuscule à une crêpe (ici s'ajoute un jeu de mots). Les couleurs sont principalement les points communs entre ces réalités rapprochées. Il s'agit d'une métaphore filée puisque tous les éléments naturels sont comparés à des ingrédients culinaires. Cela permet au poète de décrire de façon imagée et poétique les mouvements du soleil.

359 La métonymie

■ La métonymie consiste à désigner une réalité par un élément qui a avec elle un rapport logique.

■ On peut ainsi désigner :
– une œuvre par le nom de son auteur : *J'ai vu un Spielberg.*
– un contenu par son contenant : *Viens boire un verre.*
– des personnes par le lieu où elles se trouvent : *Matignon a démenti cette information.*
– une fonction par le lieu où réside celui qui l'occupe : *Il est candidat à l'Élysée.*

RUY BLAS. *– Je le dis, vous pouvez vous confier, madame*
*À mon **bras**, comme reine, à mon **cœur** comme femme !*

> ■ VICTOR HUGO, *Ruy Blas*.

Les métonymies du bras pour la puissance et du cœur pour l'amour donnent à l'expression des sentiments de Ruy Blas un caractère plus frappant : le personnage se met entièrement à la disposition de celle qu'il aime.

360 L'oxymore

■ L'oxymore consiste à rapprocher dans un même groupe de mots deux termes dont les significations sont contradictoires. À la différence de l'antithèse, les deux termes contradictoires portent sur le même objet.

*Candide, qui tremblait comme un philosophe, se cacha du mieux qu'il pût pendant cette **boucherie héroïque**.*

■ VOLTAIRE, *Candide*.

Candide assiste à une guerre qui est comparée négativement à une *boucherie*, mais celle-ci est en même temps caractérisée de façon positive par l'adjectif *héroïque*.

361 La périphrase

■ La périphrase consiste à remplacer un seul mot par une expression équivalente mais plus longue (de plusieurs mots) qui exprime les caractéristiques de la réalité désignée.

*Tous deux furent menés séparément dans des **appartements d'une extrême fraîcheur, dans lesquels on n'était jamais incommodé du soleil**.*

■ VOLTAIRE, *Candide*.

Désigner par une telle périphrase ce qui n'est en fait qu'une prison permet à Voltaire de dire avec ironie que ces lieux sont agréables alors qu'il n'en est rien !

362 La personnification

■ La personnification est une image qui consiste à attribuer des caractéristiques humaines à un objet, un animal, une idée.

*La Lune, qui est le caprice même, **regarda** par la fenêtre pendant que tu dormais dans ton berceau, et **se dit** : « Cette enfant me plaît. »*

■ CHARLES BAUDELAIRE, « Les bienfaits de la lune », *Petits Poèmes en prose*.

La *Lune* est ici personnifiée (elle regarde, parle, a des sentiments), ce qui rend la scène attendrissante et crée un lien entre la nature et les êtres humains.

Résumé

● Les figures de style correspondent à une utilisation particulière des mots, dans le but de créer un effet de style.

ANNEXES

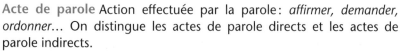

Acte de parole Action effectuée par la parole: *affirmer, demander, ordonner…* On distingue les actes de parole directs et les actes de parole indirects.

Adjectif qualificatif Mot qui caractérise un nom. Il peut être épithète, attribut ou apposé : *Cyprien, souvent **distrait** (apposé), n'a pas oublié son classeur aujourd'hui. Il est **content** (attribut), car il pourra montrer à ses parents ses **bonnes** (épithète) notes.*

Adjectif verbal Participe présent du verbe employé comme adjectif. Il varie en genre et en nombre: *tremblant(s); tremblante(s).*

Adverbe Mot invariable qui permet de nuancer un verbe, un adjectif, un autre adverbe ou une phrase. Il existe différentes variétés d'adverbes: adverbes de manière *(rarement…)*, de temps *(demain…)*, de lieu *(là…)*, de quantité *(autant…)*, de liaison *(puis…)*, d'affirmation *(oui)*, de négation *(non)*, interrogatifs *(pourquoi…)*, exclamatifs *(comme…)*.

Analyse grammaticale Analyse qui consiste à identifier la nature et la fonction des différents éléments d'une phrase: mots, groupes de mots, propositions.

Antécédent Mot ou groupe de mots repris par un pronom: ***Salima** regarde la télévision. **Elle** est pourtant fatiguée. Salima* est l'antécédent de *elle.*

Nom, groupe nominal ou pronom de la proposition principale que le pronom relatif représente dans la proposition subordonnée relative: ***La route qui** mène à la ville est en travaux. La route* est antécédent de *qui.*

Antonyme Mot de sens contraire. *Bon* est un antonyme de *mauvais.*

Apostrophe Mot ou groupe de mots qui sert à interpeller: ***Marc**, viens ici.*

Argument Idée utilisée dans une argumentation pour défendre une opinion.

Article Déterminant. On distingue les articles définis *(le, la…)*, indéfinis *(un, une…)* et partitifs *(du, de la…).*

Aspect Manière dont le verbe présente le déroulement de l'action.

On distingue l'aspect accompli, exprimé par les temps composés *(il avait chanté)*, et l'aspect non accompli exprimé par les temps simples *(il chantait)*. L'aspect peut être aussi exprimé par des périphrases verbales *(commencer à, finir de, être en train de…)*.

Attribut Élément du groupe verbal qui exprime une caractéristique du sujet ou de l'objet par l'intermédiaire d'un verbe : *Auriane est **une bonne élève*** (attribut du sujet *Auriane*). *Je trouve son travail **rigoureux*** (attribut de l'objet *travail*).

Auxiliaire Verbe *(être* ou *avoir)* qui est utilisé pour la conjugaison d'autres verbes aux formes composés : *Elle **a** réussi son examen. Vous **êtes** venus en avance.*

Champ lexical Ensemble de mots ou d'expressions qui, dans un texte, se rapportent à un même thème.

Champ sémantique Ensemble des significations d'un mot.

Classe grammaticale Ensemble des mots qui ont le même comportement grammatical et les mêmes caractéristiques formelles.

Complément circonstanciel Complément de la phrase qui indique les circonstances de l'action ou de l'état exprimé par le verbe. Il peut être de but, de cause, de comparaison, d'opposition, de condition, de conséquence, de lieu, de manière, de moyen, de temps.

Complément d'agent Complément de la forme passive du verbe. Il exprime celui qui fait l'action exprimée par le verbe : *La maîtresse a été écoutée **par les élèves**.*

Complément d'objet direct Complément essentiel des verbes transitifs, construit sans préposition : *Cyprien mange **un gâteau**.*

Complément d'objet indirect Complément essentiel des verbes transitifs indirects, construit avec une préposition : *Marius obéit **à sa maman**.*

Complément d'objet second Complément d'objet indirect construit en même temps qu'un complément d'objet direct. Il désigne le destinataire de l'action : *Vincent prête son livre **à son frère**.*

Complément du nom Fonction remplie par un mot ou un groupe de mots qui complète un nom. Il est le plus souvent introduit par une préposition : *La maison **de mon père**.*

LEXIQUE

Concordance des temps Ensemble des règles à respecter pour choisir le temps à employer dans une proposition subordonnée en fonction du temps utilisé dans la proposition principale.

Conjonction de coordination Mot invariable qui relie deux mots ou groupes de mots ou propositions ayant la même fonction dans la phrase *(mais, ou, et, donc…)*.

Conjonction de subordination Mot invariable qui introduit une proposition subordonnée et la place dans la dépendance de la proposition principale *(quand, pour que, de sorte que…)*.

Connecteur Mot ou groupe de mots qui assure la cohérence d'un texte en reliant les phrases et les propositions entre elles. On distingue : les connecteurs logiques *(car, puisque, en effet…)*, les connecteurs temporels *(alors, puis, d'abord…)*, les connecteurs spatiaux *(ici, derrière, à côté…)*.

Connotation Sens secondaire et suggéré d'un mot, variant selon les contextes : *le soleil* a pour connotation *la chaleur, la lumière, la vie…*

Constituant Élément composant une phrase. *Christine écrit une lettre.* Cette phrase comprend quatre constituants.

Degré de l'adjectif Variation de l'adjectif qualificatif pour exprimer avec plus ou moins de force une caractéristique du nom auquel il se rapporte. Cette variation s'obtient grâce à l'ajout d'un adverbe : *Karim court **moins vite que** son père mais **plus vite que** sa sœur* (comparatifs). *Tu as **le plus beau** costume* (superlatif).

Dénotation Sens précis et permanent d'un mot, donné par le dictionnaire : *le soleil* a pour dénotation *étoile autour de laquelle gravite la Terre*.

Destinataire Personne à qui est destiné le message dans une situation d'énonciation. Destinataire est synonyme d'interlocuteur.

Déterminant Mot qui se place devant le nom et forme avec lui le groupe nominal minimal. On distingue plusieurs types de déterminants : les articles définis *(le…)*, indéfinis *(un…)* et partitifs *(du…)*, les déterminants démonstratifs *(ce…)*, possessifs *(mon…)*, indéfinis *(chaque…)*, interrogatif ou exclamatif *(quel)*, numéraux *(deux…)*.

Épithète Fonction remplie par un adjectif qualificatif ou une proposition subordonnée relative qui caractérise un nom et forme avec lui un groupe soudé : *un bel arbre*. On parle également d'épithète liée.

Épithète détachée Autre nom de l'adjectif apposé qui est séparé du nom auquel il se rapporte par une pause à l'oral ou une virgule à l'écrit : *L'enfant, têtu, se mit à pleurer.*

Expansion du nom Mot ou groupe de mots qui apporte des précisions sur un nom et qui forme avec lui le groupe nominal. Les expansions du nom sont les adjectifs épithètes, les compléments du nom, les propositions relatives épithètes : *Le chat de Marc joue avec une vieille balle qu'il a trouvée sous un meuble.*

Famille de mots Ensemble des mots formés sur le même radical par dérivation ou composition. La famille du mot *terre* est : *terrasse, terrien, terrestre, terreau, atterrir, atterré, enterrer, terre-plein…*

Focalisation Angle de vue d'après lequel un récit est organisé ; synonyme de *point de vue*. En recherchant la focalisation, on répond à la question : *Qui voit ?*

Forme de phrase Forme que peut prendre tout type de phrase ; on distingue la forme affirmative *(Il mange)*, la forme négative *(Il ne mange pas)*, la forme emphatique *(La souris, le chat l'a mangée)*, la forme active *(Il mange)*, la forme passive *(Il est mangé)*, la forme impersonnelle *(Il pleut).*

Forme verbale conjuguée Verbe conjugué à un mode personnel (indicatif, subjonctif, conditionnel, impératif) : *tu chanteras* est une forme verbale conjuguée.

Forme verbale non conjuguée Verbe à un mode impersonnel (infinitif, participe, gérondif) : *chantant* est une forme verbale non conjuguée.

LEXIQUE

Gérondif Mode formé avec le participe présent du verbe précédé de la préposition *en*: *en chantant*. Le gérondif est utilisé comme complément circonstanciel. Il peut exprimer la manière, le moyen, le temps, la condition. Il a une valeur de simultanéité par rapport à l'action de la principale: *Mathilde fait ses devoirs **en chantant***.

Groupe adjectival Groupe de mots construit autour d'un adjectif qui en est le noyau: *Il a acheté une maison **très éloignée de toute autre habitation*** (*éloignée* est le noyau du groupe adjectival).

Groupe nominal Groupe de mots construit autour d'un nom qui en est le noyau: ***Les chaussures de ma petite sœur*** *sont trop petites* (*chaussures* est le noyau du groupe nominal).

Groupe nominal prépositionnel Groupe nominal construit à l'aide d'une préposition ou d'une locution prépositionnelle placée en tête du groupe: ***dans** la mer*, ***par** mégarde*, ***à cause de** son silence*.

Groupe sujet Groupe de mots qui remplit la fonction sujet dans la phrase: ***La robe bleue d'Anaëlle*** *est trop petite*. Le groupe sujet est *la robe bleue d'Anaëlle*. On parle parfois de groupe sujet même si le sujet est un seul mot.

Groupe verbal Groupe de mots construit autour d'un verbe qui en est le noyau: *Maria **prépare un gâteau au chocolat***.

Homonyme Mot qui se prononce de la même façon qu'un autre mot mais qui n'a pas le même sens: *conte, compte, comte* sont des homonymes.

Homophone Qui a le même son: *-er, -é, -ez, -ai* sont des terminaisons verbales homophones.

Indice de l'énonciation Mot qui permet de répondre aux questions : qui parle ? à qui ? où ? quand ? On distingue les pronoms personnels et possessifs de première et deuxième personnes, les déterminants possessifs, les pronoms et les déterminants démonstratifs, les indices de temps, les indices de lieu, la valeur des temps.

Indice de la subjectivité Mot, groupe de mots, phrase, ponctuation qui révèlent comment celui qui parle (le locuteur) pense et juge. On distingue le vocabulaire mélioratif et péjoratif *(magnifique, affreux)*, les modalisateurs *(peut-être, sans doute)*, les types de phrase (déclaratif, impératif, interrogatif, exclamatif).

Infinitif prépositionnel Infinitif précédé d'une préposition et qui remplit une fonction de complément circonstanciel (temps, cause, conséquence, but, opposition, condition). Son sujet est le même que celui du verbe conjugué de la proposition à laquelle il appartient : *Il joue **au lieu de travailler**.*

Interjection Mot invariable qui exprime un comportement affectif, une émotion de la part du locuteur : *oh, fi, hélas, diable !*

Interlocuteur Personne à qui s'adresse le locuteur, celui qui parle, dans une situation d'énonciation. Interlocuteur est synonyme de destinataire.

Interrogation directe Question posée directement à l'aide d'un point d'interrogation et d'une intonation montante. Elle peut présenter l'inversion du sujet et du verbe : *Fait-il beau ?* Elle peut utiliser la locution *est-ce que : Est-ce qu'il fait beau ?* Elle peut contenir des mots interrogatifs (adverbes, pronoms, déterminants) : ***Quelle** heure est-il ?*

Interrogation indirecte Proposition subordonnée qui pose une question par l'intermédiaire d'un verbe introducteur *(demander, chercher, dire, raconter...).* Elle n'a pas d'intonation montante, ni de point d'interrogation, ni d'inversion sujet-verbe : *Je demande s'il fait beau. Je demande quelle heure il est.*

Interrogation partielle Interrogation qui porte sur un élément précis de la proposition. On ne peut pas y répondre par *oui* ou par *non* : *Quel temps fait-il ? Où vas-tu ?*

Interrogation totale Interrogation qui porte sur l'ensemble de la proposition. On y répond par *oui* ou par *non : Pars-tu en vacances ?*

Intonation Ton utilisé à l'oral, qui varie essentiellement en fonction de la ponctuation. L'intonation peut être montante ou descendante.

Locuteur Celui qui produit un énoncé. Dans la situation d'énonciation, quand on répond à la question *qui parle ?*, on donne l'identité du locuteur.

Modalisateur Mot, expression ou procédé qui révèle comment le locuteur se situe par rapport à ce qu'il affirme. Il sert à modaliser, c'est-à-dire nuancer une affirmation. *Sans aucun doute, il a raté son train* : par le modalisateur, on voit que le locuteur est sûr de ce qu'il affirme. *Peut-être a-t-il raté son train* : par le modalisateur, on voit que le locuteur n'est pas sûr de ce qu'il affirme.

Mode Catégorie du verbe. On distingue les modes personnels (indicatif, subjonctif, conditionnel, impératif) et les modes impersonnels (infinitif, participe, gérondif).

Niveau de langue (parfois appelé registre de langue) Manière de s'exprimer plus ou moins recherchée, qui dépend du niveau culturel et social de celui qui parle et des circonstances dans lesquelles il s'exprime. Il existe trois niveaux de langue principaux : courant, familier, soutenu.

Noyau Mot autour duquel est construit un groupe de mots. C'est le noyau du groupe qui donne au groupe sa nature.

Paroles rapportées (appelées aussi discours rapportés) Paroles introduites dans un message. Elles peuvent être rapportées au discours direct, au discours indirect, au discours indirect libre ou dans un récit de paroles (ou discours narrativisé).

Paronyme Mot qui ressemble à un autre par la prononciation, mais qui n'a pas le même sens : *dénué* et *dénudé* sont des paronymes.

Personne Catégorie du verbe. On distingue la première personne qui renvoie à celui qui parle *(je joue)*, la deuxième personne qui renvoie à celui à qui l'on parle *(tu joues)*, la troisième personne qui renvoie à celui ou à ce dont on parle *(il joue)*.

Phrase Suite de mots grammaticalement organisés, ayant un sens complet, commençant par une majuscule et se terminant par une ponctuation forte.

Phrase complexe Phrase qui comporte plusieurs verbes conjugués, c'est-à-dire plusieurs propositions ; celles-ci peuvent être juxtaposées, coordonnées ou subordonnées : *Sarah **arrive** demain et **repartira** à la fin de la semain*e.

Phrase déclarative Un des quatre types de phrase. La phrase déclarative permet d'apporter une information, de faire une constatation : *Il fait beau aujourd'hui.*

Phrase exclamative Un des quatre types de phrase. La phrase exclamative permet d'exprimer une émotion ou un sentiment ; elle se termine par un point d'exclamation : *Comme il fait beau !*

Phrase impérative Un des quatre types de phrase. La phrase impérative (aussi appelée injonctive) permet d'exprimer un ordre, une défense, une prière : *Viens ici !*

Phrase interrogative Un des quatre types de phrase. La phrase interrogative permet de poser une question : *Qui as-tu rencontré ?*

Phrase non verbale (appelée aussi phrase nominale) Phrase ne comportant pas de verbe conjugué : *Superbe, ce point de vue !*

Phrase simple Phrase qui ne comporte qu'un seul verbe conjugué et qui constitue une proposition indépendante.

Polysémique Mot qui a plusieurs sens : le mot *argent* est polysémique, il désigne un métal et une monnaie d'échange.

Préfixe Élément qui précède le radical dans un mot dérivé : *dé-faire.*

LEXIQUE

Préposition Mot invariable qui sert à mettre en relation un mot ou un groupe de mots avec un autre élément de la phrase : *de, à, par…*

Présentatif Mot ou expression *(c'est, il y a, voici, voilà)* qui permet de présenter quelqu'un ou quelque chose : *Voici mon mari.* L'emploi d'une tournure présentative *(c'est… qui, voilà… que)* permet de mettre en valeur un mot ou un groupe de mots dans la phrase emphatique : *C'est le pull que j'ai vu en vitrine.*

Pronom Mot qui remplace un mot ou un groupe de mots : *Émile s'est réveillé à huit heures. Il va arriver en retard au collège.* Le pronom peut aussi représenter un élément de la situation d'énonciation : *Peux-tu me passer le sel ?*

Propos Dans une phrase, partie de l'énoncé qui constitue une information nouvelle donnée à l'interlocuteur, par rapport à la phrase précédente. Le propos est le contraire du **thème** : *Quand Camille est-elle arrivée à Paris ? Camille est arrivée à Paris hier.* Hier est le propos de la seconde phrase.

Propositions coordonnées Dans une phrase complexe, propositions reliées entre elles par une conjonction de coordination *(mais, car, or, et…)* ou un adverbe de liaison *(cependant, alors, puis…)* : *Le chat est monté en haut de l'arbre, mais il n'a pas réussi à redescendre.*

Proposition indépendante Proposition qui n'est ni principale ni subordonnée.

Propositions juxtaposées Dans une phrase complexe, propositions séparées par une virgule, un point-virgule ou deux points, mais non reliées par un mot de liaison : *Elle est calme et rêveuse : elle ne supporte pas tant d'agitation.*

Proposition principale Dans une phrase complexe, proposition dont dépend une proposition subordonnée.

Proposition subordonnée Dans une phrase complexe, proposition qui dépend d'une autre proposition (appelée principale), à laquelle elle est le plus souvent reliée par un mot subordonnant. Il existe six types de propositions subordonnées : *Pascal a compris que son spectacle était une réussite. Pascal a compris* est la proposition principale ; *que son spectacle était une réussite* est la proposition subordonnée.

Proposition subordonnée circonstancielle Proposition complément circonstanciel de la phrase : *Quand je serai grand, je serai astronaute.*

Proposition subordonnée complétive Proposition complément d'objet du verbe de la principale.

Proposition subordonnée conjonctive Proposition introduite par une conjonction de subordination comme *que, lorsque, parce que.*

Proposition subordonnée conjonctive complétive Proposition complément d'objet du verbe, introduite par la conjonction *que : Je pense que la vie est un long fleuve tranquille.*

Proposition subordonnée infinitive Proposition complétive avec un sujet différent du sujet de la proposition principale et un verbe à l'infinitif : *Les enfants regardent la neige tomber.*

Proposition subordonnée interrogative indirecte Proposition complétive reprenant les termes d'une interrogation directe : *Où est Alice ? Je demande où est Alice.*

Proposition subordonnée participiale Proposition circonstancielle avec un sujet différent du sujet de la proposition principale et un verbe au participe : *Le soleil s'étant levé, ils se mirent en route.*

Proposition subordonnée relative Proposition subordonnée introduite par un pronom relatif et qui complète un nom, un groupe nominal ou un pronom de la proposition principale, appelé antécédent : *Le train qu'à pris Medhi est arrivé en retard.* La proposition relative est épithète ou apposée.

Radical Élément de base du mot, qui exprime son sens principal et auquel peuvent s'ajouter des préfixes et des suffixes. Il est l'élément commun à l'ensemble des mots d'une même famille. On l'isole en retirant les préfixes et les suffixes : le radical de *imprenable* est *pren-*.

Récit Mot souvent employé pour désigner un discours narratif.

Relative déterminative Proposition subordonnée relative qui ne peut pas être supprimée sans entraîner un changement du sens de la phrase. Elle a une fonction d'épithète et n'est pas séparée par une virgule : *Les élèves que j'ai désignés iront au bureau du principal.*

Relative explicative Proposition subordonnée relative qui peut être supprimée sans modifier le sens général de la phrase. Elle est le plus souvent en fonction d'apposition, entre virgules : *Le chien, qui semblait inquiet, se mit à aboyer.*

Sens figuré Sens second et abstrait d'un mot : un *pont*, au sens figuré, désigne tout ce qui fait une liaison entre deux éléments.

Sens propre Sens premier et concret d'un mot : un *pont*, au sens propre, désigne une construction permettant de franchir un obstacle.

Situation de communication Toute situation dans laquelle est produit un message entre un émetteur et un récepteur : *un singe qui pousse un cri pour alerter les autres singes d'un danger* est une situation de communication.

Situation d'énonciation Situation de communication spécifiquement humaine dans laquelle un énoncé est produit oralement ou par écrit par un locuteur pour un interlocuteur. Elle se définit par la réponse aux quatre questions : qui parle ? à qui ? où ? quand ?

Substitut Pronom qui remplace un élément de la phrase ou du texte : *La cavalerie chargea sur les Indiens.* **Ceux-ci** *appartenaient à la tribu des Comanches.*

Suffixe Élément qui suit le radical dans un mot dérivé : *coiff-**eur***.

Sujet apparent (aussi appelé sujet grammatical) Sujet *(il)* qui, dans une tournure impersonnelle, ne désigne rien mais avec lequel doit s'accorder le verbe : ***Il** faut des fleurs pour l'accueillir.*

Sujet inversé Sujet placé après le verbe, souvent dans une phrase interrogative ou après certains adverbes : *Aimez-**vous** la danse ? Peut-être est-**il** en retard.*

Sujet réel (appelé aussi sujet logique) Sujet qui, dans une tournure impersonnelle, n'impose aucun accord au verbe mais correspond, par le sens, à ce qui fait réellement l'action : *Il tombe **de gros flocons**.*

Synonyme Mot qui a le même sens, ou un sens proche, qu'un autre mot : *tempête* et *ouragan* sont des synonymes.

Temps Catégorie du verbe qui permet de situer l'action par rapport au moment de l'énonciation : *Je **partirai** demain : action future*; ou par rapport à une autre action : *Il partit après qu'elles lui **eurent fait** leurs adieux : action antérieure.* On distingue les temps simples et les temps composés.

Terminaison Partie variable qui se situe à la fin d'un verbe. Elle peut porter des marques de personne, de temps, de mode, de genre : *Nous porterons.* La terminaison *-rons* indique la personne (première du pluriel) et le temps (futur).

Thème Dans une phrase, partie de l'énoncé qui constitue une information déjà connue de l'interlocuteur. Elle est le contraire du propos : *Quand Camille est-elle arrivée à Paris ? Camille est arrivée à Paris hier. Camille est arrivée à Paris* est le thème de ces deux phrases.

Thèse Opinion défendue par le locuteur dans un discours argumentatif.

Transformation passive Passage de la forme active de la phrase à la forme passive : *Catherine a bien préparé le travail du jour. Le travail du jour a été bien préparé par Catherine.*

Type de phrase Il existe, en français, quatre types de phrase qui correspondent chacun à un acte de parole : la phrase déclarative pour déclarer *(Il pleut)* ; la phrase interrogative pour interroger *(Pars-tu ?)* ; la phrase impérative pour ordonner *(Habille-toi)* ; la phrase exclamative pour exprimer une émotion *(Quelle belle robe !).*

LEXIQUE

V

Verbe défectif Verbe qui ne possède pas toutes les formes de la conjugaison : *falloir, pleuvoir.*

Verbe d'état (appelé parfois verbe attributif) Verbe qui exprime un état ou un changement d'état : *être, sembler, paraître, devenir…*

Verbe impersonnel Verbe qui ne se conjugue qu'à la troisième personne du singulier : *il faut, il pleut.*

Verbe intransitif Verbe qui se construit sans complément d'objet : *Elle dort encore.*

Verbe pronominal Verbe dont toutes les formes sont accompagnées d'un pronom personnel réfléchi : *il s'enfuit.*

Verbe transitif Verbe qui se construit avec un complément d'objet. Les verbes transitifs directs se construisent avec un complément d'objet direct : *Je regarde le coucher de soleil.* Les verbes transitifs indirects se construisent avec un complément d'objet indirect : *Elle contribue à son succès.*

Vocabulaire évaluatif Vocabulaire qui exprime un jugement personnel de la part de celui qui l'emploie. Il peut être mélioratif (positif) : *Ce paysage est* **splendide**. Il peut être péjoratif (négatif) : *La nourriture est* **infecte**.

Voix Catégorie du verbe. On distingue la voix active *(j'aime)* et la voix passive *(je suis aimé)*.

ALPHABET PHONÉTIQUE (API)

Voyelles

[a]	cinéma		[ø]	jeudi
[ɑ]	château		[œ]	fleur
[e]	dé		[u]	chou
[ɛ]	mets		[y]	illusion
[ə]	petit		[ã]	chanter
[i]	souris		[ɛ̃]	jardin
[o]	rose		[ɔ̃]	ronfler
[ɔ]	océan		[œ̃]	brun

Semi-voyelles

[j]	lieu		[w]	oui

Consonnes

[b]	baba		[ʀ]	roi
[d]	déjeuner		[s]	sel
[f]	faim		[t]	table
[g]	gâteau		[v]	valise
[k]	cadeau		[z]	maison
[l]	lait		[ʃ]	chocolat
[m]	miel		[ʒ]	ange
[n]	nappe		[ɲ]	ignorer
[p]	pain		[ŋ]	parking

INDEX DES AUTEURS ET DES ŒUVRES

GAMARRA Pierre, *L'Almanach de la poésie* (1983), © Éditions Ouvrières, 77, 220.

GARY Romain, *La Promesse de l'Aube* (1960), coll. « Folio », © Gallimard, 47.

GAUTIER Théophile, *Arria Marcella* (1852), 119.

GAUTIER Théophile, *Émaux et Camées* (1852), 4, 336.

GAUTIER Théophile, *La Morte amoureuse* (1836), 9, 18, 99, 123, 135, 138, 177.

GAUTIER Théophile, *Le Capitaine Fracasse* (1863), 65, 328.

GAUTIER Théophile, *Le Pied de momie* (1840), 15, 45, 137.

GIONO Jean, *Jean le Bleu* (1932), © Gallimard, 110.

GOSCINNY René et UDERZO Albert, *Astérix chez les Belges* (1979), © Albert René, 23.

GOSCINNY René et UDERZO Albert, *Astérix chez les Bretons* (1966), © Albert René, 63.

GOSCINNY René et UDERZO Albert, *Astérix et le Chaudron* (1969), © Albert René, 210.

GOSCINNY René et UDERZO Albert, *Astérix légionnaire* (1969), © Albert René, 286.

GOSCINNY René et UDERZO Albert, *La Grande Traversée* (1975), © Albert René, 337.

GRIMM frères, « Le Ouistiti », « Le Loup et les Sept Chevreaux », « Yorinde et Yoringue », *Contes* (1812-1825), trad. Armel Guerne, © Flammarion, 12, 107, 118, 132.

GRIPARI Pierre, *Contes de la rue Broca* (1967), © La Table Ronde, 119.

HALLER Claude, *Poèmes du petit matin* (1996), © Hachette Jeunesse, 222.

HAWTHORNE Nathaniel, *Les Héros de la mythologie grecque* (1804-1864), trad. Pierre Leyris, coll. « Pocket junior. Mythologies », © Pocket Jeunesse, 231.

HOMÈRE, *Odyssée* (VIIIe siècle av. J.-C.), trad. Victor Bérard, © Armand Colin, 77, 83, 121, 214.

HUGO Victor, *L'Homme qui rit* (1869), 134.

M

INDEX DES AUTEURS

INDEX DES NOTIONS

Les astérisques indiquent les notions qui sont définies dans le lexique.
Les numéros renvoient aux numéros des rubriques.
Les numéros en gras indiquent l'endroit où la notion est le plus développée.

Achevé d'imprimer par Grafica Editoriale Printing a Bologne Italie
Dépôt légal n° 86867 - Août 2007